CHELSEA FINE

Beyond

Ich bin dir verfallen

Buch

Jenna hat mit Jack nur eine einzige Nacht verbracht. Das ist schon Monate her, aber dennoch kann Jenna die Stunden mit Jack nicht vergessen. Zu groß war die Anziehungskraft zwischen den beiden und zu leidenschaftlich die kurze gemeinsame Zeit. Doch Jenna ist ein kompletter Kontrollfreak, und eine wilde Affäre mit Jack wäre das Letzte, was sie gerade braucht. Bisher hat sie es auch ganz gut hinbekommen, Jack mit seinen Tattoos und seinem Bad-Boy-Charme von sich fernzuhalten. Aber als sie einen Road Trip zu ihrer Familie nach New Orleans plant und Jack sich als Beifahrer anbietet, lässt ihre Widerstandskraft schnell nach. Doch Jack hat Geheimnisse, die Jenna lieber nicht erfahren hätte – und die auch sie in Gefahr bringen können …

Autorin

Chelsea Fine lebt mit ihrem Mann und ihren beiden Kindern in Phoenix, USA. Sie verbringt möglichst viel Zeit damit zu schreiben und zu malen, um möglichst wenig ungeliebte Hausarbeit erledigen zu müssen. Dafür liebt sie Superhelden, Kaffee und verrückte Socken.

Außerdem von Chelsea Fine bei Blanvalet lieferbar:

Broken – Gefährliche Liebe
Trouble – Süchtig nach Dir

CHELSEA FINE

Beyond

Ich bin dir verfallen

Roman

Aus dem Amerikanischen
von Babette Schröder

blanvalet

Die Originalausgabe erschien 2015 unter dem Titel »Right Kind of Wrong«
bei Grand Central Publishing, New York.

Verlagsgruppe Random House FSC® N001967

Erste Auflage

Dieses Werk wurde vermittelt durch die Literarische Agentur Thomas
Schlück GmbH, 30827 Garbsen
Umschlaggestaltung und -motiv: © Johannes Wiebel | punchdesign,
unter Verwendung eines Motivs von dreamstime.com
Redaktion: Ulrike Nikel
Herstellung: sam
Satz: Buch-Werkstatt GmbH, Bad Aibling
Druck und Einband: GGP Media GmbH, Pößneck
Printed in Germany
ISBN: 978-3-7341-0391-9

www.blanvalet.de

Für Kristen, die mich so gut kennt und
trotzdem immer noch mit mir befreundet ist.
Du bist die beste »Jenna«,
die man sich als Freundin wünschen kann.

1

Jenna

»Na, sieh mal an, jetzt bist du ernsthaft verliebt. Richtig erwachsen. Ich bin ja so stolz auf dich«, sage ich und lächele meiner besten Freundin Pixie zu, während wir Kartons in unser Wohnheimzimmer schleppen. »Und was dich betrifft, Levi«, füge ich hinzu und wende mich an Pixies neuen, echt scharfen Begleiter, »gern geschehen.«

Er setzt einen Karton ab. »Ach ja?«

Ich nicke. »Hätte ich Pixie nicht gesagt, dass sie ihre Ängste einfach vergessen und zu ihrer Liebe stehen soll, wärst du immer noch ein unglücklicher Handwerker.«

»Ich *bin* immer noch Handwerker.«

»Ja, aber kein *unglücklicher* mehr.« Ich grinse. »Und das hast du mir zu verdanken.«

Er zieht Pixie in seine Arme und küsst sie auf die Schläfe. »Dann sollte ich mich wohl bei dir bedanken.«

Als sie anfangen, sich zu küssen, klingelt mein Telefon – ich bin froh, eine Ausrede zu haben, mich zu verdrücken und die beiden allein lassen zu können.

Ich schlüpfe in den Flur und schließe die Tür hinter mir.

»Hallo?«

»Hallo, Jenna.« Als ich die Stimme meiner Mutter höre, muss ich lächeln. »Wie geht es meiner Kleinen?«

»Gut«, antworte ich. »Pixie und ich sind fast fertig. Sie ist heute Abend mit ihrem Typ hergekommen, und wir haben beinahe schon alles eingeräumt. Bis auf ein paar Kartons, die noch bei den Cousinen stehen, aber die hole ich später ab. Und wie geht's dir?«

Sie zögert. »Nun ja, *mir* geht es gut.«

So wie sie das »mir« betont, ist mir sofort klar, warum sie anruft.

»Grandma?«, seufze ich. »Schon wieder?«

»Ich fürchte, ja. Sie meint, jetzt geht es wirklich zu Ende – sie würde das genau spüren.«

Ich verdrehe die Augen. »Mom, das behauptet sie seit zehn Jahren, und dabei hatte sie nicht das Geringste, nicht mal einen Husten.«

»Ich weiß, bloß diesmal scheint es ernst zu sein.«

Alle paar Jahre teilt meine Großmutter der Familie mit, dass sie jeden Augenblick den Löffel abgeben wird. Die ersten beiden Male bin ich sofort mit der nächsten Maschine nach New Orleans geflogen, wo sie mit meiner Mutter und meinen jüngeren Schwestern in dem Haus lebt, in dem ich aufgewachsen bin. Doch als ich eintraf, war Granny gesund und munter – ihr fehlte rein gar nichts. Deshalb bin ich beim letzten Alarm nicht sofort zum Flughafen gestürzt, sondern habe mir ein paar Tage Zeit gelassen, in Ruhe zu erledigen, was so anlag – und als ich schließlich in New Orleans ankam, vergnügte meine »sterbende« Großmutter sich gerade in einer Karaokebar.

Insofern dürfte wohl klar sein, dass ich keinerlei Lust verspüre, schon wieder auf ihre alberne Tour hereinzufallen.

»Ganz bestimmt nicht«, sage ich. »Ich gebe nicht schon wieder mein hart verdientes Geld für einen Flug aus, damit

Grandma mir was von Liebe und Schicksal erzählt, während sie laut eine Strophe aus *Black Velvet* zum Besten gibt. Sag ihr, ich werde sie erst dann besuchen, wenn ein Arzt bescheinigt, dass sie es tatsächlich nicht mehr lange macht.«

»Ach, Jenna. Werde bitte nicht theatralisch. Du bist ja bald genauso schlimm wie deine Großmutter.«

»Ich weiß«, räume ich mit gespielter Verzweiflung ein. »Aber wenn Granny so weitermacht und alle zwei Jahre groß ihren bevorstehenden Tod ankündigt, dürfte es schwer für mich werden, meinen Ruf als Dramaqueen der Familie zu verteidigen. Könntest du ihr bitte sagen, dass sie endlich mit dem Scheiß aufhören soll, anstatt dauernd zu versuchen, mich auszustechen. Ich bin für Theatralik zuständig und damit Punkt.

»Das ist nicht lustig, Jenna«, weist meine Mutter mich in einem eindeutig missbilligenden Ton zurecht.

»Doch, ist es«, widerspreche ich grinsend. »Und Grandma wäre meiner Ansicht.«

»Bitte sei zur Abwechslung mal ernst«, fordert sie mich auf.

Vergeblich, denn ich habe null Bock, die Eskapaden meiner Großmutter für bare Münze zu nehmen. »Ich befasse mich ernsthaft mit Grandmas Tod, wenn sie ernsthaft stirbt.«

Ein resignierter Seufzer dringt an mein Ohr. »Jenna, bitte.«

»Warum gehen wir überhaupt auf ihre Launen ein? Schließlich schikaniert sie uns damit. Wir lassen alles stehen und liegen, damit wir nicht zu spät kommen. Aber statt auf dem Totenbett ihre Hand zu halten, müssen wir ihr beim Karaoke die Daumen drücken. Nur deshalb zieht sie überhaupt diese Show ab. Warum machen wir eigentlich dieses Spiel immer wieder mit?«

»Sie ist sehr abergläubisch und fürchtet, ohne den Segen ihrer Verwandten kein Glück im Leben nach dem Tod zu finden. Das weißt du doch.«

Jetzt war es an mir, vernehmlich zu seufzen – ich hatte es langsam dicke.

Wie sollte ich das je vergessen? Seit meiner frühesten Kindheit tyrannisiert Grandma uns mit diesem abergläubischen Kram. Damit hat sie ihre Familie unerbittlich im Griff, bestimmt über sie, kontrolliert sie. Auch wenn es uns zum Hals raushängt – schlimm ist bloß, dass ihre Voodoo-Eingebungen so unheimlich zutreffend sind. Verstörend, total krass. Und das macht es uns schwer, ihre Marotten einfach zu ignorieren.

Ob man nun daran glauben will oder nicht. Fakt ist, dass meine Großmutter schon viele Ereignisse korrekt vorausgesehen hat. Sie weiß genau, was jemand vorhat, was er denkt oder was ihn antreibt, wenn sie ihm nur die Hand schüttelt. Einfach gruselig. Und als ob das nicht reichen würde, nutzt sie unsere Angst vor ihren übersinnlichen Kräften auch noch, um uns zu manipulieren.

Ihre wiederkehrende Ankündigung, bald zu sterben, ist ihre schärfste Waffe, und bislang hat sie immer ihr Ziel erreicht, denn jedes Mal fallen wir darauf rein. Was, wenn sie zur Abwechslung recht behalten sollte?

»Ja, ja«, murmele ich mit unverhohlenem Zynismus. »Scheint, dass ihr Abschied von dieser Welt mit allem Drum und Dran zelebriert werden muss. Das beansprucht sie.«

Ich höre, wie meine Mutter geräuschvoll einatmet.

»Darum geht es nicht allein, obwohl es stimmt. Deine Großmutter fühlt sich einfach nicht wohl und möchte dich gerne sehen, weil sie mal wieder ihre Ahnungen hat.« Als ich nichts sage, fügt sie hinzu: »Und würdest du dich nicht schrecklich fühlen, wenn es diesmal wirklich so wäre und du hättest dich nicht von ihr verabschiedet?«

Aha, meine Mutter will mir ein schlechtes Gewissen machen, spielt die Schuldkarte aus. Ein ganz mieser Trick, den alle Mütter draufzuhaben scheinen.

Ich gebe mich geschlagen. »Okay, ich komme – einen Flug zahle ich allerdings nicht. Diesmal fahre ich mit dem Auto.«

»Den ganzen Weg von Tempe bis nach New Orleans?«

»Ja. Dadurch spare ich eine Menge Geld. Ich muss bloß noch organisieren, dass jemand bei der Arbeit meine Schichten übernimmt, und dann mache ich mich morgen früh auf den Weg.«

»Hervorragend. Grandma wird überglücklich sein.«

»Ja, ja – so happy, dass sie eigens für mich Karaoke singt«, frotzele ich.

Meine Mutter räuspert sich leicht indigniert. »Schön, also bis demnächst. Ich freue mich, dass du kommst.«

Damit ist das Gespräch beendet, und ich gehe zurück in das Zimmer, wo Levi und Pixie so richtig in Fahrt gekommen sind.

»Gott. Ist das euer Ernst?«, sage ich und verziehe leicht angewidert das Gesicht. »Ich weiß, ihr habt euch erst vor ein paar Stunden wiedergesehen, aber echt! Ihr seid schließlich nicht alleine im Raum.«

Levi scheint keine Notiz von mir zu nehmen, denn er macht weiter an Pixie rum, und die lässt sich Zeit, bevor sie von ihrem Loverboy ablässt und meine Anwesenheit endlich zur Kenntnis nimmt.

Mit einem verträumten Lächeln blickt sie auf mein Handy. »Wer war das?«

»Meine Mom.« Ich atme hörbar aus. »Grandma behauptet, dass sie sterben wird.«

»Schon wieder?« Pixie beißt sich auf die Lippe.

Ich nicke. »Darum fahre ich morgen hin und versuche zurück zu sein, bevor die Uni losgeht.«

Pixie löst sich einen kleinen Schritt von Levi. Gerade so viel, dass er nicht länger an ihren Haaren herumschnüffeln kann – ich schwöre, das hat er gerade getan. Die beiden sind dermaßen verliebt, dass es schon fast abstoßend ist. Widerwillig macht Levi sich wieder ans Auspacken.

»Allein?«, erkundigt Pixie sich besorgt, und ihre grünen Augen weiten sich.

Wir beide, sie und ich, haben uns letztes Jahr im ersten Semester an der Arizona State University kennengelernt. Wir waren im selben Wohnheim untergebracht und wurden Zimmergenossinnen. Während der Semesterferien mussten wir unsere Studentenbude verlassen und uns den Sommer über etwas anderes suchen. Pixie kam bei ihrer Tante unter, der ein kleines Hotel nördlich von hier gehört, und hatte somit zugleich einen Ferienjob. Ich hingegen bin in Tempe geblieben und zu meinen drei Cousinen gezogen, die ebenfalls aus Louisiana nach Arizona gezogen sind. War ganz okay, aber jetzt bin ich froh, wieder mit meiner besten Freundin zusammenziehen zu können.

Wir studieren beide Kunst – sie Malerei, ich Bildhauerei –, sodass wir haufenweise Gemeinsamkeiten haben und uns super verstehen. Sie ist die beste Freundin, die ich je hatte. »Ja.« Ich lege das Telefon weg. »Allein.«

Pixie wirkt nach wie vor skeptisch. »Das hört sich aber nicht sehr spaßig an. Auch nicht besonders sicher.«

Levi blickt zu mir herüber. Es ist einer dieser beschützenden Großer-Bruder-Blicke, und ich unterdrücke ein Lächeln. O Gott, wie süß. Er kennt mich kaum und scheint dennoch um meine Sicherheit besorgt. Zum bestimmt hundertsten Mal freue ich mich im Stillen, dass er und Pixie sich gefunden haben. Für sie ist er einfach perfekt. Mich würde so ein Typ allerdings verrückt machen.

»Ich komme klar«, erkläre ich den beiden, winke ab und nehme meine Tasche. »Jetzt muss ich noch bei der Arbeit vorbei, damit die eine Vertretung für mich organisieren, und anschließend fahre ich zu meinen Cousinen, schlafe dort auch. Mit andern Worten: Ich werde eine Weile weg sein, ihr zwei könnt also weiter an der Wand herumknutschen oder was immer tun.« Ich zwinkere Pixie zu. »Bis später.«

Mein erstes Ziel ist der *Thirsty Coyote,* wo ich hinter der Theke arbeite. Es ist ein ordentlicher Job für eine Collegestudentin. Gute Arbeitszeiten, gutes Geld. Und er passt zu mir. Drinks auszuschenken ist zwar nicht mein Traumjob, aber er hilft mir, mein Studium bis zum Abschluss zu finanzieren und danach hoffentlich meine eigene Galerie zu eröffnen – denn genau das ist mein Traumjob.

Ich betrete die Bar und gehe nach hinten durch. Der Laden ist wie immer um diese Zeit ziemlich voll. Ich muss mich durch die Menge drängeln, um an den Tresen zu gelangen.

»Cody«, rufe ich meinem Kollegen zu.

Er dreht sich um und lächelt mir zu. »Was gibt's, Jenna? Ich dachte, du hättest heute Abend frei.«

»Hab ich auch. Aber ich muss für den Rest der Woche ein paar Schichten abgeben. Darum dachte ich, ich komme schnell vorbei und frage meinen Lieblingskollegen …«

Ich klimpere affektiert mit den Wimpern, als wollte ich ihn anbaggern. Müsste ich gar nicht. Zum einen würde ich damit nichts erreichen, weil Cody nicht auf mich steht – zum anderen wird er meine Schichten sowieso übernehmen, weil er das Geld braucht.

Er grinst. »Ich höre …«

Ich öffne meinen Kalender und zeige ihm die Tage, an denen ich weg sein werde. Wie erwartet, ist er sofort bereit einzuspringen. Für sämtliche Schichten.

Während Cody nach hinten geht, um die Vertretung gleich in den Personalplan einzutragen, warte ich am Tresen und überlege, wie lange ich wohl nach New Orleans unterwegs sein werde. Mindestens zwanzig Stunden schätzungsweise. Uff. Pixie hat recht. Das wird wirklich kein Vergnügen.

Mein Blick wandert über die Menge und bleibt an einer großen Gestalt hängen, die in der Ecke steht. Stahlgraue Augen. Widerspenstige schwarze Haare. Tätowierte Arme und breite Schultern. Sofort ist mein Körper in Alarmbereitschaft.

Jack Oliver.

Es überrascht mich nicht, ihn hier zu sehen. Er kommt andauernd her, allerdings zumeist in Begleitung seiner Freunde. Ein Typ, der fast notorisch gut gelaunt ist. Jetzt telefoniert er gerade und sieht für seine Verhältnisse ziemlich sauer aus. Die grauen Augen sind zu schmalen Schlitzen zusammengezogen, sein Kiefer wirkt angespannt. Aber ich will nicht lügen. Wut steht ihm.

Mit seiner Größe von über eins achtzig, seinen breiten Schultern und den vielen Tattoos wirkt Jack auf den ersten Blick eher ein wenig bedrohlich. Dabei ist er ein richtiger Softie. Jack wütend zu erleben ist somit eine neue Erfahrung für mich.

Eine scharfe Erfahrung.

Er merkt, dass ich ihn beobachte und hebt das Kinn zum Gruß. Kurz verschwindet sein Ärger, und er verzieht die Lippen zu einem schiefen Grinsen, dann konzentriert er sich erneut auf sein Telefonat, ballt die freie Hand zur Faust und beendet das Gespräch.

Interessant, hochinteressant.

Jack schiebt das Telefon in die hintere Hosentasche und kommt auf mich zu.

»Was ist los?«, frage ich. »Sah aus, als wärst du wütend.«

Er zuckt mit den Schultern. »Ach, nichts. Familienkram.«

Ich seufze hörbar. »Gott, das kenne ich zur Genüge.«

Als er nickt, treffen unsere Blicke sich und bleiben aneinander hängen.

Eins.

Zwei.

Ich hasse diesen Aspekt unserer Freundschaft. Es lässt mich unwillkürlich daran denken, was letztes Jahr in einer schwülen Nacht passiert ist, als wir betrunken waren. Die Erinnerung daran sollte mich eigentlich nicht mehr derart anmachen, tut sie aber. Allerdings ist es schwer, bei Jack nicht weich zu werden – vor allem beim Blick seiner grauen Augen, die von einem hellgrünen Rand umgeben sind, schwarze Sprengsel haben und manchmal fast silbern wirken.

Wir reden nie über damals, was auch gut so ist. Doch in Momenten wie diesen, wenn er mich so durchdringend ansieht, spüre ich fast wieder seine Hände auf meinem Körper. Wie er mit den Fingerspitzen über meine Haut gestrichen hat. Mit den Innenflächen seiner Hände über meine Rundungen …

»Hier.«

Cody kehrt mit dem Personalplan zurück, damit ich ihn abzeichne, und ich danke ihm im Stillen für die Störung.

Mich Erinnerungen an Jacks Hände hinzugeben, oder an andere Teile seines Körpers, führt zu nichts Gutem.

»Ich habe deine Schichten übernommen und bei dir *Urlaub* eingetragen«, sagt Cody.

»Danke.« Ich nehme das Buch und zeichne die Änderungen ab.

»Hey Jack.« Cody nickt ihm zu. »Was willst du trinken?«

»Nur ein Bier«, sagt Jack und lässt sich auf dem Barhocker neben mir nieder.

Er kommt mir so nah, dass ich sein Shampoo riechen kann. Es duftet nach Natur, nach Holz, Sägespänen und Pinien – ein Geruch, der schon wieder Erinnerungen in mir aufsteigen und mein Herz erneut schneller schlagen lässt.

»Wohin fährst du in Urlaub?« Sein warmer Atem streicht über meine Schulter und treibt eine Welle heißen Verlangens durch meinen Körper.

Zur Hölle mit ihm.

Bei genauerer Überlegung: zur Hölle mit *mir.* Warum fühle ich mich von ihm dermaßen angetörnt?

Eigentlich passt das nämlich gar nicht zu mir. Ich schwöre: Männer stehen ganz unten auf meiner Prioritätenliste. Erst kommen Schokolade, Tattoos, hundert andere Dinge – und ganz am Ende Männer. Eine Frau braucht nämlich keinen Kerl, um ein erfülltes Leben zu führen. Dafür bin ich der lebende Beweis.

Ich antworte ihm, ohne den Blick von dem Personalbuch zu lösen.

»Nach New Orleans, um meine Grandma zu besuchen.«

Er nickt. »Stirbt sie mal wieder?«

Sogar meine Freunde wissen inzwischen, wie lächerlich die regelmäßig wiederkehrenden Drohungen meiner durchgeknallten Großmutter sind.

»Yep.« Ich lasse das P ploppen. »Ganz Dramaqueen, als die sie sich zu inszenieren pflegt, kostet sie ihre Rolle voll und ganz aus. Sie liebt diese Auftritte.«

Jack grinst. »Du klingst irgendwie neidisch. Als ob du darauf warten würdest, dass *du* endlich mit deiner Exzentrik zum Zuge kommst.«

Jack und ich haben uns vor zwei Jahren kennengelernt, als ich im *Thirsty Coyote* anfing und er mich eingearbeitet hat. Wir sind gleich Freunde geworden, und inzwischen kennt er mich ziemlich gut mit all meinen Besonderheiten. Er weiß um meine Ungeduld, meine Rücksichtslosigkeit, wenn ich etwas durchsetzen will, und nicht zuletzt um meinen Hang zum Theatralischen, mit dem ich meiner Großmutter kaum nachstehe.

Cody stellt Jacks Bier auf die Theke und fragt mich: »Fliegst du heute Abend?«

»Nein.« Ich klappe das Buch zu und reiche es Cody. »Diesmal werde ich mit dem Auto fahren, morgen früh geht's los.«

Jack wendet mir sein Gesicht zu, zwischen seinen Brauen bildet sich eine leichte Furche.

»Du willst mit dem Auto bis nach Louisiana düsen?«

Wir stammen beide aus diesem Bundesstaat im alten amerikanischen Süden. Ich aus New Orleans, er nördlich davon aus einer Kleinstadt namens Little Vail. Die Tatsache, dass wir praktisch in der gleichen Gegend aufgewachsen sind, obwohl wir uns erst auf der anderen Seite des Landes, in dieser Bar in Arizona, begegneten, hat uns von Anfang an verbunden.

Das und Tequila.

»Ja, was denkst denn du. Ich gebe doch nicht Hunderte Dollar für ein Last-Minute-Ticket aus. Wenn Grandma das nächste Mal beschließt, tot umzufallen, muss sie mir mindestens einen Monat vorher Bescheid sagen.«

Jack trinkt einen Schluck von seinem Bier, mustert mich jedoch weiterhin unverwandt.

»Was ist?«, erkundige ich mich ungehalten.

Er zuckt die Schultern. »Das ist eine ziemlich lange Fahrt für einen allein.«

»Möglich, aber zum Glück fahre ich gern Auto.« Ich wende mich Cody zu. »Danke, dass du für mich einspringst. Ich schulde dir was. Bis bald, Jack.«

Als ich mich zum Gehen anschicke, rempelt mich so ein betrunkener Typ an, und ich falle rücklings gegen Jacks Brust.

Der packt mich automatisch bei den Hüften, und meine Hüften wünschen sich prompt, dass er mir die Jeans runterreißt.

Meinem Körper ist offenbar nicht zu trauen, keinem einzigen Teil.

»Pass doch auf.«

Unwirsch ranze ich den betrunkenen Typen an und schubse ihn ein Stück von mir weg nach vorn, damit ich mich von Jack lösen kann.

Langsam nimmt mein tätowierter Softie die Hände von meinen Hüften.

Schade, denke ich und senke sehnsüchtig die Lider.

Verdammt, ich brauche eindeutig Sex. Nicht mit Jack – das wäre eine Katastrophe –, sondern mit einem anderen Mann. Bald. Um Sex mit Jack aus meinem System zu bekommen.

Wieder mal, denn das habe ich in letzter Zeit ziemlich häufig versucht.

Als ich blinzelnd aufblicke, merke ich, dass Jack mich beobachtet. Eindeutig hat er meinen Moment der Schwäche bemerkt, mein Verlangen nach ihm.

Mist.

»Pass auf dich auf, Jenn«, sagt er leise, und seine Worte kribbeln auf meiner Haut.

Jack ist der einzige Mensch, dem ich erlaube, mich »Jenn« zu nennen. Keine Ahnung, warum. Vermutlich liegt es an seiner Stimme – sie ist tief und sexy und streichelt meine Ohren, die sich nach so was verzehren.

Zur Hölle mit ihm, zur Hölle mit ihm, zur Hölle mit ihm.

»Mach ich«, verspreche ich und trete betont lässig zurück. »Ich gehe dann mal. Wir sehen uns, wenn ich zurück bin.

Mit diesen Worten drehe ich mich um und zwänge mich durch die Menge zur Tür. Jacks Blicke folgen mir. Ich spüre es, ohne es zu sehen.

2

Jack

Es gibt nur zwei Dinge, über die ich niemals spreche: meine verrückte Familie und meine Geschichte mit Jenna. Und in diesem Moment habe ich es mit beiden zu tun.

Ich beobachte, wie Jenna sich zur Tür durchkämpft, und kann nichts gegen das ungute Gefühl tun, das mich befällt. Die Vorstellung, dass sie sich allein auf eine so lange Autofahrt begibt, gefällt mir gar nicht. Sie ist selbstständig und klug, okay, und ich weiß, dass sie auf sich aufpassen kann, aber das beruhigt mich nicht im Geringsten.

Sie hat die langen, dunklen Haare zu einem Pferdeschwanz zurückgebunden, was ihre goldfarbenen Augen und ihre hohen Wangenknochen noch mehr zur Geltung bringt. Dass sie zur Hälfte Kreolin ist, erklärt den bronzenen Schimmer ihrer Haut und unterstreicht ihre Schönheit noch. Sie sieht echt toll aus, richtig geil. Das schulterfreie Top lässt eine Menge von ihren Tattoos sehen, doch ich weiß, dass sie sich nicht auf die sichtbaren Stellen beschränken, sondern ebenfalls dort zu finden sind, wo sie jetzt den Blicken durch Kleidungsstücke entzogen sind.

Tattoos und sexy Kurven. Sie ist rasant und nicht zu bändigen, und sie macht mich total verrückt.

Als sie mit schwingenden Hüften durch die Tür entschwindet, zieht sich mein Magen zusammen. Wenn ihr jemals etwas zustoßen sollte oder wenn irgendjemand versuchen würde, ihr etwas anzutun, dann … Himmel, das darf ich mir gar nicht vorstellen. Und darum ist es auch völlig inakzeptabel für mich, dass Jenna drei Tage lang allein mit dem Auto über einsame Freeways und durch öde, verlassene Gegenden fährt.

Das gefällt mir nicht – nein, das gefällt mir ganz und gar nicht.

Mein Mitbewohner Ethan, der offenbar in irgendeinem Duftwässerchen gebadet hat, lässt sich neben mir auf einen Barhocker fallen.

»Hey Kumpel.«

»Hey«, sage ich.

Ich habe in diesem Jahr schon mit mehreren Typen die Wohnung geteilt, doch Ethan ist mir bislang der liebste. Zumindest ist er derjenige, den ich am besten ertrage. Was vermutlich daran liegt, dass wir befreundet sind, seit ich aus Louisiana nach Arizona gezogen bin – und so verschieden wir in vielerlei Hinsicht sein mögen, wir kommen ziemlich gut miteinander klar.

»War das Jenna, die da eben gegangen ist?« Er deutet mit dem Kopf in Richtung Tür.

»Ja.«

Ethan verzieht den Mund zu einem schiefen Lächeln. »Womit hast du sie diesmal verärgert?«

Ich muss grinsen. Dass ich sie ständig gegen mich aufbringe, ist ein wunder Punkt, aber ich kann nicht anders. Allerdings ist sie selbst schuld. Würde sie sich einfach wie eine Erwachsene benehmen und mit mir über unseren Ausrutscher vom letzten Jahr sprechen, könnte ich mich ebenfalls anders verhalten. Doch so zu tun, als wäre nie etwas zwischen uns passiert, das ist nicht nur ein No-Go, sondern darüber hinaus beleidigend. Einfach kränkend. Schließlich ist sie nicht irgendein Mädchen, das ich mal so nebenbei abgeschleppt habe.

Herrgott, sie ist Jenna.

Aber wenn sie es nicht anders will – okay, dann spiele ich mit. Auf meine Weise allerdings. Und deshalb ist sie hin und wieder sauer auf mich. Ich denke mal, das hat damit zu tun, dass sie nicht so abgeklärt ist, wie sie tut, und dass ich ihr mehr bedeute, als sie zugibt.

Hoffe ich zumindest.

»Ausnahmsweise«, erwidere ich, »habe ich sie diesmal kein bisschen geärgert. Tatsache.«

Ethan schüttelt den Kopf. »Ich weiß sowieso nicht, warum du sie immer aufziehen musst.«

»Weil es Spaß macht.« Ich zucke die Schultern. »Und außerdem macht sie mich wütend, wenn sie loszieht und mit irgendwelchen Idioten schläft.« Nachdenklich drehe ich mein Bierglas zwischen den Händen. »Sie weiß doch, dass sie was Besseres haben kann.«

»Jaaaa«, sagt Ethan gedehnt und schürzt die Lippen. »Dich interessiert viel zu sehr, mit wem Jenna schläft. Das ist nicht gesund, Alter.«

Ich unterdrücke ein Stöhnen. »Ich weiß.«

Ethan bestellt bei Cody etwas zu trinken, während ich in mein Bierglas starre.

Es sollte mir wirklich egal sein, mit wem Jenna schläft, zumal ich in dieser Hinsicht selbst nicht gerade ein Engel bin. Aber verdammt. Ich kann nicht anders. Es gefällt mir nicht, dass sie einem anderen erlaubt, ihren Körper zu berühren.

Schon wieder klingelt mein Telefon.

Ich seufze vernehmlich. Seit einer Woche bekomme ich ständig Anrufe von meiner Familie, und das nervt mich ganz gewaltig. Vorhin erst musste ich meine hysterische Mutter beruhigen, die sich große Sorgen um meinen jüngsten Bruder Drew macht. Dabei ist der zwanzig und sollte mittlerweile auf sich selbst aufpassen können. Funktioniert wohl nicht, denn anscheinend macht er in letzter Zeit irgendwelche krummen Sachen – und das beunruhigt meine Mutter verständlicherweise. Sie flippt regelrecht aus, und mir gehen allmählich die besänftigenden Worte aus.

Eigentlich habe ich gehofft, nach diesem Endlosgespräch mit meiner Mutter für eine Weile Ruhe zu haben, doch jetzt will mein anderer Bruder, Samson, was von mir.

Das ist kein gutes Zeichen.

Widerwillig nehme ich das Gespräch entgegen und sage knapp: »Was?«

»Ruhig, Bruder«, erwidert Samson. »Ich bin nur der Bote, der die Nachrichten überbringt.«

»Ja und? So langsam habe ich die Nase voll von euren Nachrichten.«

»Was bitte soll ich denn deiner Meinung nach tun? Dich nicht anrufen? Drew einfach draufgehen lassen?«

»Nein, natürlich nicht«, erkläre ich resigniert

»Das habe ich mir gedacht. Leider scheint Drew in ernsthafteren Schwierigkeiten zu stecken, als wir anfangs gedacht haben. Das spüre ich, obwohl er nicht richtig mit der Sprache rausrückt. Mom geht es genauso, und wenn nichts passiert, rastet sie vollends aus. Du musst herkommen.«

Samson ist ein Jahr älter als Drew und ein Jahr jünger als ich und der Entspannteste von uns dreien. Eigentlich kaum aus der Ruhe zu bringen. Dass er mich in den letzten Tagen mehrfach angerufen hat, ist an sich schon ein beängstigendes Alarmzeichen.

Als ältester Bruder – und zudem einzige männliche Autoritätsperson in der Familie – ist es meine Aufgabe, dafür zu sorgen, dass alle ruhig, cool und gelassen bleiben. Was, wie mir dieser Anruf beweist, zunehmend schwerfällt.

»Auf keinen Fall.« Obwohl er mich nicht sehen kann, schüttele ich energisch den Kopf. »Ich bin aus gutem Grund weggegangen, Samson. Ich komme nicht zurück. Unter gar keinen Umständen. Vergiss es.«

»Du kannst mich nicht hängen lassen – das ist unfair.« Er klingt total angespannt und zudem ziemlich verzweifelt. »Sag mir, was zum Teufel *ich* machen soll? Auf mich hört doch sowieso keiner.«

Ich fahre mir gereizt durch die ohnehin verstrubbelten Haare. »Sag Drew, er soll mich anrufen, dann knöpfe ich mir den Idioten mal vor.«

Samson stößt ein kurzes, bitteres Lachen aus. »Leichter gesagt, als getan. Da nämlich liegt das Problem. Drew ist verschwunden.«

Für einen Moment denke ich, mein Herz setzt aus. »Davon hat Mom nichts gesagt.«

»Weil sie nicht wirklich wahrhaben will, dass ihr kleiner Junge in der Scheiße steckt. Sie meint, er treibt sich irgendwo herum, aber du und ich, wir beide wissen es besser.«

Hektisch fahre ich mir übers Gesicht, bemühe mich, nicht in Panik zu geraten oder loszubrüllen. Genau wegen dem Mist bin ich von zu Hause weg und nach Arizona gegangen.

Und jetzt holt mich alles wieder ein.

»Gut, ich komme«, willige ich schließlich ein. »Sag Mom, sie soll sich beruhigen, okay? Wenn sie vollends durchdreht, macht sie alles bloß noch schlimmer. Und damit ist keinem geholfen.«

»Verstanden. Bis dann.«

Ich lege auf und fahre mit dem Finger über mein kaltes Glas.

Drew ist verschwunden. Ich habe immer befürchtet, dass so etwas irgendwann passieren würde. Dass einer meiner Brüder trotz meiner Warnungen mit der Drogenszene in Berührung kommt. Man kann sich nicht mit Dealern abgeben und ungeschoren davonkommen.

»Alles klar bei dir, Kumpel?«, fragt Ethan und hebt mir sein Glas entgegen.

»Was? Ja. Oder wie man's nimmt.« Unschlüssig halte ich inne und verziehe das Gesicht. »Familienprobleme eben.«

Er trinkt einen Schluck. »Du hast mir nie von deiner Familie erzählt. Warum nicht?«

Ich lege den Kopf in den Nacken. »Weil es da nichts zu erzählen gibt.«

In Wahrheit gäbe es massenhaft zu erzählen. Allerdings nichts, was die Leute gern hören. Und ich bin offen gestanden froh, dass ich mir in Arizona ein eigenes Leben aufgebaut habe. Ohne den Ballast der Vergangenheit. Ohne lastende Erwartungen.

Nun denn.

Seufzend mache ich mich daran, auf meinem Smartphone die Flugpreise zu checken. Kein einziges günstiges

Angebot. Fliegen scheint verdammt teuer geworden zu sein. Aber plötzlich macht es in meinem Kopf klick. Jenna fährt doch nach New Orleans, und auf dem Weg muss sie ohnehin an Little Vail vorbei, das nur zwei Autostunden weiter nördlich liegt. Ich werde einfach bei Jenna mitfahren.

Eine in jeder Hinsicht geniale Idee.

3

Jenna

Kaum habe ich die Wohnung betreten, werde ich vom aufgeregten Geschnatter meiner Cousinen empfangen.

»Deine Mom hat angerufen«, sagt Alyssa und redet wie ein Wasserfall. »Sie sagte, dass du ganz allein mit dem Auto nach Hause fahren willst, um deine Großmutter zu sehen. Und dass du Fliegen zu teuer findest, aber das ist doch wohl nicht wahr, oder? Bitte sag, dass das nicht stimmt. Mutterseelensolo quer durch die Staaten zu fahren, wäre echt verrückt.«

»Total irre«, bekräftigt Becca und nickt mit dem Kopf. »Da draußen gibt es Killer, die sich als Trucker ausgeben. Die verfolgen und entführen dich und machen Lampenschirme aus deiner Haut und solche Dinge.«

Ich verziehe das Gesicht. »Was bitte …«

»Das stimmt«, pflichtet Callie, die Älteste der drei, bei. »Ich sehe immer diese Dokumentationen über merkwürdige Verbrechen im Fernsehen. Da wird ständig von jungen Mädchen berichtet, die allein irgendwohin fahren und nicht lebend zurückkehren, weil irgendein Psycho sie wie einen Truthahn gegrillt hat.«

Meine Cousinen starren mich aus großen Augen an und warten, dass ich ihre absurden Ängste zerstreue und ihnen sage, dass ich natürlich *nicht* allein mit dem Auto quer durchs Land fahre. Nicht ohne einen Lover oder zumindest einen Aufpasser, der über mich und meine Tugend wacht.

Ich verdrehe die Augen und dränge mich an ihnen vorbei in das kleine Wohnzimmer.

»Jetzt chillt mal, Mädels. Mich bringt niemand um. Und gegessen werde ich schon gar nicht.«

»Wie kannst du dir da so sicher sein?« Alyssa schafft es tatsächlich, die Augen noch weiter aufzureißen, sodass sie geradezu riesig wirken.

»Weil ich anders als ihr drei«, sage ich und deute auf jede Einzelne mit dem Zeigefinger, »nicht von einem überbesorgten Daddy großgezogen wurde, der mir vor allem und jedem Angst gemacht und mir zudem eingetrichtert hat, dass es nur einen Schutz gebe: einen Mann. Mich hat eine unabhängige Frau erzogen: Sherry Lacombe, meine Mutter, und deshalb kann ich selbst auf mich aufpassen.«

Ich liebe Onkel Noah, einen Cousin mütterlicherseits, aber heiliger Himmel, er hat mit seiner Overprotection ein Trio ängstlicher Kätzchen herangezogen. Früher war ich eifersüchtig auf meine Cousinen, weil sie einen Daddy hatten, der immer für sie da war und auf sie aufgepasst und endlos mit ihnen geredet hat. Wenn ich sie allerdings jetzt so ansehe, bin ich im Nachhinein gottfroh und dankbar, dass ich dem entgangen bin.

Nichts ist schließlich gefährlicher, als vor allem Angst zu haben.

»Du solltest wirklich lieber den Flieger nehmen, Jenna. Wir könnten doch alle den gleichen Flug nehmen – schließlich wollen wir vor Semesterbeginn auch noch mal kurz nach Hause«, schlägt Callie vor.

Becca nickt. »Ja, genau.«

»Ja«, echot Alyssa, während sie und ihre Schwestern mich flehend umringen.

»Und mein hart verdientes Geld verschwenden?« Ich schüttele den Kopf. »Nein. Kommt nicht infrage. Ich fahre mit dem Auto. Punkt. Keine Diskussion mehr. Also, entspannt euch.« Energisch schiebe ich die drei Cousinen beiseite und gehe Richtung Küche. »Gott, ihr benehmt euch wirklich wie eine Horde verschreckter Hühner. Die Männer, bei denen ihr mal landet, tun mir leid.«

Schockiert folgen sie mir.

In Momenten wie diesen wünsche ich, die Studenten dürften während der Sommerferien weiter auf dem Campus wohnen. Aber nein. Ich musste raus aus meinem gemütlichen Zimmer im Wohnheim, das ich mit Pixie geteilt habe, und bei meinen drei Cousinen einziehen. Typischen Südstaatenschönheiten, die heimlich um den Titel des mädchenhaftesten aller Mädchen zu wetteifern scheinen.

Obwohl sie die Wohnung heute ziemlich sicher nicht ein einziges Mal verlassen hat, ist Alyssa wie üblich total aufgetakelt.

Die langen Haare hochgesteckt, auffälliges, viel zu starkes Make-up und Ohrgehänge, die es auf eine Länge bringen, die in Zentimetern der Höhe ihrer High Heels entsprechen dürften. Für einen Ausflug nach Las Vegas wäre das okay, aber für einen normalen Dienstag im Wüstenstaat Arizona eher nicht.

Becca mit ihrer Stupsnase steht ihrer Schwester kaum nach. Sie hat die Haare mit einem rosafarbenen Haarband glatt zurückfrisiert, sich die Wangen rosa geschminkt und die Fußnägel knallpink lackiert. Trotz der Babyfarben wirkt sie umwerfend sexy, was mich gleichermaßen verblüfft und beeindruckt.

Und Callie? Nun ja, mit ihrem Busen könnte sie jedes Model für Bademoden eifersüchtig machen. Und weil sie das weiß, trägt sie aufreizende Klamotten, die so eng sind, dass sie meiner Meinung nach eigentlich eine Sauerstoffflasche zum Atmen braucht.

Irgendwie wirken sie mit ihren Schmollmündern allesamt lächerlich, wie Barbies fast, und es ist schwer zu glauben, dass wir miteinander verwandt sind. Mit meinen zahllosen Tattoos und Piercings und mit meiner Vorliebe für Punkrockerklamotten sehe ich wie ein halb kreolisches Baby von Amy Lee und Lara Croft aus, das zu viel Eyeliner zum Geburtstag geschenkt bekommen hat.

Überflüssig zu sagen, dass ich zwischen meinen Cousinen völlig deplatziert wirke. Doch obwohl ich mir alle Mühe gegeben habe, anders auszusehen, habe ich die Lacombe-Gene, hohe Wangenknochen und zierlicher Körperbau, geerbt. Außerdem trage ich mit Vorliebe jede Menge Schmuck – Ohrstecker und mindestens einen Ring an jedem Finger –, sodass ich unwillentlich ebenfalls irgendwie mädchenhaft wirke.

»Was willst du dann machen?«, fragt Becca, eine Hand zum Zeichen des Protests in die Seite gestemmt und das Kinn nach vorn geschoben. »Einfach deine Tasche packen, dich in deinen Kleinwagen setzen und mit deinem Smartphone als Navi drei Staaten durchqueren?«

Wenn Blicke töten könnten, wäre das Becca soeben passiert.

Mein roter Dodge Charger ist nämlich mein ganzer

Stolz, und auf den lasse ich nichts kommen. Für diesen Luxus geht zwar die Hälfte meines Monatslohns drauf, aber egal. Ich liebe ihn, und insofern kränken mich die Worte meiner Cousine ganz gewaltig.

»Ja«, bestätige ich. »Genau das habe ich vor.«

»Das ist echt bescheuert!« Becca wedelt mit der Hand, die sie nicht in die Hüfte gestemmt hat, wild vor meiner Nase herum. »Was, wenn du dich verfährst?«

»Was, wenn du ausgeraubt wirst?«, setzt Callie eins obendrauf.

»Was, wenn man dich aufisst?« Alyssa meint es völlig ernst. »Ich will nicht, dass dich jemand aufisst«, fügt sie leise flüsternd hinzu.

Ungläubig starre ich sie an.

Es ist, als würde ich mit Tweedledee, Tweeldledum und Tweedledoom zusammenwohnen.

»Ja.« Ich wende mich dem Kühlschrank zu und hole eine Packung Eiscreme heraus. »Das wäre in der Tat ein Horrortrip. Aber seht es mal positiv. Wenn ich irgendwelchen Kannibalen in die Hände falle, könnt ihr drei meinen Kleiderschrank nach Herzenslust plündern und behalten, was immer euch davon gefällt.«

Callie schaut mich pikiert an. »Als ob wir irgendetwas von deinen Klamotten haben wollten. Zerrissene Jeans und Ledertops? Nein, danke.«

Ich hebe eine Braue. »Dein dicker Hintern würde sowieso nicht in meine Sachen passen.«

»Du bist doch nur neidisch auf meinen klasse Po.« Callie deutet mit der Hand vielsagend auf ihre ansehnlich gerundete Kehrseite.

»Ich bin hochzufrieden mit dem, was ich habe«, kontere

ich und schiebe boshaft nach: »Wenigstens kann ich nach Herzenslust Eis essen.«

Alyssa, die ganz offensichtlich nicht von der Vorstellung loskommt, ich könnte neben dem Highway gegrillt und verspeist werden, schürzt die Lippen.

»Es gefällt mir einfach nicht, dass du allein mit dem Auto die ganze lange Strecke fahren willst«, erklärt sie zum wiederholten Mal.

Ich lächele. »Gib meiner Grandma die Schuld. Die Frau ›stirbt‹ immer in den unpassendsten Momenten.«

Natürlich sind die drei Cousinen, die ebenfalls aus New Orleans stammten, bestens mit den Marotten der exaltierten alten Verwandten vertraut.

Becca nickt. »Das stimmt. Meint ihr, dass sie diesmal wirklich krank ist?«

Alyssa zuckt mit den Schultern. »Wer weiß, wir werden es bei unserem Besuch sehen. Aber vor allem freue ich mich, bald wieder mal nach Hause zu fliegen. Ich vermisse Dad.«

»Ich auch«, pflichten die beiden anderen ihr bei und nicken zur Bekräftigung heftig mit dem Kopf.

Während sie sich anschließend gegenseitig versichern, was für einen tollen Vater sie haben, stelle ich die Eiscreme zurück und gehe in mein Zimmer, um zu packen. Ich brauche nicht lange. Eigentlich muss ich nur alles in den großen violetten Koffer stopfen, den meine Mutter mir geschenkt hat, als ich zu Hause ausgezogen bin, um in Arizona mit dem Studium zu beginnen.

Sie war zunächst nicht gerade erfreut darüber, dass ich Louisiana verlassen wollte. Ihr Wunsch wäre es gewesen, dass ich in der Nähe bleibe – und das aus gutem Grund.

Ich bin nämlich für sie nicht bloß eine Art Freundin und Vertraute, sondern auch und vor allem eine wichtige Hilfe. Als Älteste habe ich mich immer mit um meine drei jüngeren Schwestern gekümmert: die vierjährige Shyla, die sechsjährige Raine und die sechzehnjährige Penny.

Dabei bin ich eigentlich ein Einzelkind.

Als ich zwölf war, beschloss meine Mutter jedoch, ein Pflegekind bei sich aufzunehmen. Eigentlich sollte es eine vorübergehende Sache sein, aber Mom verliebte sich unweigerlich in jedes Baby, das zu ihr kam, und schaffte es, alle zu adoptieren. Als ich achtzehn wurde, war sie alleinerziehende Mutter von vier Kindern.

Meine Schwestern sind sehr lustig, können allerdings auch ganz schön anstrengend sein. Ich weiß, dass Mom dankbar war für meine Hilfe bei den Kindern und im Haushalt, vor allem nachdem Grandma bei uns eingezogen war und mit dem »Sterben« anfing.

Wir waren eine sehr glückliche, wenngleich ziemlich bankrotte sechsköpfige weibliche Familie.

Ich kellnerte, meine Mutter hatte einen Job im Krankenhaus, so sind wir über die Runden gekommen. Allerdings fürchtete ich irgendwann, dauerhaft einer Zukunft als Kellnerin entgegenzusehen, in der ich von Gehaltsscheck zu Gehaltsscheck lebte.

Ich war schon fast zwei Jahre mit der Highschool fertig und verlor allmählich die Hoffnung, meinen Traum von einer eigenen Kunstgalerie je realisieren zu können, als mir die Arizona State University ein Kunststipendium anbot. Die Chance, ohne Studiengebühren eine Uni zu besuchen, durfte ich mir einfach nicht entgehen lassen. Plötzlich hatte ich wieder eine Zukunft.

Meine Mutter hingegen war nicht gerade erbaut, als ich ihr von der für mich so überaus erfreulichen Wendung meines Schicksals berichtete. Vor allem Arizona störte sie, aber irgendwann akzeptierte sie es. Sah ein, dass ich weggehen musste – nicht allein der Uni wegen, auch weil ich etwas aus mir machen sollte. Schließlich war das ja für die ganze Familie eine Zukunftsoption.

Als ich dann Pixie kennenlernte, wurde mein Leben endgültig richtig toll.

Obwohl ich eineinhalb Jahre älter bin als sie, kommen wir beide diesen Herbst ins zweite Studienjahr, und ich könnte nicht glücklicher sein. Arizona war eindeutig eine gute Entscheidung für mich.

In solche Gedanken versunken, beginne ich den violetten Koffer zu packen, bis er beinahe überquillt und ich mich daraufsetzen muss, um den Reißverschluss zu schließen. Anschließend ziehe ich meinen Pyjama an, wünsche den gackernden Hühnern im Wohnzimmer eine gute Nacht und krieche ins Bett.

4

Jack

»Warum ist es dir so wichtig, wie ein Idiot auszusehen, sobald du die Wohnung verlässt?«, sage ich und nehme skeptisch Ethans Aufzug in Augenschein.

Nachdem wir die Bar verlassen haben, sind wir in unsere beschissene Wohnung zurückgekehrt, wo Ethan sich sofort in sein, wie er es selbst nennt, »Pfauenkostüm« geworfen hat – es ist in der Tat so schrecklich, wie es sich anhört. Dann ist er ins Bad gegangen, um vor dem Spiegel Grimassen zu schneiden. Ich dagegen habe angefangen, für die Reise mit Jenna, die noch nichts weiß von ihrem Glück, ein paar Klamotten einzupacken. Leider muss ich immer wieder am Bad vorbei und mit ansehen, was Ethan da so treibt.

»Das ist ein Blickfang«, verkündet Ethan und deutet auf seine hautenge lilafarbene Jeans und das schwarze Smokinghemd, an dem diverse Knöpfe offen stehen, um die drei goldenen Ketten auf seiner Brust zur Geltung zu bringen. »Erst ziehe ich mit meinem Outfit die Blicke der Damen auf mich. Dann erobere ich mit meinem Charme ihre Herzen.«

Ich schüttele den Kopf und ziehe meine Reisetasche aus dem Flurschrank.

»Ich weiß nicht, wo du diesen Mist gelesen hast, aber du

siehst lächerlich aus. Wodurch ich ebenfalls lächerlich wirke. Bitte hör auf, mich lächerlich zu machen.«

»Sorry.« Er setzt in einem ganz bestimmten Winkel einen weichen Fedora-Hut auf und zuckt mit den Schultern. »Das geht nicht in der Disco.«

Ich verdrehe die Augen, wende mich ab und rufe ihm vom Flur aus zu: »In die Disco? Was bist du eigentlich? Ein Teenieschwarm, der Star einer Boygroup?« Ich schnaube verächtlich. »Jenna hat recht, Kumpel. Du hast echt keine Ahnung von Frauen.«

Höhnisch höre ich ihn etwas in seinen nicht vorhandenen Bart murmeln. »Zumindest habe ich Eier.«

Jetzt reicht's. Ich werfe die Reisetasche auf mein Bett und gehe zur Badezimmertür, starre ihn wütend an.

»Was bitte soll das denn heißen?«

Er streicht über seinen offenen Kragen. »Dass Jenna dich an den Eiern hat und mit dir macht, was sie will.«

»Du kannst mich mal.«

»Hey Mann. Beschwichtigend hebt er die Hände. »Ich sage doch nicht, dass das schlecht ist. Ich meine nur, wenn Jenna behauptet, Vogelkacke sei lecker, dann würdest du ihr wahrscheinlich immer noch recht geben.«

Mit finsterer Miene wende ich mich ab. »Das hat nichts, aber auch gar nichts mit Jenna zu tun. Du hast keine Ahnung von Frauen. Steh dazu.«

»Steh dazu«, spottet er, während ich weiter meine Sachen packe.

Mein Smartphone vibriert in meiner Hosentasche, ich ziehe es heraus und blicke gereizt auf das Display, bevor ich mich melde.

»Was ist?«

Samson schnalzt mit der Zunge. »Nichts Besonderes. Wollte mich bloß noch mal melden.«

»Was willst du, Mann?«

»Ich will gar nichts, rufe bloß auf Moms Wunsch hin an. Soll dich daran erinnern, für alle Fälle einen Regenschirm einzupacken.«

Mir verschlägt es die Sprache bei so viel Blödsinn. Drehen jetzt alle am Rad?

»Sie kann das doch nicht ernst gemeint haben, dass du mich wegen eines Regenschirms anrufst, oder? Was steckt dahinter? Wollte sie nicht in Wahrheit überprüfen, ob ich auch wirklich komme?«

»Wahrscheinlich. Ja, vermutlich schon.«

Ich seufze. »Okay. Sag ihr, sie soll relaxen. Ich fahre morgen los. Und wie geht es ihr?«

Samson zögert einen Augenblick. »Nicht gut.«

Natürlich geht es ihr nicht gut. Ihr jüngster Sohn ist verschwunden. Wo wir herkommen, gibt es lediglich zwei Gründe, warum jemand verschwindet: Entweder ist er auf der Flucht oder in den Untergrund gegangen. Wobei beides im Grunde genommen nicht zu unserem Bruder passt.

Was das Ganze auch so rätselhaft macht.

Drew ist weder ein Dealer noch ein Kämpfer. Ganz im Gegenteil: Bislang war er eher ein Muttersöhnchen, brav und gesetzestreu, und ist Schwierigkeiten aus dem Weg gegangen. Trotzdem sitzt er jetzt offenbar in der Patsche.

Ich höre auf zu packen. »Das alles missfällt mir, Sam. Irgendwas stimmt da nicht.«

»Ich weiß«, erwidert er. »Ich gebe mein Bestes, diesen Mist zu klären, Jack. Ehrlich. Aber du weißt ja, wie das hier ist. Niemand will mit mir reden – weil ich nicht du bin. Ich verfüge nicht über deine Verbindungen. Deine Kontakte.«

»Absolut richtig, die hast du nicht«, gebe ich barsch zurück, doch hinter meinem harten Ton verbirgt sich Angst, die brennend heiß meinen Körper durchflutet.

»Ja«, sagt Samson langsam. »Ohne dich kann ich nicht viel ausrichten. Natürlich tue ich alles, um eine Spur von Drew zu finden.«

»Das weiß ich, Sam«, versuche ich, ihn zu beruhigen, denn schließlich kann er nichts für diesen ganzen Mist. »Drew hat Glück, dass er dich hat.«

Schuldgefühle erfassen mich mit solcher Wucht, dass es mir die Brust einschnürt.

Ich hätte Little Vail nicht verlassen dürfen – und vor allem nicht meine Familie.

Aber ich musste weg – es ging nicht anders. Es war meine einzige Chance, dort rauszukommen. Dennoch war es nicht richtig …

»Nein. Drew hat Glück, dass er *dich* hat.«

Samsons Worte reißen eine frische Wunde auf und lindern zugleich meinen Schmerz ein wenig – die Schuld ist eben ein launischer Geselle.

»Wir alle sind froh, dich zu haben«, höre ich meinen Bruder sagen.

Ich schlucke schwer und stopfe weiter meine Sachen in die Reisetasche.

»Hat Mom genug Geld? Oder braucht sie was? Ich kann ihr aushelfen und etwas mitbringen …«

»Sie kommt zurecht – wir kommen zurecht«, betont er. »Wir brauchen nichts, außer dass du deinen Arsch herschaffst, um uns bei dem Schlamassel mit Drew zu helfen. Wie kommst du? Fliegst du?«

»Nein. Eine Freundin nimmt mich im Auto mit.«

»Warum schmeißt du dich nicht auf dein Motorrad?«

»Die Strecke ist mir zu weit. Am Ende bleibe ich noch mit der Maschine liegen. Außerdem: Was wäre, wenn es regnet?«, füge ich spöttisch hinzu. »Das könnte dann brenzlig werden. Selbst mit Regenschirm.«

Er versteht nicht, worauf ich anspiele. »Hast du etwa Angst, nass zu werden?«, fragt er naiv.

»Nein. Ich bin nur nicht so ein leichtsinniger Schwachkopf wie du.«

»Na, dann flieg eben.«

»Daran habe ich auch schon gedacht. Aber eine Freundin von mir fährt morgen sowieso nach New Orleans. Zwei, drei Tage kommt ihr doch noch ohne mich zurecht, oder?«, erkundige ich mich vorsichtig. »Meinst du, das ist okay für Mom?«

»Ja, sie kommt klar. Hauptsache, sie weiß, dass du kommst«, versichert Sam. »Außerdem stehe ich jetzt zu ihrer Verfügung, schon vergessen? Ich wohne wieder bei ihr. Wegen der Sache mit Trixie. Sie hat mich rausgeworfen.«

»Gott, du hast es echt nicht drauf mit Frauen.«

Ich höre ihn verächtlich schnauben. »Na, du hast es gerade nötig, eine große Lippe zu riskieren. Du hattest schließlich überhaupt noch keine Frau.«

»Wie bitte – ich hatte keine Frau?«

»Du weißt schon, was ich meine. Du bist nie ernsthaft mit einer zusammen gewesen.«

»Stimmt«, gebe ich zu. »Deshalb wirft mich auch keine raus. Komisch, was?«

»Du Arschloch«, murmelt er. »In diesem Sinne, machen wir Schluss. Bis die Tage also. Ich würde ja sagen, fahr vorsichtig, aber da du ja sogar zu zimperlich bist, um im Regen zu fahren …«

»Leck mich.«

»Desgleichen. Bis später, Bruder.«

Die Leitung ist tot, ich stecke das Telefon zurück in meine Hosentasche, hole ein Päckchen Zigaretten aus der anderen und zerre meine Tasche ins Wohnzimmer.

»Teufel.« Ethan mustert meine Tasche, während er sich eine protzige Uhr übers Handgelenk schiebt. »Wie willst du das Ding denn auf deine Harley bekommen?«

»Will ich nicht«, erwidere ich und fische ein Feuerzeug aus der Schlüsselschale in der Küche. »Ich fahre mit Jenna. Ihrer Großmutter geht es nicht gut, darum muss sie nach Louisiana. Da schließe ich mich einfach an.«

Mit diesen Worten trete ich auf den kleinen Balkon hinaus, der zu unserer Wohnung gehört, und zünde mir eine Zigarette an. Ethan steht im Türrahmen und sieht mir zu.

»Im Ernst?«

Ich nicke.

»Hast du Jenna gefragt?«

Ich schüttele den Kopf.

»Warum nicht?«

All diese Fragen, es ist, als würde ich mit einem Mädchen zusammenwohnen.

»Weil…« Ich stoße eine lange Rauchwolke aus. »Wenn ich sie frage, sagt sie Nein. Wenn ich dagegen einfach bei ihr auftauche, sagt sie anfangs vielleicht immer noch Nein, aber dann ist es viel leichter, sie zu bequatschen.«

»Du musst aufhören, sie unter Druck zu setzen. Jack. Das ist nicht cool.«

»Ich setze sie unter Druck? Es ist genau umgekehrt.« Tief einatmend, wende ich den Blick ab.

»Wirklich Alter, ich mag Jenna«, versucht Ethan, die Wogen zu glätten. »Nur wenn es ihrer Großmutter nicht gut geht, solltest du sie lieber nicht zusätzlich stressen. Sie ist nicht so stark, wie sie wirkt …«

»Jetzt mach mal einen Punkt«, unterbreche ich ihn aufgebracht. »Tu nicht so, als wüsste ich überhaupt nichts über Jenna. Ich brauche eine Mitfahrgelegenheit, und sie will ganz allein quer durch das verdammte Land fahren.« Erneut steigt Angst bei dieser Vorstellung in mir auf, und ich ziehe tief den Rauch meiner Zigarette in mich hinein. »Letztlich handelt es sich für uns beide um eine Win-win-Situation.«

Ethan nickt nachdenklich und schweigt einen Moment, dann kehrt er in die Wohnung zurück, lässt die Balkontür jedoch offen.

»Viel Glück, Kumpel«, ruft er mir zu, als er kurz darauf zu seinem abendlichen Vergnügen aufbricht. »Du wirst es brauchen.«

Allein auf dem Balkon, betrachte ich den lärmenden Verkehr rund um den Campus.

Vermutlich hat Ethan recht. Jenna wird genervt sein. Und wenn sie sauer ist, ist sie ein Teufel und kaum zu bändigen. Offen gestanden, ist mir das aber egal. Wenn ich sie dafür auf dieser riskanten Reise begleiten darf, kann sie mir ruhig das Gesicht zerkratzen.

Jenna ist einfach zu draufgängerisch, das ist nicht gut für sie. Was nicht bedeutet, dass mir ihr Mut nicht gefällt. Ich mag ihren Kampfgeist und ihre Kratzbürstigkeit, doch beides macht sie verwundbar. Und deshalb mache ich mir Sorgen.

Ich lasse mich auf den einsamen Plastikstuhl auf dem Balkon sinken, lehne mich zurück und ziehe erneut an meiner Zigarette.

Der morgige Tag wird eine Herausforderung. Zunächst muss ich Jenna überreden, dass sie mich mitnimmt. Sofern ich es schaffe, meine Hände von ihr zu lassen und den netten Jungen zu geben, bin ich diesbezüglich recht zuversichtlich, dass sie einknicken wird. Und wenn nicht, nun ja … Dann bleibt mir nichts anderes übrig, als die Hände nicht bei mir zu behalten.

Meinen Händen hat Jenna nämlich noch nie widerstehen können.

5

Jenna

Einer der Vorteile, wenn man mit drei Superweibchen zusammenwohnt, besteht darin, dass einen niemand komisch ansieht, wenn man für eine kurze Reise den halben Hausstand ins Auto lädt.

Drei Koffer scheinen in der Tat etwas übertrieben für einen Kurztrip nach Hause, aber es ging nicht anders. Der erste Koffer ist für meine Kleidung, der zweite für meine Haar- und Schminkutensilien – Schönheit braucht schließlich Zeit und ziemlich viele Hilfsmittel –, und der dritte ist natürlich für meine Schuhe.

Schuhe brauchen einen eigenen Koffer, weil sie praktisch Kunstwerke sind. Zumindest meine.

Ich packe alles in den Kofferraum und gehe zurück in die Wohnung, um noch meine Handtasche zu holen. Als ich eintrete, geht es gleich wieder los mit dem aufgeregten Geschnatter meiner Cousinen. Sie bombardieren mich geradezu mit Ermahnungen und Ratschlägen.

»Ruf alle drei Stunden an«, sagt Becca und kaut auf ihrem Daumennagel herum.

»Und halt nur im äußersten Notfall am Straßenrand an«, fügt Callie hinzu und hebt mahnend einen ihrer langen manikürten Finger in die Luft.

»Und was immer du tust, sprich nicht mit Fremden«, gibt Alyssa, deren Augen heute Morgen noch größer sind als gestern Abend, mir mit auf den Weg.

Ich atme tief aus, nehme meine Tasche und wende mich meinen Cousinen zu, die ich im Moment ziemlich ätzend finde, schaue alle der Reihe nach an.

»Damit ihr Bescheid wisst: Ich rufe ganz sicher nicht alle drei Stunden an – das ist total blödsinnig. Einmal muss reichen. Wenn überhaupt.« Ich halte inne und drehe mich zu Callie um. »Mit Sicherheit werde ich zwischendrin Stopps einlegen, wann immer es mir gefällt. Das Einzige, was ich dir verspreche: Ich meide einsame Streckenabschnitte, an denen haufenweise Schilder stehen mit der Aufschrift: Achtung! Hier gibt es Killer! Hört sich das gut an?« Callie starrt mich wütend an, während ich mich Alyssa zuwende: »Ich rede nicht mit Fremden – es sei denn, sie sind scharf und bieten mir Süßigkeiten an, dann allerdings …« Ich lächele maliziös, während sie schon wieder die Augen aufreißt. »Mensch, hör auf, immer solche Glubschaugen zu machen, sonst fallen sie dir noch aus deinem hübschen Gesicht.« Ich deute auf meine Stiefel, die ziemlich hohe Absätze haben und eigentlich nicht praktisch zum Autofahren sind. »Und am Ende gerätst du mir unter die Füße.«

»Sei bitte vorsichtig«, warnt Callie noch einmal und schlägt den Große-Schwester-Ton an.

Normalerweise spricht sie so mit den beiden Jüngeren. Mit mir nicht, denn wir sind ungefähr gleich alt. Weil ich spüre, dass sie ernstlich besorgt ist, lege ich ihr eine Hand auf die Schulter.

»Callie, ich passe auf. Versprochen. Du musst dir keine Sorgen um mich machen.« Ich sehe ihr einen Moment stumm in die Augen und lächele den dreien zu. »Wir sehen uns dann zu Hause, okay?«

Wir umarmen uns, bevor ich die Treppe hinuntergehe zu meinem roten Wagen.

Die Tweedles starren mir vom Treppenabsatz hinterher, und ich winke ein letztes Mal, bevor ich die Tür aufschließe und mich auf den Fahrersitz gleiten lasse.

»Um Himmels willen!« Erschrocken weiche ich zurück, schlage sodann wütend mit der flachen Hand gegen das Muskelpaket, das da neben mir hockt. »Jack! Du hast mich zu Tode erschreckt!«

Okay, vielleicht war es kein Zeichen von cooler Überlegenheit, auf ihn einzudreschen, aber ich konnte nicht anders. Meine Nerven liegen ohnehin schon blank – und zudem wirkt der ganze Kerl einfach so riesig, dass jeder, wirklich jeder einen Schreck kriegen würde, ihn völlig unvermittelt neben sich zu sehen.

»Was zum Teufel tust du hier?«, stoße ich hervor und werfe ihm einen bösen Blick zu.

Er grinst. »Guten Morgen.«

»Wieso sitzt du in meinem Auto?«

Durch die Windschutzscheibe sehe ich zu meinen Cousinen hinüber, die alles gebannt von der Treppe aus verfolgen. Na, toll.

»Ich fahre mit«, sagt er.

Wie von einer Tarantel gestochen, fliegt mein Kopf wieder zu ihm herum. »Was? Wie bitte?«

»Nach Louisiana.«

Er deutet über die Schulter auf eine große Reisetasche, die auf dem Rücksitz liegt.

Ich blinzele. »Äh, nein.«

»Äh, doch.«

»Den Teufel wirst du tun.«

Er zieht die Brauen zusammen. »Diesen Satz habe ich noch nie verstanden. Aber okay. Dann fahre ich mit dir wie der Teufel, was immer das heißen mag.«

»Steig sofort aus«, fordere ich ihn auf und zeige überflüssigerweise auf die Tür.

»Ach Jenna.« Er schnalzt mit der Zunge, und seine Augen blitzen. »Wir haben doch beide etwas davon.«

Einen Augenblick starre ich ihn an, bin unsicher, wie ich seine Worte deuten soll. Er betrachtet mich aufmerksam und genießt eindeutig die Tatsache, dass ich über seinen Kommentar nachgrübele.

Fragend hebe ich die Brauen und verschränke die Arme. »Wovon redest du?«

Lässig lehnt er sich gegen das Beifahrerfenster, als würde er in mein Auto gehören – als wollte er es sich richtig bequem machen. Schließlich schaut er mich durchdringend mit seinen unergründlichen Augen an.

»Es ist folgendermaßen: Aus einem Grund, den ich mir nicht ausgesucht habe, muss ich zurück nach Hause. Und aus einem Grund, den auch du dir nicht ausgesucht hast, musst du ebenfalls für ein paar Tage nach Hause. Und da unsere Zuhause ziemlich nah beieinanderliegen, habe ich mir überlegt, dass wir doch gemeinsam nach Louisiana fahren könnten und du mich auf dem Weg nach New Orleans einfach in Little Vail absetzt.«

Er schenkt mir sein jungenhaftes Lächeln, und ich kann mich gerade noch beherrschen, mich nicht vorzubeugen und mich an seinen Lippen festzusaugen. Ich hasse mich dafür.

»Und was bitte soll ich davon haben?«, wende ich ein. »Das verstehe ich null.«

Gleichmütig zuckt er mit seinen breiten Schultern. »Du hast unterwegs Gesellschaft.«

Widerwillig nicke ich mit zusammengebissenen Zähnen. »Und du hast keine Kosten.«

Sein Blick begegnet meinem, und ich merke sofort, dass ich ihn gerade erst auf eine Idee gebracht habe.

Sein Lächeln wird breiter. »Ganz genau.«

»Schmink dir das ab, ich brauche keine Gesellschaft.«

Irgendwie ist es mir unangenehm, eine längere Zeit allein mit Jack zu verbringen. Wegen dem, was letztes Jahr passiert ist in dieser verrückten Nacht, die jetzt irgendwie zwischen uns steht und einen lockeren Umgang verhindert. Trotzdem, und das ist mein Dilemma, fühle ich mich seitdem gegen meinen Willen noch mehr zu Jack hingezogen. Mindestens zwei Tage lang mit ihm in einem Auto zu sitzen, ist da sicher nicht hilfreich.

Doch wie zum Teufel soll ich ihn jetzt wieder aus meinem Auto bekommen?

»Unsinn«, höre ich ihn sagen. »Natürlich brauchst du Gesellschaft. Jeder braucht das.«

»Ich nicht. Steig aus.«

Er grinst. »Nein.«

Gott, ich hasse ihn. Na ja, nicht wirklich. Richtiger ist, dass ich mich hasse, weil ich ihn nicht hasse.

Ich schiebe das Kinn vor und starre ihn böse an.

»Gut. Wenn du nicht freiwillig gehst …«

Entschlossen steige ich aus, stapfe um den Wagen herum zur Beifahrerseite, reiße die Tür auf und umfasse mit beiden Händen seinen Oberarm und ziehe an ihm.

Jack rührt sich keinen Zentimeter vom Fleck, während ich an seinem riesigen Arm zerre und dabei ächze und stöhne, als würde ich gerade versuchen, ein schweres Möbelstück von der Stelle zu bewegen.

Seine Augen funkeln vergnügt, als wäre das Ganze ein einziger Spaß.

»Was hast du vor, Jenna? Willst du mich ernstlich auf der Straße zurücklassen?«

»Yep.«

Mein Blick fällt auf meine Cousinen, die nach wie vor reglos auf der Treppe stehen – Becca kaut noch immer auf ihrem Daumennagel herum.

»Nun, ja. Das klingt alles andere als nett«, sagt er und stellt die Rückenlehne etwas weiter nach hinten, um es sich richtig bequem zu machen.

Erneut versuche ich, ihn herauszuziehen. Vergeblich. Er ist einfach zu riesig und zu stark – und, ehrlich gesagt, für mich die Versuchung in Person. Ich lasse die Arme sinken und denke über das Bild nach, dass ich anderen biete. Eine junge, eher zierliche Frau, die sich abmüht, einen großen, kräftigen Kerl, ein Trumm von Mann, aus dem Auto zu zerren.

Lächerlich.

Resigniert trete ich einen Schritt zurück, streiche mir eine dunkle Haarsträhne aus dem Gesicht und blicke düster in die grauen Augen, die mich anlächeln.

»Ich bemühe mich auch nicht, nett zu sein«, sagt er anzüglich. »Versprochen.«

»Hoffentlich nicht.«

»Nun nimm ihn schon mit, Jenna«, mischt sich Callie ein. »Dann haben wir alle ein besseres Gefühl.«

Er grinst erst Callie an, dann mich. »Siehst du? Ich habe Unterstützung bekommen.«

»Nur weil meine Cousinen dich für so eine Art Motorradgott halten, heißt das nicht, dass du über mich bestimmen kannst. Es steht dir nicht zu, mir ganz nebenbei einfach mitzuteilen, dass du in *meinem* Auto mit nach Louisiana fahren willst.«

»Würde es dir besser gehen, wenn ich dich vorher gefragt hätte?«

»Nicht besonders.«

»Jenna.«

Er beugt sich vor und sieht mir in die Augen – so tief, wie er es erst wenige Male getan hat, seit ich ihn kenne. Es ist ein intimer, ein bedeutungsvoller Blick, und ich spüre, wie er sich in mich hineinbohrt und ganz weit in mein Innerstes vordringt.

»Nimmst du mich bitte mit?«

Einen Augenblick lang verliere ich mich in seinen Augen. Sprachlos. Unsicher. Dann weiche ich zurück, straffe meine Schultern und sehe ihn mit finsterer Miene an.

In Jacks Gegenwart traue ich mir selbst nicht mehr über den Weg, bin nicht mehr ich selbst. Er schafft es immer wieder, dass ich auf ihn hereinfalle – und das nehme ich vor allem mir selbst übel.

Andererseits kommt mir sein Vorschlag nicht ganz ungelegen, denn ich habe mich tatsächlich die halbe Nacht von einer Seite auf die andere gewälzt, weil ich dank meiner Cousinen Albträume hatte, in denen irgendein kranker Highwaypsycho sein Unwesen trieb. Was mir so sehr zugesetzt hat, dass ich am Morgen ernstlich gezweifelt habe, ob es tatsächlich eine so tolle Idee ist, allein Tausende Kilometer durch gottverlassene Gegenden quer über den nordamerikanischen Kontinent zu fahren.

Insofern wäre es vielleicht wirklich nicht so schlecht, wenn Jack mitkäme.

So unsympathisch mir das auch grundsätzlich sein mag – ich hätte Gesellschaft, und er würde dafür sorgen, dass mir nichts passiert. Und es sollte ja wohl möglich sein, mich so zusammenzureißen, dass ich nicht völlig die Kontrolle verlieren und mir in seiner Gegenwart die Klamotten vom Leibe reißen würde, oder?

Damit war die Entscheidung getroffen.

Wie immer, wenn es um Jack geht, gebe ich nach.

»Also gut. Du kannst mitkommen«, brumme ich unfreundlich, »aber halt die Klappe und quatsch mir nicht die Ohren voll.«

Als meine Cousinen sehen, dass ich einlenke, klatschen sie wie Schulmädchen kreischend in die Hände, während ich die Augen verdrehe. Je eher ich aus Arizona wegkomme, desto besser.

»Du willst dich echt nicht mit mir unterhalten?«, fragt er, als ich wieder im Auto sitze und den Motor starte. »Das klingt weder besonders vernünftig noch nett.«

Ich winke meinen Cousinen zum Abschied zu und fahre auf die Straße.

»Sei still.«

»Das ist eindeutig nicht nett.«

»Redest du immer noch?«

»Sei nicht so eklig.« Er lacht und stellt seinen Sitz wieder gerade. »Das wird lustig, Jenna. Du wirst schon sehen.«

»Halt die Klappe.«

»Nur wenn du höflich darum bittest.«

»*Bitte,* halt die Klappe.«

Er überlegt einen Moment. »Nein.«

Mit solchem Geplänkel vergehen die ersten zehn Minuten unserer »lustigen« Reise – ich gifte ihn an, dass er ruhig sein soll, und er quittiert das mit einem fröhlichen Lächeln, das mich auf die Palme bringt.

Etwa einundzwanzig Stunden liegen noch vor uns. Noch nie in meinem Leben hat sich Louisiana so weit weg angefühlt.

Doch erst nachdem wir auf dem Freeway sind und die Stadt hinter uns lassen, wird mir so richtig bewusst, was ich mir da eingebrockt habe. Ich könnte mich ohrfeigen. Wozu um Himmels willen brauche ich jemanden, der auf mich aufpasst? Schließlich bin ich ein großes Mädchen. Ich unterdrücke einen Fluch und umklammere das Lenkrad fester als nötig.

Zur Hölle mit Jack. Wie schafft er es bloß, mich jedes Mal wieder rumzukriegen?

Und warum knicke ich jedes Mal ein? Zur Hölle mit mir.

Aus dem Augenwinkel sehe ich, dass er zum vierten Mal, seit wir Tempe verlassen haben, zu mir herüberblickt, und eine verräterische Hitze durchströmt meinen Körper.

Verdammt, verdammt, verdammt.

Als ich unserer Fahrgemeinschaft zugestimmt habe, muss ich eindeutig einen Aussetzer gehabt haben, und das liegt an nichts anderem als an Jack und diesen geheimnisvollen Augen, die alles zu sehen und zu wissen scheinen. Er weiß immer genau, was er tut – und er weiß ebenfalls, dass ich ihm nicht widerstehen kann, wenn er mich so ansieht.

Also ist alles seine Schuld, oder?

Ich sollte die Notbremse ziehen, bevor es zu spät ist. Und das wird es sein, wenn ich die nächsten Tage mit ihm auf engstem Raum zubringen muss und seinen manipulativen Blicken ausgesetzt bin.

Was also tun?

Nachdenklich starre ich auf den endlosen Freeway vor mir. Okay, bei der nächsten Möglichkeit drehen wir um. Ende der Geschichte. Und der erzwungenen gemischtgeschlechtlichen »Vergnügungsfahrt«.

Ich spiele mit einem der Ringe an meiner linken Hand und drehe ihn immer wieder, während ich überlege, wie ich Jack auf elegante Weise beibringen kann, dass unsere Spaßreise zu Ende ist. Seit zwanzig Minuten habe ich kein Wort mehr von ihm gehört.

»Hör zu, Jack …«, beginne ich.

»Nein.«

»Nein?« Ich blicke zu ihm hinüber. »Du weißt doch gar nicht, was ich sagen will.«

»Doch, das weiß ich.« Er schaut unverwandt durch die Windschutzscheibe nach draußen. »Du willst mir erklären, dass es ein Fehler war und dass du umdrehst oder so etwas. Darum sage ich Nein. Es ist zu spät, deine Meinung noch zu ändern.« Dann dreht er mir sein Gesicht zu. »Und außerdem muss ich nach Louisiana. Ich habe keine Zeit für deine Launen, Jenna. Heute nicht.«

Wie seine Stimme klingt! Ich kenne diesen Tonfall. Damit will er die Mauern, die ich um mein Herz errichtet habe, zum Einstürzen bringen. Und er weiß, dass es ihm früher oder später gelingt. Risse haben sie schließlich bereits. Und zwar jede Menge.

Der Gedanke an die Vergangenheit sollte nicht so wehtun. Und ich weiß, dass Jack anders damit umgehen möchte, dass er meine Weigerung, nicht darüber zu reden, falsch findet. Völlig falsch.

»Okay, sag mir offen, was du wirklich denkst«, murmele ich bitter. »Nimm auf mich keine Rücksicht.«

Ein Moment vergeht, ohne dass er mich ansieht. »Ich nehme nie Rücksicht.«

»Ach, was du nicht sagst.«

Ich könnte den Köder schlucken – denn das ist es, ein Köder – und ein lange überfälliges Gespräch führen, aber das würde Gefühle und Ängste heraufbeschwören, die ich mir nicht eingestehen möchte. Für all das fehlt mir letztlich der Mut. Darum schalte ich stattdessen Wütende-Mädchen-Musik im Radio ein.

Jack sitzt genau fünfzehn Sekunden still, dann sucht er einen anderen Sender, der Wütende-Jungs-Musik bringt. Kommt nicht infrage. Ich wechsele wieder zurück. Er daraufhin ebenfalls.

»Hör auf, oder ich verhexe dich, sodass du morgen nicht mehr aufwachst«, zische ich ihm wütend zu.

»Drohst du *jetzt* schon damit, mich umzubringen?« Er seufzt dramatisch und sieht mich spöttisch an. »Ich war mir ganz sicher, wir würden es bis zum Sonnenuntergang schaffen, bevor du die Hexenkarte ziehst.«

Ich ignoriere ihn und stelle das Radio auf Rock aus den Neunzigern ein.

»Mein Auto. Meine Musik.«

Alanis Morissette singt *You Oughta Know,* und Jack stöhnt. Für den Bruchteil einer Sekunde habe ich Mitgefühl. Ich weiß, wie sehr er Alanis Morissette hasst.

»Können wir bitte etwas anderes hören?«, fragt er höflich. »Ich schwöre, dass ich ernstlich versuche, diesmal kein Arsch zu sein.«

»Ach, dann gibst du also zu, dass du vor einer Sekunde noch ein Arsch gewesen bist?«

»Natürlich.« Er zuckt mit den Schultern. »Wütende-Mädchen-Musik? Also komm. Deutlicher kannst du es mir ja wohl nicht zeigen, oder?«

Ich beschließe, nicht über seine Worte nachzudenken, und hebe drohend die Hand.

»Okay, aber du wirst klaglos Polka hören müssen, sofern ich das will. Das ist der Preis dafür, dass du dich selbst in mein Auto eingeladen hast.«

Amüsiert blickt er mich an. »Geht in Ordnung, Diva. Lieber höre ich Polka als das Kreischen einer enttäuschten Frau, die behauptet, alle Männer seien Schweine.«

In zuckersüßem Ton erwidere ich: »Sprichst du da etwa aus Erfahrung?«

Er lächelt anzüglich. »Sag du es mir.«

Neiiiin. Unter keinen Umständen verbringe ich eine weitere Stunde mit diesem Mann, geschweige denn noch ein paar Tage. Wir haben ja mehr ungelöste Probleme als die Typen in jeder beliebigen Dokusoap.

»Das reicht«, erkläre ich, fahre auf die rechte Spur und nehme die nächste Ausfahrt.

»Was hast du vor? Willst du rechts ranfahren und ein ernsthaftes Gespräch mit mir führen?«, fragt er spöttisch und bringt mich schon wieder auf hundertachtzig.

»Übers Reden sind wir längst hinaus«, fege ich ihn an.

Erneut blickt er angelegentlich aus dem Fenster. »O ja, ich weiß, ich weiß.«

Meine Wut steigt angesichts seiner Nonchalance. »Siehst

du? Das meine ich. Ständig spielst du auf irgendeinen Mist an und versuchst, mich zu provozieren. Völlig ungerechtfertigt. Ich habe das satt.«

»Was?« Er runzelt verwirrt die Brauen. »Niemand, der nur halbwegs bei Verstand ist, würde es wagen, dich zu provozieren, Jenna. Du bist wie eine rollige, eingesperrte Katze. Nichts als Krallen und Zähne. Du fühlst dich allein durch meine Anwesenheit provoziert – und das vom ersten Moment an, in dem ich dir begegnet bin. Also, warum beruhigst du dich nicht und fährst wieder zurück auf den Freeway? Wo sind wir hier überhaupt?«

Jetzt hat er's endgültig versaut.

»Ich sage dir, wo wir sind.« Ich fuchtele mit dem Finger in der Luft herum und bremse abrupt ab. »Das hier ist der Parkplatz des Willow Inn, und hier ist für dich Endstation.«

Dieser Ort hier draußen irgendwo im Nichts ist ein idealer Abladeplatz für unerwünschte Passagiere. Genau richtig für Jack. Keine weitere Sekunde würde ich seine betont coole Art aushalten.

Er verzieht die Mundwinkel zu einem leisen Lächeln, ansonsten rührt er sich nicht.

»Du willst mich ernstlich an dieser …«, er deutet auf das malerische, idyllisch gelegene Gebäude, »übergroßen Kopie von Schneewittchens und der sieben Zwerge Hütte mitten im Nirwana absetzen?«

Ich nicke entschieden. »Hier hat Pixie in den Semesterferien gearbeitet, das Willow Inn gehört ihrer Tante. Sie kann dir bestimmt ein Taxi besorgen, das dich zurück nach Tempe bringt. Oder nach Little Vail, wenn du willst. Mein Chauffeurservice ist jedenfalls an dieser Stelle beendet. Steig aus.«

Jack denkt nicht dran. Mustert stattdessen mein Gesicht und beginnt mit leiser Stimme zu reden.

»Ich weiß, dass es nicht einfach ist, mit dieser Sache zwischen dir und mir umzugehen. Und es tut mir leid, wenn ich mich noch ätzender verhalten habe als sonst, aber Jenna …« Er schüttelt den Kopf. »Ich steige nicht aus.«

Sein Ton, seine Worte, alles widerspricht in diesem Moment seinem sonstigen Verhalten. Und das genau ist das Problem. Es ist leichter, wenn Jack sich wie ein Arsch verhält. Leichter, wenn er versucht, mich höllisch zu nerven. Wenn er hingegen so ist wie jetzt: tiefgründig, aufrichtig und gefühlvoll und mich mit seinen stahlgrauen Augen so anschaut, dann wird es kompliziert.

Aber ich will nicht, dass es kompliziert wird.

»Das war keine Bitte«, sage ich, steige selbst aus, nehme seine Reisetasche von der Rückbank und marschiere zum Eingang des Hotels. Guter Gott, ist die Tasche schwer. Was ist denn da drin? Hanteln?

Hinter mir höre ich, wie die Beifahrertür geöffnet und geschlossen wird.

»Das wird eine einsame Reise ohne mich, weißt du das?«, weht Jacks Stimme sanft von hinten zu mir. »Deine Wütendes-Mädchen-Musik wird dir mit Sicherheit keine Gesellschaft ersetzen.«

Ich verziehe das Gesicht und steige die Stufen zum Eingang des Hotels hinauf. Meine Güte, der hat Nerven.

»Okay, ich zahle fürs Benzin«, bietet er an, als könnte mich das umstimmen. »Und ich fahre auch, wenn es dunkel wird.«

Unwillkürlich verlangsame ich meine Schritte. Diesen Aspekt habe ich bislang völlig außer Acht gelassen. Bei so einer langen Fahrt wäre es schon angenehm, einen Ersatzfahrer zu haben …

Nein! Nein. Kommt nicht infrage. Ich stoße verächtlich die Luft aus, mehr wegen meiner Gedanken als wegen Jacks Worten.

Er allerdings deutet mein Zögern anders. »Na komm schon«, sagt er. »Du hasst es doch, eine Brille beim Fahren zu tragen, und wir beide wissen, dass du ohne deine Brille nachts blind wie ein Maulwurf bist.«

»Unsinn, bin ich absolut nicht.«

»Okay. Dann eben blind wie eine neugeborene Katze.«

Verzweifelt stöhne ich auf. »Wie kann ich je in Erwägung gezogen haben, dich mitzunehmen. Bestimmt würde ich dir lange vor der texanischen Grenze den Kopf abreißen.« Ich öffne die schwere Eingangstür zum Hotel, gehe hinein und sehe mich über die Schulter nach ihm um. »Offen gestanden, bin ich verwundert, dass wir es überhaupt so weit geschafft haben, ohne dass es Mord und Totschlag gegeben hat.«

Er grinst. »Was sollen die Morddrohungen? Löst du all deine Probleme auf diese Weise?«

Ich lasse die Reisetasche fallen und fahre erbost zu ihm herum.

»Nicht alle, nur bei bestimmten Leuten.«

Trotz meiner Empörung sehe ich ihn länger an, als gut für mich ist. Er sieht wirklich toll aus mit seinen markanten Zügen, den breiten Schultern und den muskulösen Armen mit den Tattoos.

Leider hat er meinen Blick bemerkt und weiß jetzt Bescheid. Verdammt, warum müssen seine unglaublichen Augen immer alles registrieren.

Ein breites Grinsen überzieht sein Gesicht, dann beugt er sich ganz zu mir hinunter. So nah, um den holzigen Geruch seines Shampoos zu riechen und seinen warmen Atem auf meinen Wangen zu spüren.

»Erstens musst du deinen Frust nicht an meinem Gepäck auslassen.« Er deutet auf seine Tasche, die achtlos am Boden liegt. »Und zweitens«, sagt er spöttisch, »nehme ich das als Beweis, dass du mich für was Besonderes hältst. Was gewissermaßen ja ein Kompliment ist.«

Unsere Blicke treffen sich, und mein Herz hämmert in meiner Brust. Könnte ich diesen schrecklichen Typen doch nur hassen. Das Leben wäre so viel einfacher.

6

Jack

Hinter der Rezeption sitzt eine attraktive Frau mit langen dunklen Haaren, die offensichtlich leicht missbilligend unseren kleinen Streit verfolgt. Sie räuspert sich und lächelt Jenna an.

»Willkommen im Inn. Ich wusste gar nicht, dass du vorbeikommst. Pixie ist allerdings nicht da.«

Jenna löst den Blick von mir und konzentriert sich auf die Frau.

»Oh, ich bin nicht wegen Pixie hier. Ich will diesen Depp«, sie deutet mit dramatischer Geste auf mich, »hier absetzen und dann weiter nach New Orleans fahren.«

Depp. Wow. Sie ist so durch den Wind, dass ihr nicht einmal mehr gute Beleidigungen einfallen.

Ich verkneife mir ein Lächeln, wende mich der Frau hinter der Rezeption zu.

»Jenna steht nicht auf Reisebegleiter – sie hält es mit mir nicht gut in kleinen Räumen aus«, erkläre ich und nicke mit dem Kopf zu dem streitlustigen Kätzchen hin, das affenscharf aussieht. »Ich bin übrigens Jack«, füge ich hinzu und strecke der Hotelbesitzerin die Hand entgegen.

»Ellen.«

Sie schüttelt nachdenklich meine Hand, während sie aus

ihren haselnussbraunen Augen fragend und ein wenig irritiert zu Jenna hinüberblickt.

Ich zwinkere meiner missgelaunten Freundin zu.

Die wirft die Arme hoch und faucht mich an: »Du bist so was von nervig.«

Ich lächele sie an. »Und du bist hinreißend, besonders in deiner Wut. Ich bringe jetzt meine Tasche zurück ins Auto und warte auf dich, bis du dich einigermaßen abreagiert hast«, sage ich und wende mich Ellen zu. »War nett, Sie kennenzulernen.«

Als ich mit der Tasche durch die Lobby nach draußen gehe, verfolgt Jenna mich mal wieder mit Blicken, als würde sie mich rücklings erdolchen wollen. Ich spüre es, ohne es zu sehen.

Sie ist eindeutig frustriert, und das deute ich als gutes Zeichen.

Ich kenne Jenna nämlich besser, als sie es wahrhaben will – und darum weiß ich, dass sie nicht wirklich wütend auf mich ist. Wenn das der Fall wäre, würde sie überhaupt nicht mit mir reden. Wenn sie so richtig verärgert wäre, würde sie mich jetzt wahrscheinlich auf ewig mit Schweigen und Verachtung strafen.

Aber so ist es nicht. Sie ärgert sich letztlich über sich selbst, weil sie etwas empfindet, was sie nicht empfinden möchte. Obwohl ich das total albern finde, hat ein Teil von mir deshalb ein schlechtes Gewissen.

Was rede ich da? Ich habe überhaupt kein schlechtes Gewissen. Soll sie doch in ihrem Gefühlschaos untergehen – solange sie mit einem klaren Kopf wieder auftaucht und endlich ehrlich sich selbst gegenüber ist.

Nachdem ich die Tasche ins Auto gepackt habe, überprüfe ich mein Telefon. Ich habe weitere vier Anrufe von Zuhause verpasst.

Mist.

Ich gehe zurück zum Hotel, stelle mich unter das Dach der Veranda und zünde mir eine Zigarette an. Als ich gerade den ersten Zug nehme, kommt ein Typ um die Ecke und verlangsamt seinen Schritt.

»Hey«, sagt er. »Bist du Gast hier?«

Er sieht aus wie ein Typ aus einer Studentenverbindung – kurze braune Haare, dunkle Augen und Augenbrauen, deren Form fast zu perfekt für einen Kerl ist.

Ich schüttele den Kopf. »Nein, ist bloß ein kurzer Halt. Ich bin Jack.«

»Daren.«

»Meine Freundin Jenna kennt die Besitzerin des Hotels.«

Er runzelt die Stirn. »Jenna ist hier?«

Mein Puls beschleunigt sich sofort, und heiße Eifersucht lodert wie ein Feuer in mir auf. Woher zum Teufel kennt dieser Schönling bloß Jenna? Und das Wichtigste: Wie gut kennt er sie?

Ich nicke. »Ihr kennt euch?«

»Ja, wir haben uns vor ein paar Wochen am See getroffen. Durch Pixie, ihre Freundin.«

Aha, so war das also, denke ich zufrieden und zugleich erleichtert.

»Pixie kenne ich auch«, sage ich und füge hinzu, weil ich weiß, dass Pixie aus einer kleinen Stadt stammt: »Seid ihr zusammen aufgewachsen, oder so?«

»So ungefähr«, erwidert er ausweichend. »Woher kennst du Jenna?«

»Wir haben früher zusammen gearbeitet«, erkläre ich zutreffend und dennoch vage genug.

»War sicherlich hochinteressant.« Der Typ lächelt wissend. »Das Mädchen hat ziemliche Krallen.«

Ich bin seltsam stolz, dass Jenna diesem hübschen Jungen offenbar Angst eingeflößt oder ihm zumindest Respekt abgenötigt hat. »Du sagst es! Stehst du etwa auf ihrer schwarzen Liste?«

Er stößt die Luft aus und nickt bedächtig. »Steht zu befürchten. Ich bin mir ziemlich sicher, dass sie mir die Eier abschneiden würde, wenn sie die Gelegenheit dazu hätte.«

»Ja, ja, man sollte Jenna nicht verärgern«, erwidere ich und kratze mich nachdenklich an der Wange.

Daren schnaubt. »Sollte man wohl bei keinem Mädchen riskieren, oder?«

»Klingt, als hättest du schlechte Erfahrungen gemacht«, sage ich mit einem spöttischen Grinsen und ziehe an meiner Zigarette. »Hast du es dir mit irgendeiner Dame deines Herzens verscherzt?«

Er blickt durch die Fenster nach drinnen, wo Jenna sich mit einem hübschen blonden Mädchen unterhält, und seufzt.

»Yep.«

Ich wende mich ab und stoße eine dünne Rauchwolke aus. »Irgendwie dumm gelaufen, was?«

Achselzuckend späht er vorsichtig zur Eingangstür, als ob er sich fürchten würde hineinzugehen, es andererseits aber gerne täte.

»Ich war sowieso nicht gut genug für sie.«

Erneut ziehe ich an meiner Zigarette. »Mädchen wollen

keine Typen, die gut genug für sie sind«, belehre ich ihn. »Sie wollen Typen, die wissen, was sie wollen.«

Daren blickt betreten zur Seite. »Ich fürchte, dann bin ich am Arsch.«

»Du bist erst am Arsch, wenn du aufgibst.«

»Klingt nicht schlecht. Ist das dein Motto oder so?«, erkundigt er sich und kneift die Augen zusammen.

»Nein. Aber es wäre gut.«

Er nickt wissend. »Treibt dich Jenna in den Wahnsinn?«

Ich schnippe die Asche von der Zigarette und nicke. »Es ist schwer, Jenna loszulassen.«

»Ist das nicht bei allen Mädchen so?«

»Keine Ahnung.« Ich mustere erst ihn, dann durchs Fenster die Blondine. »Sag du es mir.«

Als ich mich ihm wieder zuwende, sehe ich echten Schmerz in seinen Augen. »Vielleicht sind wir beide am Arsch«, meint er nach einer Weile.

Ein letzter Zug, dann ist meine Zigarette zu Ende. »Vielleicht.«

Daren schüttelt sich, als müsste er eine Erinnerung loswerden, die ihn verfolgt, dann strafft er die Schultern und grinst schief.

»Na, dann viel Glück.«

»Dir auch«, erwidere ich.

Er überquert die Veranda, huscht an der Eingangstür vorbei, vermutlich um dem blonden Mädchen aus dem Weg zu gehen, und verschwindet um die Ecke.

Ich trete meine Zigarette aus und stecke mir ein Kaugummi in den Mund. Wenn Jenna Rauch an mir riecht, zickt sie noch mehr rum, und das muss ich jetzt nun wirklich nicht unbedingt haben.

Anschließend stecke ich den Kopf durch die Tür und beobachte Jenna, die sich auf der anderen Seite der Lobby mit der hübschen Blondine unterhält, auf die Daren es abgesehen hat. Jetzt beugt sie sich mit vergnügtem Lächeln zu ihr vor, und ihr Gesicht hellt sich auf.

In diesem Moment wünsche ich mir nichts anderes, als dass sie mich so ansehen würde.

Anfangs haben mich meine Gefühle für Jenna total genervt. Ich brauchte und wollte nie ein Mädchen, das mein Leben auf den Kopf stellt. Ganz im Gegenteil. Die Rolle des einsamen Wolfes gefiel mir gut, und ich war rundum zufrieden mit meiner Unabhängigkeit, mit meinen Freiräumen. Und dann kam Jenna und hat alles durcheinandergebracht. Meine Welt geriet aus den Fugen, und ich fühlte mich mit ihr plötzlich irgendwie vollständig.

Crazy. Total crazy.

Schließlich habe ich vorher nicht wirklich etwas vermisst. Zumindest nicht bewusst. Deshalb versuchte ich auch, mich gegen das Gefühl zu wehren. Außerdem ist für eine Frau in meinem verkorksten Leben eigentlich kein Platz – vor allem nicht für ein so wildes, eigensinniges und kapriziöses Mädchen wie Jenna.

Doch alles Kämpfen gegen meine Gefühle erwies sich als nutzlos und irgendwie selbstzerstörerisch, darum habe ich getan, was alle guten Heerführer tun, wenn sie merken, dass sie eine Schlacht verlieren, den Krieg hingegen gewinnen können: Ich habe mich ergeben.

Nicht Jenna, das nicht. Aber ich kämpfte nicht länger gegen meine Gefühle für sie an, habe die Wahrheit akzeptiert. Sie ist nicht schön oder romantisch, sondern voller Narben und Wunden – und sie hat mich fest im Griff.

Macht mich das schwach?

Zuerst habe ich das gedacht. Wenn ich allerdings Jenna sehe, die nach wie vor glaubt, eine Schlacht schlagen zu müssen, was ich schon lange aufgegeben habe, dann frage ich mich, wer von uns beiden stärker ist. Wer nachts wohl gut schläft, und wer sich im Mondlicht von einer Seite auf die andere wälzt?

In puncto Stärke geht es nicht darum, was man erreichen kann und was nicht. Es geht darum, was man tut oder nicht, um etwas zu erreichen. Und da weiß ich genau, wo ich stehe.

Ich hole tief Luft und bereite mich auf die zweite Runde dieser denkwürdigen, wenn nicht folgenschweren Fahrt heim nach Louisiana vor.

»Hallo, Diva«, rufe ich. »Ich bin bereit, wenn du es bist.«

Die Augen zornig zusammengekniffen, dreht sie sich zu mir um: »Nenn. Mich … nicht … *Diva*!«

»Klasse«, gebe ich süffisant zurück. »Das funktioniert immer wieder.«

»Gott!«, schreit sie und wirft erneut hilflos die Arme in die Luft.

Ihr Gesichtsausdruck ist unbezahlbar, ich sollte sie wirklich öfter provozieren. Vorerst aber beschränke ich mich darauf, spöttisch mit den Augenbrauen zu wackeln und mich wieder nach draußen zu verziehen.

Einen Augenblick später fliegt die schwere Tür wieder auf, und Jenna stürmt die Stufen hinunter, nimmt Kurs aufs Auto. Rasch schiebe ich das Telefon in meine Hosentasche, bevor sie womöglich fragt, was zu Hause eigentlich los ist. Ich will so lange wie möglich das Chaos, das mich in Little Vail erwartet, von meinem normalen Leben fernhalten.

Sie reißt die Tür auf und steigt unter gemurmelten Flüchen ein, doch als ihr Blick schließlich meinem begegnet, liegt darin keine Feindseligkeit, höchstens eine leichte Gereiztheit.

»Du zahlst das gesamte Benzin«, erklärt sie und schiebt eine dunkle Sonnenbrille vor ihre goldbraunen Augen. »Und damit meine ich jeden einzelnen Tropfen.«

Ich lehne mich auf dem Beifahrersitz zurück und unterdrücke den Anflug von Befriedigung, der mich angesichts ihrer ebenso untauglichen wie unglaubwürdigen Machtdemonstration überfällt.

»Ja, Ma'am.«

Wenn ich dadurch, dass ich das Benzin bezahle, Jenna sicher an meiner Seite weiß, kaufe ich den letzten Tropfen im ganzen Land. Und noch mehr.

7

Jenna

Mir ist durchaus bewusst, dass ich eingeknickt bin. Schon wieder. Bei Jack komme ich mir vor wie ein Fähnchen im Wind. Das ist nicht gut, vor allem nicht in Anbetracht der langen Zeit, die wir nun miteinander verbringen müssen, nachdem ich kein Rückgrat bewiesen und nachgegeben habe. Mich überläuft ein ahnungsvolles Schaudern – und das kann ich ganz und gar nicht gebrauchen.

Zur Hölle mit Jack.

Oder doch nicht?

Immerhin macht Jack die Dinge interessant, und ich habe ihn, wenngleich ich es nicht offen zugeben mag, gern um mich. Trotz all meiner Bemühungen stimmt beides. Bloß darf Jack es nicht erfahren. Zum einen würde es meinen großen Lebensplan ruinieren – der übrigens zum Großteil darauf fußt, dass ich mich nie auf einen Typen einlasse –, und zum anderen könnte er das falsch auslegen und sich Hoffnungen machen, die ich nicht einzulösen bereit bin.

Flirten? Klar.

Schlafe ich mit Typen, die ich attraktiv finde? Unbedingt.

Aber ich mache ihnen nie etwas vor.

Darauf bin ich stolz, doch wenn mir bei Jack ein Fehler unterläuft, wird genau das passieren. Er wird sich das eine denken, und ich werde das andere tun. Das ist das Risiko bei dieser Fahrt durch die Staaten. Und ehrlich gesagt, bin ich mir nicht sicher, ob es das wert ist. Wenn ich Jack noch mehr verletze, als ich es ohnehin schon getan habe – nun ja, dann werde ich das vielleicht auf immer und ewig bereuen.

Und genau deshalb ist es auch eine schlechte Idee, die denkbar schlechteste, dass ich in meinem kleinen roten Auto so dicht neben ihm sitze.

Egal. Die Jetons sind gesetzt, nichts geht mehr, und nun dreht sich die Roulettescheibe eben. Hoffen wir, dass wir am Ende nicht beide schrecklich verletzt von diesem Trip zurückkehren.

Mein Telefon klingelt. Es ist Pixie.

»Hi, Pix«, melde ich mich.

»Hey! Wie ist die Fahrt?«

Sie klingt absurd glücklich – ein Symptom dafür, dass sie lächerlich verknallt ist.

Für eine Nanosekunde frage ich mich, ob ich je so verliebt sein und je so happy klingen werde. Schnell verdränge ich den Gedanken wieder. Nicht, weil ich gegen die Liebe wäre oder so, sondern weil ich nun einmal andere Prioritäten für mein Leben gesetzt habe.

»Ganz okay«, sage ich und werfe einen verstohlenen Blick zu Jack hinüber. »Wie sieht unser Zimmer aus?«

»Toll. Levi hat so ziemlich alles ausgepackt und eingeräumt.«

»Super«, erwidere ich lahm.

»Ach ja, Ellen hat mich gerade angerufen.«

Ich stöhne. »Hat sie dir von Jack erzählt?«

Bei der Nennung seines Namens blickt er zu mir herüber, doch ich ignoriere ihn.

»Ja, wieso ist er überhaupt bei dir? Ich dachte, du würdest allein nach New Orleans fahren.«

»Das wollte ich auch. Aber Jack muss dringend nach Hause, und so führte eins zum anderen. Mit dem Ergebnis, dass er jetzt neben mir sitzt.«

»Hallo, Pixie«, ruft Jack laut ins Telefon.

»Hallo, Jack«, gibt sie zurück. »Schön, dass du mich jetzt ebenfalls Pixie nennst und nicht mehr Sarah. Gefällt mir nämlich viel besser.«

»Passt auch besser zu dir«, sage ich. »Und was hat deine Tante dir erzählt?«

»Nur dass du versucht hast, Jack im Willow Inn loszuwerden. Komm, Jenna. So schlimm kann es wohl nicht sein. Ich finde es beruhigend, dass du jemanden dabeihast. Und dass es Jack ist, ist noch viel besser.«

Ich kneife die Augen zusammen. »Warum?«

Sie lacht. »Na, weil er dein Freund ist? Und obwohl zwischen euch diese merkwürdige sexuelle Spannung …«

»Da gibt es keine merkwürdige sexuelle Spannung …«, unterbreche ich sie.

»Doch, doch. Leugne es nicht.«

Jack beobachtet mich amüsiert, und ich wende demonstrativ den Blick ab.

»Ich sage ja nur«, fährt Pixie fort, »trotz dieser merkwürdigen sexuellen Spannung werdet ihr euch gut verstehen.«

»Wovon redest du? Wir streiten uns die ganze Zeit«, antworte ich hitzig und schaue zu Jack hinüber.

»Genau das meine ich«, amüsiert sich Pixie.

»Egal.«

»Gut. Leugne es, aber es ändert nichts.« Ich höre das Lächeln in ihrer Stimme »Fahr vorsichtig, okay? Und komm bald heil zurück! Ich vermisse dich jetzt schon, dabei hast du wahrscheinlich nicht einmal die Staatsgrenze von Arizona erreicht.«

Ich lache leise. »Mir geht es genauso. Ich vermisse dich auch. Bis bald.«

Wir legen auf, und Jack sieht mich mit schief gelegtem Kopf anzüglich grinsend an.

»Was ist?«, frage ich unwirsch.

»Merkwürdige sexuelle Spannung, ja?«

Entnervt verdrehe ich die Augen und schalte das Radio ein. »Was weiß ich.«

Er wendet den Bick ab, lächelt jedoch süffisant weiter.

Den Rest der Fahrt durch Arizona schweigen wir, und ich bin dankbar für die Verschnaufpause. Dabei unterhalte ich mich normalerweise gerne mit Jack. Ehrlich. Er ist auf seine Weise faszinierend: schwierig und rätselhaft, amüsant und nachdenklich. Und damit einer der wenigen Männer auf diesem Planeten, mit denen sich meiner Meinung nach ein Gespräch lohnt. Wenn er nicht gerade seine komische Tour hat, versteht sich.

Aber in diesem besonderen Moment weiß ich die Stille zu schätzen. Vor allem, weil ich dann nicht seine Stimme hören muss.

Seine Stimme klingt männlich, heiser und rau – irgendwie wunderschön und total faszinierend. Sie macht mich richtiggehend schwach. Genau wie seine Augen und seine Hände. Doch in gewisser Weise hinterlässt seine Stimme sogar den größten Eindruck. Ich glaube, weil sie so sexy klingt. Die reinste Verführung.

Und ich bin ihr hilflos ausgeliefert.

Den Blick in seine Augen kann ich vermeiden, vor seinen Händen kann ich zurückweichen, seiner Stimme hingegen vermag ich nicht zu entrinnen. Man kann sie nicht einfach abschalten und erst recht keinen geflüsterten Satz oder ein gehauchtes Wort überhören, das einen zum Schmelzen bringt. Genauso wenig wie sich der heiße Atem ignorieren lässt, der diese Worte begleitet. Deshalb ist Jacks Stimme, vor allem wenn er meinen Namen ausspricht, mein Verderben.

Und aus ebendiesem Grund ist mir manchmal die Stille willkommen.

Immer noch schweigend, überqueren wir die Grenze nach New Mexiko. Im Rückspiegel sehe ich die Sonne hinter den Bergen untergehen und beobachte, wie sich allmählich die Dämmerung über die einsame Wüste legt. Doch als der Himmel sich erst rosa, dann dunkelrot verfärbt, als die Schatten länger werden und die Dunkelheit sich langsam herabsenkt, wird die Stille irgendwie übermächtig, und in meinem Kopf steigen Bilder aus der Vergangenheit empor, die ich immer wieder zu verdrängen suche.

Daran ist die Abenddämmerung schuld, sie erinnert mich an all die Dinge, die ich im Schutz der Dunkelheit getan habe. Dinge, die Lust und Leidenschaft bedeuteten.

Plötzlich ist mir heiß, ich öffne das Fenster und lasse etwas warme Sommerluft hereinwehen, atme langsam tief durch. Obwohl die Brise nicht für echte Abkühlung sorgt, finde ich es angenehm, sie auf meiner Haut zu spüren. Wie zarte Fingerspitzen gleitet sie über die Innenseite meines Ellbogens, meinen Arm hinauf, über meinen Hals und an meinem Kinn entlang …

Erneut überläuft mich ein Schaudern, und ich verfluche die Sonne, weil sie so früh untergeht. Dann verfluche ich mich selbst, weil ich nicht an einem Ort lebe, wo die Sonne im Sommer nie untergeht. Wie am Polarkreis etwa.

»Du wirkst irgendwie unruhig, unkonzentriert«, stellt Jack fest.

Er hat es sich inzwischen gemütlich gemacht und liegt eher, als dass er sitzt. Deshalb dachte ich bereits, er würde schlafen. Aber nichts dergleichen.

Ich zwinge mich, die Schultern zu entspannen und lasse den Kopf kreisen.

»Ich bin bloß ein wenig müde.«

Das stimmt überhaupt nicht, doch wenn ich Jack erkläre, dass ich bei seiner bloßen Anwesenheit an Sex denke, würde die Dunkelheit noch gefährlicher.

»Perfektes Timing.« Er stellt seine Rückenlehne wieder auf und streckt sich. »Ich bin dran mit Fahren.«

»Im Ernst? War das kein Witz?«

»Ich mache nie Witze über Blinde, die Auto fahren.«

Das angenehme Gefühl der letzten Stunden, in denen wir geschwiegen haben, verschwindet augenblicklich.

»Ich bin nicht blind«, erwidere ich pikiert.

»Ach, wirklich?« Er deutet nach vorne. »Und warum achtest du null auf das neongrüne Schild vor uns?«

Mit zusammengekniffenen Augen spähe ich in das dämmrige Zwielicht. »Ich sehe kein grünes Schild.«

»Eben«, sagt er. »Halt an.«

»So wie ich dich kenne, ist da bestimmt gar kein grünes Schild«, verteidige ich mich. »Verarsch mich also nicht, Jack. Ich kann noch sehr gut fahren.«

»Natürlich ist da ein grünes Schild, und du solltest auf den Beifahrersitz wechseln.« Als ich nichts erwidere, fügt er hinzu: »Bitte sei nicht so stur. Ich weiß, dass du nachts verschwommen siehst, als hätte jedes Licht einen Hof, und ich weiß, dass dadurch das Fahren in der Dunkelheit für dich schwierig ist.«

Jetzt, wo ich darüber nachdenke, wirkt es tatsächlich, als wären alle Lichter irgendwo seitlich des Freeways oder die anderer Autos von einem Hof umgeben. Trotzdem: Ich kann bestimmt noch wunderbar fahren!

Nein, kann ich nicht.

Bevor ich jedoch etwas sagen kann, ergreift er wieder das Wort. »Ich weiß, dass du alles alleine regeln willst, aber in dieser Situation solltest du nicht so stur sein. Sonst bringst du uns beide am Ende in Gefahr. Zumindest müsstest du im Dunkeln sehr viel langsamer fahren. Wenn du mich ans Steuer lässt, schaffen wir mehr Meilen pro Tag. Komm, fahr bei der nächsten Ausfahrt raus, und wir essen was. Dann fahre ich ein paar Stunden, bevor wir irgendein Motel zum Übernachten ansteuern.«

Er hat recht. Und ehrlich gesagt, beginnt mein ungenaues Sehen mir Angst zu machen.

»Okay«, willige ich ein, lenkte den Wagen in die Ausfahrt, die gerade kommt – und sehe in diesem Moment das neongrüne Schild.

Verflixt.

Die Ausfahrt führt zu einem kleinem Einkaufscenter mit ein paar Restaurants und Geschäften sowie einer Tankstelle. Als wir aussteigen, dehnen und strecken wir uns nach der langen Fahrt erst mal.

Jack deutet mit dem Kopf auf den Kofferraum. »Wo ist deine Brille?«

Ich runzele die Stirn. »Wenn du fährst, brauche ich die doch nicht.«

»Nein, aber beim Essen vielleicht. Wie willst du sonst die Speisekarte lesen?«

Er grinst, weiß ganz genau, dass ich derart schlecht wiederum nicht sehe.

Ich lächele zuckersüß. »Es wäre wirklich ein Jammer, wenn ich dich für einen Salat hielte und dich versehentlich mit der Gabel erstechen würde.«

»Eine Affenschande. Jetzt hol deine Brille.«

Während ich in einer meiner Taschen nach meiner Brille suche, rechne ich damit, dass Jack eine Bemerkung über mein voluminöses Gepäck macht, das den Kofferraum beinahe füllt. Zu meiner Überraschung jedoch erspart er sich und damit mir jeglichen Kommentar.

Im Restaurant riecht es nach Zwiebeln und Ranch-Dressing – eigentlich für mich nicht gerade der Hit, doch nachdem wir untertags nichts gegessen haben, läuft mir das Wasser im Mund zusammen. Wir setzen uns in die erstbeste Nische. Meine Skinny-Jeans verursachen ein leicht quietschendes Geräusch, als ich mich auf dem klebrigen roten Vinylbezug der Bank niederlasse.

Die Kellnerin kommt, nimmt unsere Getränkebestellung auf und eilt davon, während ich meine Brille aufsetze. Es ist ein knallig pinkfarbenes Horngestell mit Strasssteinen in den Ecken – eindeutig die coolste Brille, die ich je hatte. Dennoch setze ich sie nicht gerne auf.

Jack beobachtet mich amüsiert, woraufhin ich ihn mit einem stechenden Blick bedenke.

»Was ist?«, erkundige ich mich misstrauisch.

Er legt den Kopf schief. »Was hast du gegen Brillen? Trag halt Kontaktlinsen, wenn du sie so hasst.«

Ich schiebe mir das pinkfarbene Gestell möglichst forsch in die Haare.

»Ich habe Kontaktlinsen. Violette, neongrüne, kupferfarbene, mit denen ich aussehe wie ein hungriger Vampir … Aber die sind nur zum Ausgehen oder so.«

»Oh, ich erinnere mich«, sagt er gedehnt.

Plötzlich scheinen sich all meine sündigen Fantasien, die vorhin in meinem Kopf herumspukten, zu mir in die Nische zu drängen und mich anzuspringen.

Zur Hölle mit ihm.

Als ob meine natürliche Augenfarbe nicht seltsam genug wäre, ändere ich ab und an gern die Farbe. Unter anderem auch letztes Jahr. Als das mit Jack war.

Blabla, blabla, blabla.

»Im Grunde brauche ich meine Brille lediglich nachts oder zum Lesen«, fahre ich in sachlichem Ton fort und weiche weiteren verlockenden Gedankenspielen aus. »Es ist einfach unpraktisch, mir vor jedem Essen Kontaktlinsen einzusetzen, darum nehme ich da lieber die Brille.« Ich tippe mit dem Finger an eine mit Strass besetzte Ecke. »Zumindest bis ich mir eine Laserbehandlung leisten kann.«

Er legt einen Arm über die Rückenlehne der Bank.

»Und nach einer Laserbehandlung bräuchtest du keine Brille mehr?«

Die Muster, die sich um Jacks Unterarm und Bizeps ranken, führen mich in Versuchung, mit den Fingerspitzen darüberzustreichen – und über andere Teile seines Körper. Zum Glück fasse ich mich schnell und tue so, als wäre ich ganz und gar nicht geil und hätte alles im Griff.

»Yep. Hundertprozentige Sehschärfe, Baby. Dann hat dieses Bibliothekarinnenaccessoire für immer ausgedient.«

Er denkt einen Moment darüber nach, und ich sehe einen Anflug von Enttäuschung in seinen Augen.

»Dann kämpfst du bloß noch mit deinen goldenen Katzenaugen gegen die Welt.«

Ich weiß nicht, warum mich die Leute immer mit einer Katze vergleichen. Vielleicht liegt es an meinem leisen, geschmeidigen, fast schleichenden Gang oder an meiner dunklen Hautfarbe oder an der schrägen Stellung meiner Augen. Woran auch immer, jedenfalls finden mich viele Leute irgendwie katzenähnlich.

Und obwohl mich das bei den meisten Menschen nervt, gibt es zwei, bei denen ich nichts gegen diesen Vergleich habe. Das sind zum einen meine Freundin Pixie und zum anderen der dunkelhaarige Tattootyp mit den grauen Augen, der mir gegenübersitzt.

»Tue ich das nicht immer?«, frage ich mit einem selbstgefälligen Lächeln.

Er sieht mir durch meine pinkfarbenen Gläser hindurch fest in die Augen, taucht geradezu in mich ein.

»Nein.«

Ich lasse es geschehen, lasse mich gefangen nehmen von den silbrigen Tiefen. Es fühlt sich warm an. Und sicher. Als würde mich ein weicher, seidiger Schleier umhüllen. Und obwohl ich all das eigentlich nicht will, dulde ich es immer wieder aufs Neue, dass ich eingelullt werde. Wenngleich ich es wirklich und wahrhaftig hasse.

Die Kellnerin beendet meine Grübeleien. Sie stellt die eiskalten Getränke auf den Tisch und verspricht, bald wiederzukommen, um die Bestellung aufzunehmen. Ich blicke nicht zu Jack, und er blickt nicht zu mir.

Der seidige Schleier kehrt zurück. Ich seufze schwer und wische ihn mit einer derart heftigen Bewegung weg, als wollte ich eine Taube im Flug vom Himmel holen, dann konzentriere ich mich auf die Speisekarte.

Wir halten die dünnen Plastikkarten wie Schutzschilde zwischen uns und studieren sie, als müssten wir uns auf den Zulassungstest an der Uni vorbereiten. Wie immer löst sich die Spannung allmählich auf, und ich schalte wieder auf normal.

Die Kellnerin kehrt zurück und wartet mit einem Stift und einem kleinen Notizblock darauf, unsere Bestellung aufzunehmen. Sobald sie das getan hat, nimmt sie uns mit einem fröhlichen Lächeln die Speisekarten ab. Unsere Schutzschilde.

Krampfhaft denke ich über ein unverfängliches Thema nach. Außer der Route fällt mir nichts ein.

»Ich dachte, wir fahren über Burksbend nach Little Vail«, sage ich schließlich.

Jack schüttelt den Kopf. »Über Rayfort geht es schneller.«

»Bist du sicher? Ich glaube, Burksbend ist kürzer.«

»Mag sein, dafür geht es dort über eine einspurige Bergstraße. Rayfort ist besser.«

Ich denke einen Moment nach, dann zucke ich die Schultern. »Wir fahren trotzdem über Burksbend.«

Er schiebt das Kinn vor. »Bist du immer so dominant? Herrgott. Es ist, als würdest du keine Sekunde die Kontrolle abgeben. Du musst immer das Sagen haben. Immer bestimmen. Ich wette, du liegst auch beim Sex immer oben.«

Sicher war es als Scherz gemeint, doch es stimmt. Und offensichtlich sieht er mir das an, denn seine Brauen schießen nach oben.

»Soll das ein Witz sein?«, fragt er leise. »Du liegst immer oben?«

Verlegen zucke ich die Schultern. »Ich mag es eben so.«

»Hast du niemals andere Stellungen ausprobiert?«, fragt er ungläubig, und als ich nichts erwidere, hakt er nach: »Sag schon, Jenna.«

»Nein.« Ich schüttele den Kopf und senke den Blick.

Ihm fällt die Kinnlade herunter, dann schließt er den Mund und verzieht das Gesicht.

»Nicht einmal beim ersten Mal?«

Jetzt schaue ich ihn an. »Ich weiß nicht, warum die Leute das so überraschend finden. Es ist schließlich total sinnvoll, dass Mädchen oben liegen. Das gibt ihnen die Möglichkeit zu bestimmen, wann und wo und wie es ...äh, angenehm für sie ist.« Ich wedele mit der Hand. »Total sinnvoll. Und besonders beim ersten Mal.«

Fassungslos starrt er mich an.

»Hör zu«, sage ich und beuge mich vor. »Ich mag es, beim Sex die Macht zu haben. Der Hurrikan zu sein. Die Vorstellung, dass ich auf die Gnade eines Typen angewiesen bin, ist nicht mein Ding. Nicht wirklich sexy. Ich will die Königin sein und die absolute Kontrolle haben. Darum liege ich immer oben.« Ich zucke mit den Schultern und lehne mich zurück. »Find dich damit ab.«

Er schüttelt den Kopf. »Damit werde ich mich niemals abfinden, das verspreche ich dir.«

Ich weiß nicht, warum er so eine große Sache daraus macht. Ich bin schließlich keine totale Spinnerin, nur weil ich beim Sex gern bestimme, wo's langgeht. Trotzdem steigt mir vor Scham die Röte in die Wangen, und wir schweigen den Rest des Essens über.

8

Jack

Das Essen mit Jenna verlief schon nicht unbedingt locker, doch verglichen mit dem Einchecken in dem kleinen Motel am Rand von Las Cruces war es geradezu gechillt. Das Motel an sich ist nicht schlecht. Saubere Zimmer. Frisch gestrichen. Ein freundlicher älterer Mann an der Rezeption. Es ist die Zimmerfrage, die die ohnehin vorhandene, latente Spannung ins fast Unerträgliche gesteigert hat.

Der freundliche Motelangestellte ist mehr als glücklich, Gäste in seiner bescheidenen Bleibe zu empfangen.

»Guten Abend und willkommen.« Er begrüßt uns mit einem Lächeln, das wirkt, als würde er es selbst in schwierigen Zeiten nicht verlieren. Und die hatte er bestimmt bereits mehrfach. »Ich bin Leroy. Sie möchten ein Zimmer für die Nacht?«

Wir nicken stumm, sind beide zu erschöpft, um nach dem langen Tag auf der Straße noch viel zu sprechen.

Leroy blickt auf den Bildschirm seines Computers und fragt ganz selbstverständlich. »Hätten Sie lieber ein französisches Bett oder ein Doppelbett?«

»Oh. Genauer gesagt, brauchen wir zwei getrennte Zimmer«, sagt Jenna.

Leroy sieht uns verwundert an. »Wozu das?«

Sein Blick springt von Jenna zu mir, dann wieder zurück zu ihr. Ich verstehe seine Verwirrung. Wir gehören in seinen Augen zusammen, Jenna und ich. Weil wir zusammenpassen. Zumindest denken die meisten Leute das.

Sie ist überall tätowiert. Ich auch.

Sie wirkt streitlustig. Ich auch.

Sie hat bronzefarbene Haut und goldene Augen – und ich … Nun ja, meine Haut ist zwei Töne heller als ihre, und meine Augen sind grau und daher eher fast farblos. Aber wir haben beide dunkle Haare und feste Standpunkte, darum nehmen die Leute an, wir seien ein Paar, was mich kein bisschen stört. Jenna, hingegen …

»Wegen der … Intimsphäre«, antwortet sie zögernd und blickt mich an, als wäre ich ein Spanner, dem sie unbedingt entkommen will.

»Okay, zwei Zimmer.« Leroy gibt etwas in seinen Computer ein, dann blickt er auf. »Wie viele Betten?«

Jetzt ist Jenna verwirrt. »Äh, zwei.«

Er nickt und murmelt vor sich hin, während er auf seiner Tastatur tippt. »Ein Zimmer mit zwei Betten.«

»Nein«, protestiert Jenna. »Wir wollen keine zwei Betten in einem Zimmer.«

Leroy, der offensichtlich völlig auf dem Schlauch steht, sieht sie skeptisch an.

»Oh, Sie werden zwei Betten brauchen, Schätzchen.« Er deutet auf mich. »Ihr Verlobter ist ein bisschen zu groß für unser Doppelbett.«

Als ich sehe, wie Jenna die Zähne zusammenbeißt, unterdrücke ich ein Lächeln. Jetzt weiß ich, warum der Mann irritiert ist – es liegt nicht allein an unserem Äußeren. Ich warte darauf, dass Jenna es ebenfalls spannt.

»Das ist nicht mein Verlobter«, sagt sie. »Er ist ein Freund, nur ein Freund. Darum hätten wir gern getrennte Zimmer, verstehen Sie, jedes mit einem Bett. Bitte.«

Der liebenswürdige Alte kratzt sich am Kopf. »Sie sind nicht verlobt?«

»Verlobt? Wie kommen Sie denn auf die Idee?«

Jenna wendet sich fassungslos zu mir um, sie ist sprachlos, und zwischen ihren hübsch geschwungenen Brauen bildet sich eine steile Falte. Dann senkt sie den Blick und erstarrt.

Aha, jetzt ist der Groschen gefallen.

»Oh.« Sie wendet sich wieder Leroy zu, hält die linke Hand hoch und deutet auf den Diamantreif an ihrem Finger. »Das ist kein Verlobungsring, sondern ein Familienerbstück. Von meiner Großmutter.« Sie hält inne und fügt dann fast entschuldigend hinzu: »Ich trage ihn nur am Ringfinger, weil er auf die anderen nicht passt.«

An jedem Finger trägt sie irgendeinen Ring. Jenna ist süchtig nach Schmuck, allerdings sitzt dieses Stück genau da, wo ein Verlobungsring hingehört, was öfter zu Missverständnissen führt, wenn ich mit Jenna unterwegs bin. Das erste Mal, als es passierte, geriet ich fast in Panik. Ich war gerade nach Arizona gezogen, und das Letzte, was ich gebrauchen konnte, war ein Mädchen, das sich an mich klammerte und sich mit einem Verlobungsring an der Hand mit mir zeigte. Inzwischen stört es mich überhaupt nicht mehr. Wenn ich ehrlich sein soll, gefällt es mir sogar irgendwie. Wenn Typen den Ring sehen, nähern sie sich Jenna nicht auf die Weise, wie sie es ansonsten tun würden.

Zweifellos ein Vorteil für mich.

»Haben Sie nun zwei getrennte Zimmer für die Nacht?«, fragt Jenna ungeduldig und lehnt sich gegen den Tresen. Leroy blickt erneut auf seinen Monitor. »Gewissermaßen.«

Sie blinzelt. »Gewissermaßen? Was heißt das?«

Er lächelt und reicht jedem von uns einen Schlüssel. »Sie werden schon sehen.«

Zehn Minuten später, nach dem Erledigen der Formalitäten, begeben wir uns zu unseren »getrennten« Zimmern. Jenna läuft ein paar Schritte vorweg, sie ist eindeutig noch nicht über den Verlobungsring hinweg. Wie üblich.

»Wenn es dir nicht gefällt, dass die Leute denken, wir seien verlobt, dann hör doch einfach auf, den verdammten Ring zu tragen.«

Sie schüttelt den Kopf so heftig, dass ihre glatten schwarzen Haare fliegen.

»Der hat meiner Grandma gehört, und sie hat ihn mir mit der klaren Anweisung geschenkt, ihn zu tragen, bis ich das Gefühl habe, im Leben angekommen zu sein, aber so weit bin ich noch nicht. Deshalb werde ich ihn weitertragen, selbst wenn einige Leute deshalb denken, wir zwei seien so dumm, uns zu verloben.«

Sie kann wirklich zum Kotzen sein.

»Mir ist klar, dass du nicht mein größter Fan bist, aber deswegen musst du nicht ständig so herumzicken.«

Sie bleibt stehen und dreht sich zu mir um. »Tut mir leid. Ich wollte niemanden kränken – dich nicht und auch nicht den Typen an der Rezeption.«

Es ist diese weiche Seite von Jenna, die mich immer wieder daran erinnert, warum ich mich so sehr bemühe, in ihrem Leben zu bleiben.

»Du warst nicht zickig zu dem armen Leroy«, stelle ich

richtig. »Zickig ist es allerdings, mehr oder weniger zu sagen, es sei dumm, mit mir zusammen zu sein. Und gemein finde ich es außerdem.«

In ihren Augen blitzt kurz etwas auf. Bedauern? Verlangen? Ich bin mir nicht sicher.

»Es wäre doch wirklich dumm, sich so früh zu binden«, bemüht sie sich um Schadensbegrenzung. »Das betrifft nicht bloß uns, sondern alle in unserem Alter.«

»Sagt das Mädchen, das freiwillig einen Verlobungsring spazieren führt.«

»Ist bloß geschliffenes Glas und kein echter Diamant, also auch kein Verlobungsring«, erklärt sie mir. »Dafür birgt er ein Geheimnis, sieh mal.«

Sie klappt den »Diamant« hoch wie den Deckel einer winzigen Dose. Zu meinem Erstaunen sehe ich, dass sich in der Höhlung etwas befindet.

»Was ist das?« Ich zeige auf ein kleines Stück braunen Stoffes, das in den Stein geklemmt ist.

»Die kleinste Gris-Gris-Hülle der Welt«, sagt sie und lässt den Deckel aus Spiegelglas wieder zurückschnappen.

Dann setzt sie sich ohne eine weitere Erklärung mit wehenden Haaren erneut in Bewegung.

Ich folge ihr. »Und was ist eine Gris-Gris-Hülle?«

»In der Hülle verbirgt sich ein Voodoo-Liebeszauber. Behauptet meine Großmutter.«

»Du trägst einen Ring mit einem Liebeszauber?«, frage ich entgeistert und unterdrücke mühsam ein Grinsen.

Sie fährt zu mir herum und sieht mich mit blitzenden Augen an. »Das war Grannys Idee, okay? Nicht meine. Sie ist … einfach superabergläubisch, und als ich umgezogen bin, hat sie mich gebeten, diesen Ring zu tragen. Ich konnte nicht Nein sagen, weil sie echt extrem ist und denkt, ich würde verflucht werden, wenn ich ihn nicht trage.«

Ich bin ja einiges gewöhnt, doch dass sie an so etwas glaubt, das ist echt der Hammer.

»Aha. Erzähl weiter«, fordere ich sie neugierig auf. »Hat dir dieser magische Ring denn schon die erhoffte Liebe beschert?«

Sie mustert mich von oben bis unten, nur ein kurzer Blick – und dennoch meine ich, etwas entdeckt zu haben, das mich mit Genugtuung erfüllt. Deshalb lässt mich ihre Antwort auch kalt.

»Nein«, schnappt sie. »Natürlich nicht.«

»Und wann hast du diesen Zauberring zum ersten Mal getragen?«

»Als ich nach Arizona umgezogen bin.«

»Genau an deinem Umzugstag?«

»Nein. Ich habe ihn erst …« Ihre Augen weiten sich kaum merklich, und sie schürzt die Lippen. »Also, ich kann mich nicht erinnern«, weicht sie schnell aus.

In diesem Moment kann ich mich nicht länger beherrschen und breche regelrecht in Gelächter aus. Und zwar deshalb, weil ich zufällig genau weiß, dass sie den Ring zum ersten Mal kurz nach unserem Kennenlernen getragen hat.

Geil, richtig geil.

»Lügnerin«, ärgere ich sie.

»Lass mich in Ruhe.«

Überheblich reckt sie ihr Kinn, als stünde sie weit über diesem Gespräch und all den unangenehmen Wahrheiten, die sie so gerne vergessen möchte.

Ich lasse es dabei bewenden. Wenn ich auf diesem Thema noch länger herumreite, zwinge ich sie nur, mich anzuschwindeln. Und außerdem genügt es mir zu wissen, dass ihr Liebeszauber in irgendeiner Weise mit unserem Kennenlernen in Verbindung steht.

Vorerst zumindest reicht mir diese Erkenntnis.

»Das ist meins«, sagt sie und bleibt vor einem Zimmer stehen, an dessen Tür eine weiße Acht befestigt ist.

Sie steckt den Schlüssel ins Schloss, es klickt, und sie öffnet die Tür.

Derweil gehe ich an ihr vorbei zur nächsten Tür. »Das ist meins«, sage ich und deute auf die Nummer neun.

Sie zieht ihren Koffer ins Zimmer. »Okay. Bis morgen früh dann.«

Ich nicke und trete ebenfalls ein. Lautstark fallen unsere Türen gleichzeitig ins Schloss. Ich blicke mich um und werfe meine Tasche aufs Bett. Der Raum ist klein, es riecht schwach nach Rauch, aber die Einrichtung ist neu und sauber. Das Bad befindet sich im rückwärtigen Teil.

Nach der langen Fahrt wäre eine heiße Dusche nicht schlecht, denke ich und gehe in Richtung Bad, als ich plötzlich linker Hand mein Spiegelbild zu sehen glaube. Ich drehe mich um und merke, dass es kein Spiegelbild ist. Durch eine geöffnete Tür sehe ich Jenna auf mich zukommen.

Verwundert und einen Moment sprachlos starren wir einander an.

»Das soll wohl ein Scherz sein«, sagt sie verlegen und verschränkt die Arme.

»Ich glaube, das meinte er mit ›gewissermaßen‹.« Ich lächele ihr aufmunternd zu. »Wahrscheinlich war das mal eine Art Familienapartment.«

Jenna tritt vor und löst den Keil unter der Verbindungstür, woraufhin diese zwar zufällt, aber jetzt hin und her schwingt, von einem Zimmer ins andere. Ich fange sie auf, halte sie fest und versuche sie irgendwie zu arretieren, doch es gibt keinerlei Riegel und kein Schloss. Nichts. Die Tür ist ein Witz.

»Perfekt«, höre ich Jenna auf der anderen Seite sagen. »Ein Zimmer ohne jede Intimsphäre.«

»Jetzt mach mal einen Punkt und entspann dich«, herrsche ich sie verärgert an. »Du tust gerade so, als würde ich unaufgefordert in dein Zimmer stürmen. Und überhaupt das Getue mit deiner Intimsphäre. Ich habe dich nackt gesehen, Jenna. Ich glaube, wir haben gewisse Grenzen schon vor einiger Zeit überschritten.«

»Genau darum geht es mir«, murmelt sie, und im Weggehen fügt sie entnervt hinzu: »Ach, lass mich. Gute Nacht.«

»Nacht«, sage ich zu der Tür und gehe ins Bad, um endlich meine Dusche zu nehmen.

Das warme Wasser erfrischt mich, und zum ersten Mal an diesem Tag kann ich klar denken. In Jennas Gegenwart bin ich verwirrt, und wenn ich stundenlang neben ihr sitze, ist es mir nahezu unmöglich, an etwas anderes zu denken.

Zum Beispiel daran, was zu Hause los ist.

Ich weiß wirklich nicht, was mich dort erwartet.

Vielleicht löst sich ja alles in Wohlgefallen auf, oder es handelt sich lediglich um ein kleines Missverständnis, und Drew versteckt sich rein aus Vorsicht. Dass er niemanden benachrichtigt hat, nun ja. Jedenfalls hoffe ich stark, dass er nicht in die Fußstapfen meines Vaters getreten ist und es ihm so ergeht wie diesem. Seinetwegen und wegen seinem Scheiß habe ich Louisiana verlassen.

Während das Wasser über meinen Kopf strömt, wünsche ich mir, es würde alle meine Sorgen und trüben Gedanken wegwaschen.

Nachdem ich mich abgetrocknet und mir eine Hose angezogen habe, höre ich, wie mit leisem Summen die Klimaanlage anspringt. Sogleich beginnt die Tür im Luftzug wieder zu schwingen.

Quietsch, quietsch.

Dabei einschlafen zu wollen ist die Hölle. Ich setze mich auf den Rand der weichen Matratze und gehe die verpassten Anrufe auf meinem Telefon durch.

Samson.

Samson.

Mom.

Samson.

Mom.

Mom.

Samson.

Gott im Himmel, was mag da bloß los sein. Mir wird schlagartig klar, warum sie mich anrufen, anstatt mir zu simsen. Wenn jemand aus der Familie in dunkle Geschäfte verstrickt ist, tut man alles, um keine Beweise zu hinterlassen.

Ich mache mich auf das Schlimmste gefasst und wähle die Nummer meiner Mutter. Sie hebt nach dem ersten Klingeln ab.

»Jack«, sagt sie atemlos. »Wo bist du den ganzen Tag lang gewesen? Ich habe dich mehrmals angerufen.«

»Tut mir leid, Mom. Ich war unterwegs und hatte keinen guten Empfang.«

Das ist nicht ganz gelogen, dennoch befällt mich ein schlechtes Gewissen.

Lilly Oliver liebt ihre Kinder. Wenngleich sie mir manchmal auf den Zeiger geht, weiß ich, dass sie es gut meint. Sie will uns einfach in Sicherheit wissen. Ich muss mich bemühen, nachsichtiger mit ihr zu sein. Ein besserer Sohn zu werden. Oder zumindest einer, der sie beruhigt.

Quietsch, quietsch.

Aus dem Nebenzimmer höre ich Jenna über die Tür fluchen, während meine Mom mich am Telefon mit ihren Sorgen überschüttet.

»Unterwegs? Dann hat Samson also die Wahrheit gesagt?«, stellt sie aufgeregt fest. »Du bist nicht mehr in Tempe? Du kommst wirklich her?«

»Ja. Ich sollte in zwei Tagen bei euch sein.« Ich bin verwirrt, weil sie so komisch klingt. »Wolltest du das denn nicht?«

»Was? Doch, Schatz. Natürlich. Ich habe allerdings nicht damit gerechnet, dass du tatsächlich kommst. Ich hatte gehofft, dass unsere Befürchtungen sich als grundlos erweisen, dass Samson und ich überreagieren, aber jetzt … Ich habe es insgeheim gewusst«, sagt sie mit einem leisen Fluchen. »Ich wusste, dass sich etwas Schlimmes zusammenbraut. Drew würde nicht grundlos einfach so verschwinden und sich fünf Tage lang nicht melden.«

Fünf Tage sind eine lange Zeit. Vielleicht nicht für alle Halbwüchsige – für meinen kleinen Bruder schon. Trotzdem muss ich meine Mutter beruhigen.

»Er ist erwachsen, Mom«, sage ich und klinge überzeugter, als ich es in diesem Moment bin. »Wahrscheinlich betrinkt er sich mit irgendeinem Mädchen.«

Ich blicke zu der nervenden Tür.

Quietsch, quietsch.

»Verkauf mich nicht für blöd, Jack«, schimpft sie. »Ich weiß, dass er in Schwierigkeiten steckt. Wenn nicht, würdest du nicht deinen Hintern hierherbewegen. Vor allem nicht, nachdem du geschworen hast, dich nie wieder in diesem *Drecksloch,* wie du es nanntest, sehen zu lassen.«

Mir war klar, dass das kommen würde.

Okay, wenn irgendjemand das Recht hat, mich zur Rede zu stellen, weil ich abgehauen bin, dann meine Mutter. Sie als Einzige darf mir meine Entscheidung vorwerfen.

»Ich musste weg, Mom«, sage ich und merke, wie meine Kehle sich zusammenschnürt, was sich gefährlich nach Reue anfühlt. »Das weißt du doch.«

Quietsch, quietsch.

In diesem Augenblick stürmt Jenna herein, versucht, die Tür mit dem Keil wieder zu fixieren. Lieber Ruhe als Intimsphäre scheint sie zu denken. Sie trägt ein dünnes Shirt mit Spaghettiträgern, das knapp über ihrem Bauchnabel endet, und dazu winzige schwarze Shorts. Die Tattoos auf Beinen, Bauch und Armen sind gut zu sehen, aber ich weiß, dass sich unter dem Stoff noch mehr verbergen.

Ihr Blick begegnet dem meinen, und eine Sekunde rührt sich keiner von uns. Ihre Haare sind nass, offensichtlich hat sie ebenfalls geduscht, und die dunklen Strähnen kleben auf ihren nackten Schultern und den geröteten Wangen.

Besitzgier regt sich in mir und Verlangen, der Drang, sie an mich zu reißen.

Offenbar spürt sie es, denn sie bricht den Blickkontakt sofort ab und widmet sich erneut der Tür. Scheint gar nicht so einfach zu sein, sie mit dem Keil irgendwie zu blockieren. Ich gehe hinüber, um ihr zu helfen, und befördere den

Keil mit einem kräftigen Tritt so unter die Tür, dass sie zwar weit offen steht, jedoch nicht mehr schwingt.

Am anderen Ende der Leitung höre ich währenddessen meine Mom müde seufzen.

»Ja, ich weiß, Schatz. Ich wünschte nur, du und dein Bruder würdet aufhören, so zu tun, als wäre das hier keine große Sache. Ich habe schon deinen Vater verloren – ich kann nicht auch noch Drew auf ähnliche Weise verlieren.«

»Ich weiß, Mom«, sage ich. »Du wirst ihn nicht verlieren. Versprochen.«

Bei meinen Worten blickt Jenna besorgt auf.

Ich winke ab und nicke ihr beruhigend zu. Das Letzte, was ich brauche, ist, dass Jenna ebenfalls anfängt, sich Sorgen zu machen. Nicht um meine Familie, sondern um mich. Das traue ich ihr durchaus zu. Bei meiner Mutter und meinem Bruder kann ich die Anrufe wenigstens ignorieren. Wenn Jenna hingegen auf den Angsttrip aufspringt, habe ich keine Chance, dem zu entkommen.

Jenna deutet auf den Türstopper und formt mit den Lippen das Worte *Danke.*

Kein Problem, antworte ich ebenso lautlos, bevor ich mich wieder meiner Mutter zuwende.

»Ich hoffe, du hast recht«, sagt sie deprimiert. »Ich bin froh, dass du nach Hause kommst.« Sie zögert. »Wirklich froh.«

Mir fällt absolut nichts ein, was ich darauf erwidern könnte, ohne zu lügen. Mom spürt das offensichtlich, denn sie wechselt rasch das Thema.

»Fahr vorsichtig, mein Sohn«, mahnt sie. »Wir sehen uns bald. Gute Nacht.«

»Gute Nacht, Mom«, erwidere ich, und dann ist die Leitung tot. Ich lasse die Hand mit dem Telefon sinken.

Jenna wirft einen kurzen Blick auf meine nackte Brust, ehe sie mit dem Kopf auf das Telefon deutet. »Deine Mutter?«

»Ja«, antworte ich einsilbig.

Sie runzelt die Stirn und sieht mich eindringlich an. »Wen will sie nicht verlieren?«

Ich lächele traurig. Einerseits wünsche ich mir, Jenna würde alles über mich wissen – andererseits ist es mir lieber, dass sie gar nichts weiß.

»Alle«, sage ich vage. Jenna scheint nicht zufrieden mit meiner Antwort zu sein, darum füge ich hinzu: »Im Moment macht sie sich vor allem Sorgen um meinen Bruder.«

»Um Samson?«

»Nein, um Drew.«

Sie verzieht den Mundwinkel zu einem schwachen Lächeln. »Ist der kleine Bruder in Schwierigkeiten?«

»Ich fürchte, ja.« Ich blicke auf den Türstopper. »Du hattest wohl genug von dem Quietschen?«

»Es hat mich verrückt gemacht.«

»Geduld und Toleranz waren noch nie deine Stärken«, spotte ich.

»Bitte.« Sie verdreht dramatisch die Augen. »Als wärst du nicht genauso genervt von dem verdammten Quietschen gewesen wie ich. Gib es zu.«

»Das schon. Nur nicht genug, um aufzustehen und den armen Plastikkeil zu malträtieren.«

Während wir uns frotzeln, hebe ich den Blick und betrachte das Muster auf ihren Schenkeln, dann die Kirschblütenzweige, die sich von ihrem Rücken zu ihrem Bauch ranken, und schließlich die Blüten, die sich in Sprenkeln auf ihrem Unterleib verteilen. Ich habe die Zweige berührt und die Blüten geküsst. Es schmerzt mich ein wenig, dass ich vielleicht nie wieder das Vergnügen haben werde.

Jenna räuspert sich und hebt das Kinn.

»Dann ist es ja gut, dass *ich* es gemacht habe. Auf diese Weise bekommen wir heute Nacht wenigstens ein bisschen Schlaf. Vielleicht sollten wir morgen sowieso ausschlafen und uns nicht sklavisch an ein bestimmtes Meilenpensum pro Tag halten. Seit ich im *Thirsty Coyote* arbeite, habe ich keinen Urlaub mehr gehabt, und darum werde ich mir heute nicht den Wecker stellen.«

Ich lächele in mich hinein. Jenna ist kein Morgenmensch, nicht im Geringsten. Sie ist eindeutig eine Nachteule, was perfekt zu ihrem Charakter passt. Die intensive Dunkelheit. Der wechselnde Mond. Die funkelnden Sterne. Sie entsprechen Jenna deutlich mehr als eine fröhliche Morgensonne und ein leuchtend blauer Himmel.

»Dann hängt unsere Startzeit also davon ab, wann du von alleine aufwachst?« Ich lasse ein Pfeifen hören. »Na gut. Ich schätze, dann sehen wir uns nicht vor zwölf.«

Ihre Augen werden schmal. »So schlimm ist es nun auch wieder nicht.«

»Du pennst wie ein Bär im Winterschlaf.«

»Stimmt nicht«, widerspricht sie streng, ihre Augen allerdings funkeln amüsiert.

»Doch, aber das ist okay.« Ich zucke die Schultern. »Wir fahren, wenn wir fahren.«

Ich blicke in ihre goldbraunen Augen, die bloß ein kleines Stück von meinen entfernt sind. Wird es je eine Zeit geben, in der ich so nah vor ihr stehe und mich nicht so ausgeliefert fühle? Und würde ich das überhaupt wollen, frage ich mich.

»Danke«, sagt sie leise, holt tief Luft und wendet den Blick ab, bevor sie zögernd einen Schritt zurücktritt. »Dann also bis morgen. Gute Nacht.«

»Nacht«, murmele ich ziemlich sparsam, und dann kehrt jeder in sein Bett zurück.

Als ich in meines steige, wandern meine Gedanken zu Drew und dem Chaos, das mich in Little Vail erwartet. Hoffentlich hat er sich nicht mit den falschen Leuten eingelassen. Wenn ja, bin ich ziemlich sauer. Ich liebe Drew, habe mich immer um ihn gekümmert und hart dafür gearbeitet, dass er einmal ein besseres Leben hat. Dafür habe ich mir den Arsch aufgerissen, und das darf er nicht einfach so wegwerfen.

Vor meinem Weggang aus Louisiana dachte ich, ich hätte mit meinem blutigen Einsatz meine Familie freigekauft, doch vielleicht habe ich mich getäuscht. Möglicherweise muss Drew jetzt für meine Sünden zahlen. Auf die eine oder andere Weise ist alles meine Schuld: Samsons Stress, die Sorgen meiner Mutter, Drews Verschwinden. Alles.

Ich fahre mir durch die feuchten Haare, atme tief durch und starre auf das Bett. Heute Nacht werde ich kein Auge zukriegen. Nicht wenn meine Gedanken derart rasen, nicht wenn mein Herz so hämmert, wie es das seit Samsons gestrigem Anruf tut. Erholsamer Schlaf wird sich erst wieder einstellen, wenn ich weiß, dass meine Familie sicher ist. Und frei.

Fast verächtlich stoße ich die Luft aus. Wenn das stimmt, was ich gerade gedacht habe, werde ich vielleicht nie wieder ruhig schlafen.

Ich höre, wie Jenna in ihrem Zimmer herumtappt und sehe, wie sie eine Lampe nach der anderen löscht. Dann schalte auch ich die letzte Lampe neben mir aus. Jetzt fällt lediglich ein gelbliches Licht von draußen durch die dünnen Vorhänge herein. Es ist schwach, aber ausreichend, um durch die Verbindungstür Jenna sehen zu können.

Unsere Betten stehen spiegelverkehrt, sodass ich erkenne, dass sie auf der Seite liegt und mir ihr Gesicht zuwendet, und wenn sie hinschaut, wird sie feststellen, dass ich auf dem Rücken liege und den Kopf in ihre Richtung gedreht habe. Unsere Augen sind wie glitzernder, dunkler Marmor und im weichen gelben Licht aufeinander gerichtet, als ob wir nebeneinander in einem Bett schlafen würden und nicht ein großes Stück voneinander entfernt.

Das letzte Mal haben wir uns im letzten Dezember über die Bettdecke hinweg angesehen, doch es kommt mir vor, als wären seither Jahre vergangen. Ich wende den Blick ab, starre an die Decke und denke daran, wie ich Jenna zum ersten Mal gesehen habe.

Sie war neu in der Bar, und von Kollegen hatte ich interessante Dinge über sie gehört, die mich neugierig machten. In New Orleans geboren und aufgewachsen, hat sie sowohl kreolische als auch französische Wurzeln, und entsprechend »exotisch« sehe sie aus, hieß es. Man munkelte außerdem, sie würde Voodoo betreiben und habe mehr Mumm als Tattoos auf ihrem Körper. All diese Dinge fand ich vielversprechend, genauso die Tatsache, dass sie angeblich hinter der Theke ein Knaller war.

Als ich sie schließlich kennenlernte, war ich hin und weg. Zumal sie mit ihren ewig langen Wimpern, dem schlanken, eleganten Hals und dem Diamantstecker in der Nase noch viel attraktiver als erwartet war. Einfach faszinierend. Sie als »schön« zu bezeichnen, wäre zu langweilig, denn wenn man sie ansieht, ist es, als würde man von etwas Mächtigem getroffen. Einer Kraft. Einem Blitz.

Zuerst sah ich sie lediglich von hinten, weil sie gerade nach einer Tequilaflasche hoch über ihrem Kopf griff, aber dann drehte sie sich zu mir um und zog mich mit ihren goldenen Augen in den Bann. Ich entbrannte auf der Stelle für sie.

Seither stehe ich in Flammen.

9

Jenna

Abwesend spiele ich mit dem falschen Diamantring an meinem Finger und blicke nachdenklich in die Dunkelheit. Der Tag, an dem ich Jack zum ersten Mal begegnet bin, war auch der Tag, an dem ich Grandmas Gris-Gris-Ring zum ersten Mal getragen habe. Als Jack mich vorhin nach dem Ring gefragt hat, ist mir das erst wirklich bewusst geworden – woraufhin sich mein Magen sogleich in einer Mischung aus Hoffnung und Angst verkrampft hat.

Doch das würde ich ihm unter keinen Umständen gestehen. Er würde das wahrscheinlich als Zeichen deuten, dass wir zusammen sein sollten, obwohl es kein Zeichen ist. Nein, definitiv nicht.

Der Ring hat nichts damit zu tun, dass ich mich zu Jack hingezogen fühle – oder er sich zu mir.

Es war die Stimme, die den Ausschlag gab. Noch bevor mich seine grauen, silbrig schimmernden Augen in den Bann schlugen und seine kunstvollen Tattoos mich für ihn einnahmen, verfiel ich Jacks Stimme. Ihr Klang drang in mein Ohr, floss mein Rückgrat hinunter, ließ mich mit jeder Silbe mehr dahinschmelzen, bis sie dauerhaft in mir eingeschlossen war.

Das erste Mal hörte ich seine Stimme an meinem zweiten Arbeitstag im *Thirsty Coyote,* wo er zu jener Zeit noch arbeitete. Ich versuchte gerade, einen teuren Tequila von einem Regal zu angeln, an das ich nicht ganz herankam.

»Genau aus diesem Grund haben wir Trittleitern«, sagte er in diesem Moment mit seiner einzigartig heiseren Stimme.

Ich fuhr herum, stand vor einem großen, dunklen, gut aussehenden Mädchenschwarm und versuchte, mir nicht anmerken zu lassen, wie attraktiv ich ihn fand.

»Möglich. So macht es aber mehr Spaß«, gab ich zurück und sprang hoch, verpasste die Flasche knapp, landete wieder auf dem Boden und sprang erneut in die Luft.

Er blickte sich in der gesteckt vollen Bar um.

»Ich bin mir sicher, dass die Gäste ebenfalls ihren Spaß haben, wenn sie dir bei deinen Hochsprungübungen zusehen«, meinte er spöttisch, holte lässig die Flasche vom Regal und reichte sie mir.

»Geht doch. Auf diese Weise muss ich mir keine Sorgen machen, dass du die Flasche runterwirfst und kaputt machst. Kein Risiko.«

Ich zuckte gleichmütig mit den Schultern. Aber auch keine Befriedigung.«

Auf seinem Gesicht erschien ein Grinsen. »Ich bin übrigens Jack und werde dich einarbeiten.«

Obwohl ich mir nichts anmerken ließ, war ich schwer beeindruckt. Außerdem dachte ich, dass es richtig fucking fantastisch war, mich ausgerechnet mit dem Typen angelegt zu haben, mit dem ich die nächsten zwei Wochen ständig zu tun haben würde. Klasse Timing.

Doch als er dann begann, über Service und Personalpläne zu sprechen, dachte ich bloß noch, wie unglaublich toll es war, von einem so überwältigenden Typen mit einer so überwältigenden Stimme eingewiesen zu werden. Zwar hatte ich meist anderes im Kopf, lernte jedoch trotzdem das eine oder andere von Jack.

Und einiges hatte sogar mit der Arbeit zu tun.

Ein paar Monate später bekam Jack ein Angebot als Barkeeper in einer besseren Bar mit einem besseren Gehalt und verließ den *Thirsty Coyote*. Dadurch fällt es ihm leichter, die Uni weiterhin zu finanzieren. Er ist inzwischen dabei, seinen Master in Psychologie zu machen – sein Berufswunsch ist es, mit gefährdeten Kindern und Jugendlichen aus sozial schwachen Familien zu arbeiten.

Wenngleich ich enttäuscht war über seinen Weggang, blieben wir gute Freunde, trafen uns weiterhin mit Pixie, Ethan und ein paar anderen Leuten von der Uni. Bloß hatten Jack und ich von Anfang an eine spezielle Verbindung. Es war, als wären wir seelenverwandt. Allerdings nicht auf so eine alberne, besessene Art. Zwischen uns gab es kein aufgesetztes Flirten, keine Eifersucht, keine unangenehme Spannung. Es war immer locker.

Jack und Jenna: Freunde.

Jack und Jenna: Arbeitskollegen.

Jack und Jenna: Komplizen und Ratgeber bei neuen Tattoos.

Doch dann, eines Abends, änderte sich alles, und aus uns wurde etwas ganz anderes.

Jack und Jenna: betrunken und nackt in Jacks Schlafzimmer.

Der Abend fing ganz harmlos an. Wir waren in seiner Wohnung, in der er damals gerade allein wohnte – Ethan war noch nicht eingezogen –, und tranken mit Freunden.

Ich trug an jenem Abend farbige Kontaktlinsen – blaue, mit denen meine braunen Augen komischerweise grün aussahen – und war angenehm beschickert. Nicht wirklich betrunken, aber ich hatte genug intus, um alles lustig zu finden. Und ich glaube, Jack ging es genauso, denn wir beide waren an dem Abend von allen Anwesenden mit Abstand am besten drauf.

Unsere Freunde brachen langsam einer nach dem anderen auf und machten sich auf den Heimweg, bis Jack und ich lachend allein in der Küche zurückblieben und uns gegenseitig mit Karottensticks fütterten.

Fragt nicht, warum.

Das gehört dazu, wenn man sich die Kante gibt. Man tut seltsame Dinge, und wir fütterten uns eben mit Karottensticks, als wären wir Esel.

Jedenfalls haben wir uns gut amüsiert – wir hatten eine Menge Spaß, waren ganz locker und brachten einander ständig zum Lachen.

Bis ich, inzwischen ziemlich abgefüllt, über seinen Fuß stolperte und das Gleichgewicht verlor. Ich fiel quasi auf ihn und sank mit meiner Brust gegen seine. Aus dieser Position heraus blickte ich in seine stahlgrauen Augen, die vor Lachen in diesem Moment silbrig funkelten, und dann … Dann küsste ich ihn.

Nur so zum Spaß, weil es sich gerade anbot.

Aber als Nächstes fiel ich richtiggehend über ihn her und presste meine Lippen auf seine. Unser Lächeln wich Begehren und Leidenschaft – Dingen, die ich nicht unter Kontrolle hatte und die ich auch nicht kontrollieren wollte. Ich ließ mich von dem Kuss leiten, gab dem Verlangen in mir nach und schlang die Arme um Jacks kräftige Schultern. Er zog mich an sich, presste meinen Körper an seinen und erwiderte meinen Kuss mit seinen erstaunlich weichen, vollen Lippen, die sonst oft so hart und schmal wirkten.

Jack. Das hier war Jack, dachte ich.

Die Besinnung auf die Realität tat meiner Leidenschaft keinerlei Abbruch, heizte mich ganz im Gegenteil bloß an. Ich stellte mich auf die Zehenspitzen und rieb meine Hüften an seinem scharfen Körper. Es war verrückt, es war leichtsinnig. Ich wusste es und konnte dennoch nicht aufhören. Wollte es auch nicht wirklich.

Zum Teufel, sagte ich mir. Was sollte schon so schlimm sein an einer heißen Nacht mit Jack? Zumindest würde es sehr vergnüglich sein.

Also rückte ich mit einem aufreizenden Lächeln von ihm ab und bewegte mich langsam rückwärts, während er immer wieder versuchte, mich zu küssen. Und ehe ich mich versah, hatten wir unter ständigem, leidenschaftlichem Küssen sein Schlafzimmer erreicht.

Mit schnellen und sicheren Bewegungen umfasste er meinen Hintern, hob mich hoch und drängte mich gegen die erstbeste Wand, schob sich zwischen meine Beine und saugte an meinen Lippen. Ich wurde sofort feucht und erregt, sehnte mich verzweifelt nach seiner Berührung und nach mehr – einfach nach mehr.

Erregt stieß ich die Luft aus und ließ meinen heißen Atem über sein Ohr streifen, legte den Kopf in den Nacken, rang nach Luft und bot ihm meinen Hals dar. Harte Kerle lieben meiner Erfahrung nach zarte Hälse, die der Gnade ihrer Lippen ausgeliefert sind.

Doch anstatt Küsse auf meinem Hals zu verteilen, umfasste er ihn und drückte meinen Kopf gegen die Wand, küsste mich weiterhin voller Verlangen. Er saugte an meinen Lippen und schob seine Zunge in meinen Mund. Meine Brustwarzen richteten sich auf, aber zugleich wusste ich nicht, was ich von seinem Griff um meinen Hals halten sollte. Dann ließ er los, strich mit dem Daumen meine Luftröhre entlang. Langsam. Sanft. Ich keuchte, bog meinen Rücken durch und sehnte mich nach immer mehr.

Jacks Mund wanderte zu meinem Ohr, und seine heisere Stimme streichelte meine Sinne.

»Jenna.«

Das war keine Frage, sondern eine Bestätigung dessen, was folgen würde. Er vermittelte es mir, indem er meinen Namen aussprach. Der Klang seiner Stimme in meinem Ohr, seine Hände, die über meinen Rücken und meine Schenkel strichen, und sein Mund, der mich küsste, berührte etwas in mir. Etwas, das meine Gefühle zutiefst durcheinanderbrachte und mich verwirrte.

Ich schüttelte den Kopf, um mich von diesen unbekannten Empfindungen zu befreien. Es war nicht gut, wenn er beim Sex meinen Namen aussprach. Niemand durfte das. Ich konnte nicht ich selbst, konnte nicht frei sein. Indem man meinen Namen nannte, wurde ich auch an meine Fehler und Schwächen erinnert.

So funktionierte das nicht.

Ich strich mit den Händen über seine Schultern zu seiner Brust, dann hinunter zu seiner Hose, löste den Knopf seiner Jeans und öffnete den Bund.

»Bett«, befahl ich atemlos und blinzelte den Schleier fort, der sich über meine Augen gelegt hatte, sah ihn durchdringend an. »Sofort.«

Ich war über den An-der-Wand-stehen-Mist hinweg.

Dabei hatte ich eindeutig zu wenig Kontrolle. Seine Hand fuhr wieder an meinem Hals hoch, bewegte sich weiter nach oben und zwang mein Kinn noch ein Stück weiter nach hinten, sodass ich ihm völlig ausgeliefert war. Es machte mir keine Angst, verursachte auch kein unangenehmes Gefühl, aber es verstärkte das Verlangen in mir, ins Bett zu kommen, wo ich mich auf ihn setzen konnte.

Jack musterte aufmerksam mein Gesicht mit seinen grauen Augen – er begehrte mich zweifellos. Plötzlich drehte er uns um, und schon lag ich mit dem Rücken auf der weichen Matratze. Als er in den Nachttisch langte und ein Kondom herausholte, nutzte ich die Gelegenheit, unter seinem großen erregten Körper hervorzurutschen, und drückte ihn unter mir nach unten.

Jack lächelte zu mir hoch. »So läuft das also?«

»Sei still.« Ich setzte mich rittlings auf ihn und zuckte kurz zusammen, als ich seine beachtliche Erektion spürte, riss ihm sein Shirt vom Leib und streifte mein eigenes ebenfalls mit einer schnellen Bewegung ab. Desgleichen meinen BH. Anschließend drängte ich meine nackten Brüste gegen seinen muskulösen Oberkörper und begann, ihn dabei erneut zu küssen.

Er griff nach meinen Hüften und zog mich an sich, während wir an den Lippen des anderen knabberten und uns mit unseren Zungen liebkosten. Es war ein Rausch, unser Verlangen war verzweifelt und unerfüllt.

Beides war zu stark, um dem nicht nachzugeben.

Schließlich löste ich mich von Jack und streifte ihm die Jeans vom Körper – unter der er keine Unterhose trug –, woraufhin er meine Taille umfasste, mich rücklings an sich zog und meinen Rücken mit dem Unterarm an seine Brust presste. Dann schob er meine Hose hinunter, bis meine Beine frei waren, ließ die Hand über meinen Bauch in meinen Slip gleiten, wo er fest mein Geschlecht umfasste.

Ich widersetzte mich der Berührung. Sie gefiel mir, nahm mir jedoch die Kontrolle.

Seine tiefe Stimme streifte erneut mein Ohr.

»Jenna.«

Bei den Gefühlen, die der Klang meines Namens in mir mit ungeahnter Wucht erzeugte, stieß ich ein leises Wimmern aus. Ich hasste es und liebte es zugleich. Vergeblich versuchte ich, mich zu ihm umzudrehen, ihn anzusehen – unerbittlich hielt er mich fest und strich mit den Fingern über mein nasses Geschlecht. Ich legte meine Hand auf seine in der Absicht, mich von der lustvollen Berührung meiner empfindlichsten Stellen zu befreien, aber er drückte mich nur noch fester an sich.

Jetzt wollte ich, dass er mich weiter berührte.

Nachdem ich ausreichend feucht war, suchte er meinen Kitzler und zog sanft daran. Mein Kopf ruhte an seiner Schulter, mein Atem flog, und ich wand mich unter seinen Berührungen. Meine Hand, die nach wie vor auf seiner lag, drängte ihn sogar weiter, während ich mit der anderen nach oben griff und seinen Hinterkopf umfasste. Ich strich durch sein Haar und krallte mich in seinem Nacken fest, genoss dabei weiter seine Liebkosungen.

Ich weiß nicht, wann mir die Kontrolle abhandengekommen ist, jedenfalls lange bevor seine geschickten Finger in mich eindrangen und das Verlangen zwischen meinen Beinen stillten. Erst glitt ein Finger in mich hinein, dann zwei, und wieder aus mir heraus, während er mich weiter festhielt. Doch das war nicht genug. Ich wand mich und stöhnte, wollte sein hartes Glied, das sich gegen meinem Rücken presste, tief in mir spüren.

Er ließ die Finger zurück zu meiner empfindlichsten Stelle gleiten, strich mit seinen weichen, nassen Fingerkuppen darüber und brachte mich zum Keuchen. Ich löste meine Hand von seiner und grub meine Fingernägel in seinen Unterarm, während er mich immer weiter erregte.

Schließlich durchströmte ein brennend heißer Orgasmus meinen Körper. Ich nahm nichts mehr wahr als seine Berührung, seine Hand auf mir – ich bog den Rücken durch, wand die Hüften, stöhnte und wimmerte, bis ich in seinen Armen zusammensackte. Einen Augenblick war ich schlapp und schwach, ausgelaugt und befriedigt, meine Schenkel zitterten, während die Wellen der Erregung in meinem Unterleib langsam verebbten.

Es war das Beste, was ich je erlebt hatte, und zugleich war ich nie zuvor so schwach gewesen.

Zitternd holte ich Luft, drehte mich um und drückte Jack zurück aufs Bett, zog meinen durchnässten Slip aus und setzte mich rittlings auf ihn. Er würde mich nicht mit seinen Händen erobern, mit seinen Berührungen, seinen sanften grauen Augen, die zu mir aufsahen, als wüsste er, was ich tief in mir fühle …

Nein. Er würde mich nicht beherrschen.

Ich nahm das Kondom vom Nachttisch, riss schnell die Packung auf und streifte es über seinen Schwanz. Dann hob ich mich über ihn, führte ihn an die richtige Stelle und ließ ihn langsam in mich hineingleiten. Trotz der Dunkelheit im Zimmer sah ich dabei in seinen Augen etwas, auf das ich nicht vorbereitet war.

Klar, da waren Lust, Verlangen und Begehren, aber

noch etwas anderes, das nicht sein durfte – das mich erschreckte, weil es mich an Liebe erinnerte. Und während sich unsere Körper miteinander verbanden, nahm mich sein Blick gefangen. Als seine Härte mich ausfüllte, mich dehnte und dabei die empfindlichen Nervenzellen in meinem Geschlecht erregte, rang ich nach Atem und schloss die Lider.

Er fühlte sich gut an, sehr gut. Rhythmisch bewegte ich mich über ihm auf und ab, steigerte unser beider Verlangen, trieb uns immer weiter an. Er ist nur ein Körper, sagte ich mir, während ich ihn ritt. Ein scharfer Körper. Und was ich empfinde, ist pure Lust. Nichts anderes.

Man braucht keine Gefühle, um das zu tun.

Mein Herz raste, während ich den Kopf in den Nacken legte und mich der Ekstase und dem animalischen Trieb mit leisem Stöhnen hingab. Um ein Optimum an Lust ging es und um deren Befriedigung. Alles war, wie es sein sollte.

Bis ich hörte, wie er »Jenna« rief.

In diesem Moment wurde ich aus unirdischen Sphären in die Realität katapultiert.

Erschrocken riss ich die Augen auf, während Jack die Hände auf meine Hüften legte und mich mit hartem Griff fest auf sich drückte. Als mein Gesicht direkt vor seinem war, unsere Körper heiß und fiebrig miteinander verschmolzen, richtete er seine Augen forschend auf mich.

»Sieh mich an«, forderte er mich auf. Seine Hand war meinen Rücken hinauf zu meiner Schulter gewandert und glitt jetzt weiter zu meinem Kinn, hob es an. »Ich will deine Augen sehen.«

Eigentlich war ich noch auf anderes konzentriert, denn ich spürte, wie die Muskeln in meinem Innern zuckten und sich um ihn schlossen. Ein lustvolles Keuchen löste sich aus meiner Kehle. Ansehen wollte ich ihn in diesem Moment nicht. Nein, auf keinen Fall.

Denn dann würde Jack mich ebenfalls ansehen und Gefühle entdecken, die ich zu verbergen versuchte.

»Bitte, Jenna«, flüsterte er mit seiner heiseren Stimme dicht an meinem Mund, den er immer wieder küsste, mal verlangend, mal zart.

Erst als ich nickte, ließ er von meinen Lippen ab, damit ich mich aufrichten konnte. Auf ihm sitzend, sah ich ihm direkt in die Augen, während ich mich nach wie vor auf ihm bewegte, damit unser gegenseitiges Begehren nicht zum Erliegen kam. Schweigend und mit fast ausdrucksloser Miene hielt er den Blick auf mich gerichtet und betrachtete meinen nackten Körper, der ihm Lust schenkte und seinerseits Lust durch seinen Körper empfing.

Es war intim. Ungewohnt intim, so intim, dass ich die Gefühle, die mein Herz und meine Seele zu erfüllen begannen, kaum zu beherrschen vermochte.

Ich tat mein Bestes, mich auf den Sex und nicht auf irgendwelchen Gefühlsmist zu konzentrieren, den ich sowieso als störend empfand, und ritt ihn so leidenschaftlich, dass meine schwarzen Haare mir ins Gesicht hingen, wild hin und her peitschten und meine Brüste im gleichen Takt mitschwangen. Grob krallte ich meine Nägel in seine Brust, fühlte mich mächtig, übte die volle Kontrolle aus. Unberechenbar wie ein Hurrikan, wie eine Urgewalt. Sein Körper und seine Lust gehörten mir.

Ich war die Königin und seine Meisterin.

Trotzdem zerrte jeder Stoß an meiner Seele, an den tief in mir verborgenen Gefühlen, zumal ich, wie versprochen, den Blick nicht von ihm löste. Bis irgendwann meine Augen brannten. Gleichzeitig war meine Kehle plötzlich wie zugeschnürt, als hätte er erneut die Hand um meinen Hals gelegt.

Ich blinzelte das Brennen fort, ignorierte den Eindruck, ersticken zu müssen, und bewegte mich umso hektischer auf ihm.

»Jenna«, sagte er wieder, sanft diesmal, da er meine verborgenen Gefühle offenbar erahnte. Er wollte damit Verständnis signalisieren, aber mich warf es komplett aus der Bahn.

Erst rann eine einzelne Träne über mein Gesicht, dann eine weitere.

Unaufhaltsam drang an die Oberfläche, was ich so krampfhaft zu verbergen suchte. Mit einem Mal merkte ich, dass es hier nicht allein um Lust ging. Ich hielt den Blick auf Jack gerichtet, wir tauschten tausend stumme Worte, während Tränen über meine Wangen strömten.

Irgendwann war mir die Kontrolle entglitten. Oder hatte ich sie bei ihm überhaupt nie besessen?

Mühsam blinzele ich mich zurück in die Gegenwart und starre zur Decke des Motelzimmers hoch. So viel kann in so kurzer Zeit passieren, so viel kann sich verändern.

Ich drehe das Gesicht zur offenen Verbindungstür und spähe in der Dunkelheit zu Jack hinüber. Ich weiß nicht, ob er wach ist oder ob er schläft. Ein Teil von mir möchte hinübergehen und zu ihm unter die Decke kriechen. Nicht um den heißen Sex wiederzubeleben, den wir vor ein paar Monaten hatten, sondern weil … Keine Ahnung, warum. Vielleicht einfach, weil er mein Freund ist. So in der Nähe und doch nicht nah bei ihm zu schlafen, fühlt sich falsch an. Klingt komisch, ich weiß. Zu Hause jedenfalls, wo wir mehrere Blocks voneinander entfernt wohnen, habe ich derartige Probleme nicht. Aber hier, wo er bloß ein paar Schritte entfernt ist …

Gott, Jenna, reiß dich zusammen.

Resigniert rolle ich mich auf die andere Seite, wende der Tür den Rücken zu und atme ganz langsam aus. Irgendwann schlafe ich ein und träume von heißen Tränen, schweißnassen Körpern und silbrig grauen Augen, die zu meiner Seele durchdringen.

Als ich am nächsten Morgen fertig angezogen und bereit zum Aufbruch bin, wartet Jack schon beim Wagen auf mich. Mit selbstzufriedener Miene und einem Kaffee in der Hand lehnt er an der Motorhaube.

»Ich habe es ja gesagt«, begrüßt er mich und reicht mir das heiße Getränk.

»Du hattest nicht recht. Schließlich bin ich nicht erst um zwölf aufgewacht«, verteidige ich mich, »sondern genau um elf Uhr fünfunddreißig. Ende der Debatte.«

»Falsch, ich habe gesagt, ich würde dich nicht vor zwölf Uhr zu sehen kriegen.« Er blickt auf sein Handy. »Und jetzt ist es eine Minute über die Zeit.« Er sieht auf. »Also: Habe ich nun recht gehabt oder nicht?«

Unter seinen Augen liegen Schatten, er sieht müde aus, wie ich beim näheren Hinsehen erkenne, sein Grinsen jedoch wirkt ziemlich ausgeschlafen.

»Meinetwegen«, murmele ich, trinke einen Schluck Kaffee und danke welchen Göttern auch immer dafür, dass sie diesen wunderbaren Muntermacher erschaffen haben. »Wo ist dein Kaffee?«, erkundige ich mich, denn einen zweiten Becher kann ich nirgends entdecken.

Er löst sich von der Motorhaube und richtet sich zu seiner vollen Größe auf.

»Im Gegensatz zu dir bin ich bereits seit dem Morgengrauen wach, habe mittlerweile drei Becher intus und außerdem schon unsere Zimmer bezahlt. Hast du die Schlüssel?« Er streckt die Hand aus. »Ich fahre als Erster.«

»Konntest du nicht schlafen?«, erkundige ich mich, während ich die Autoschlüssel herauskrame.

Jack mag ja kein ausgemachter Langschläfer sein, aber sicherlich wacht er normalerweise nicht gleich beim ersten Hahnenschrei auf.

Wir steigen ins Auto. Folgsam überlasse ich Jack das Steuer und bescheide mich mit dem Beifahrersitz. Warum eigentlich, frage ich mich.

»Ich habe gut geschlafen«, höre ich Jack sagen, während er den Motor startet und ausparkt. Doch er vermeidet es, mich dabei anzusehen, und deshalb weiß ich, dass etwas nicht stimmt.

»Hat dich die Sache mit deinem Bruder wach gehalten?«, erkundige ich mich vorsichtig, als wir auf den Freeway in Richtung Osten einbiegen.

»Noch mal, Jenna, ich habe gut geschlafen.«

Ich mustere ihn nachdenklich. »Du sprichst nie über deine Familie, darum frage ich auch nie, aber momentan bist du ganz offensichtlich gestresst.« Ich stelle den Kaffee in den Becherhalter am Armaturenbrett und wende ihm mein Gesicht zu. »Was ist los?«

»Nichts.« Er schüttelt den Kopf. »Nur ein Familiendrama wie gesagt, das ist alles.«

Es ärgert mich, dass er sich mir nicht anvertraut. »Ein Familiendrama. Peanuts. Klar. Nicht der Rede wert. Bloß nicht zu viel erzählen. Findest du das cool?«

Er lächelt freudlos. »Willst du etwa auf einmal ein persönliches, irgendwie intimes Gespräch mit mir führen? Das entbehrt nicht einer gewissen Ironie.«

Bei dieser Anspielung gehe ich hoch. »Wenn du etwas zu sagen hast, Jack, dann sag es gefälligst. Ich habe es satt, deinen ständigen indirekten Vorwürfen ausweichen zu müssen.«

Er wirft einen Blick in den Seitenspiegel und wechselt die Spur.

»Genau das ist das Problem, Jenna. Ganz egal was ich sage, du findest immer einen Weg, meinen Worten auszuweichen. Das ist nun mal deine Art. *Du kneifst.*«

Wenn er nicht so recht hätte, würde ich ihm jetzt eine kleben.

Natürlich kneife ich. Würde ich ihm nicht ausweichen, könnte ich mich nicht mehr zurückhalten und würde mich ihm an den Hals werfen. Liebend gerne sogar. Aber nach dem, was damals passiert ist, als ich völlig die Kontrolle verloren habe, mag ich mich nicht erneut dieser Gefahr aussetzen und gehe ihm stattdessen lieber aus dem Weg.

Warum habe ich ihn überhaupt in mein Herz gelassen?

Ich weiß es nicht, und das macht mich verrückt. Genauso wie die unbestreitbare Tatsache, dass es mir einfach nicht gelingt, ihn mir wieder aus dem Herzen zu reißen. Seit Monaten versuche ich das vergeblich, diese emotionale Bindung wieder zu lösen – und deshalb kann und will ich auch nicht darüber sprechen.

Was Jack leider Gottes absolut nicht versteht.

Für mich war es nämlich durchaus ein großes Ding, und ich darf nicht riskieren, noch mehr Gefühle für ihn zu entwickeln oder mich am Ende sogar richtig in ihn zu verlieben. Und das kann ich nur vermeiden, indem ich mich von allem und jedem fernhalte, was mich ihm näherzubringen droht – einschließlich der Gespräche über das, was letztes Jahr zwischen uns passiert ist.

Verzweifelt suche ich nach einer schlagfertigen Antwort, die ihn zum Schweigen bringt und mich zugleich davor bewahrt, ihm wirklich antworten zu müssen – etwas Zündendes fällt mir allerdings nicht ein. Also muss ich wohl oder übel seine Vorwürfe aufgreifen.

»Du sagst, ich kneife, und findest, dass ich dir ausweiche. Gut.« Ich zucke die Schultern und fühle mich schrecklich unbehaglich. »Also, wir haben zusammen geschlafen. Einmal. Und es war …« *Scharf. Erotisch. Toll. Leidenschaftlich.* »… anders«, sage ich schließlich. »Es war anders.«

Seine Züge verhärten sich. »Es war anders?«

»Ja, zumindest für mich«, erwidere ich leicht aggressiv. »Für dich war es wahrscheinlich ganz normaler Sex.«

Er sieht mich an. »Was soll das heißen?«

Meine Verärgerung steigt. »Das heißt, dass ich hier nicht mit dir über die richtigen Adjektive diskutieren will, um das zu beschreiben, was zwischen uns abgegangen ist. Wozu auch? Ich habe nämlich keinen Bock, mich in die Liste deiner Eroberungen einzureihen.«

»Du denkst, ich betrachte dich als Eroberung?«

»Das ist schon okay. Echt. Du machst Eroberungen, ich mache Eroberungen. So läuft das eben. Ich bin deswegen nicht sauer. Ich habe bloß keine Lust, darüber zu reden und dabei alles zu zerreden.«

»Mit mir zu schlafen ist also das Gleiche, wie mit diesem miesen Barkeeper ins Bett zu hüpfen? Wie heißt der doch gleich? Greg? Gary? Irgendwie so«, hält er mir mit finsterer Miene vor.

»Meine Güte, ich weiß nicht …«, stoße ich hervor und verdrehe die Augen. »Ist es denn nicht das Gleiche wie mit dir und Angela oder Olivia oder mit dieser Heather mit den lila Haaren?«

Er sieht mich misstrauisch an. »Führst du etwa Buch darüber, mit wem ich ins Bett gehe?«

»Na ja, so wie du deine Eroberungen in der Bar vorführst, kann man es kaum übersehen.«

Seine Augen blitzen. »Zumindest habe ich nie mit einer deiner Mitbewohnerinnen geschlafen.«

»Mach mal halblang«, gebe ich patzig zurück und zeige mit dem Finger auf ihn. »Ich hatte ja keine Ahnung, dass Tyler mit dir zusammenwohnt. Das war reiner Zufall.«

»Und was ist mit Davis? War das genauso ein Zufall?«

Ich lächele boshaft. »Nun, das war in etwa so zufällig wie bei dir die Sache mit Bella.«

Ein Moment lang herrscht Schweigen. Wir haben uns so ziemlich alles an den Kopf geworfen, was uns einfiel, und alle aufgezählt, mit denen wir nach unserem One-Night-Stand, der eigentlich keiner war, Sex hatten. Eigentlich völlig irre. Und im Grunde beweist das nur, dass wir ein Eifersuchtsproblem haben – und das, obwohl wir nicht mal ein Paar sind. Alles total widersinnig.

»Jedenfalls war es ein Fehler, dass wir miteinander geschlafen haben«, sage ich und lehne mich auf meinem Sitz zurück. »Das hat alles verändert.«

»Das hat nichts verändert«, widerspricht er. »Es hat nur

die Wahrheit ans Licht gebracht. Aber du bist zu feige, das zuzugeben.«

»*Was* zuzugeben?«, schreie ich ihn an und werfe die Hände in die Luft. »Was ist diese geheimnisvolle Sache, die ich zugeben soll, Jack?«

»Was du für mich empfindest«, erwidert er. »Was du über uns und unsere Beziehung denkst.«

»Nicht schon wieder. Das hatten wir gerade, und damit ist für mich das Thema erledigt. Wie oft soll ich es dir eigentlich erklären?«

»Du hast mir noch nie irgendetwas erklärt. Das war immer nur ich«, sagt er. »Du weißt genau, wo ich stehe – ich hingegen habe von dir bislang kein einziges aufrichtiges Wort gehört, was dich und mich angeht.«

Mein Herz klopft zum Zerspringen, und meine Augen brennen. »Weil du und ich, wir beide als Einheit nicht zu meinem Plan gehören.«

Seine Knöchel werden weiß, so fest umklammert er mit einem Mal das Lenkrad.

»Zu deinem Plan.« Er nickt wütend. »Weil der liebe Gott nicht will, dass etwas in deinem Leben von deinem ach so tollen Plan abweicht, der dir einfach alles bedeutet? Gott, Jenna.« Er schüttelt verständnislos den Kopf. »Du bist derart davon besessen, alles durchzuplanen und zu kontrollieren, dass du nicht mal darüber nachdenkst, ob deine großartigen Lebensentwürfe wirklich das Beste für dich sind.«

»Mein Plan ist absolut perfekt für mich …«

»Nein, ist er nicht. Dein Plan ist eine Sackgasse.« Ich öffne den Mund, um zu protestieren, doch er gibt mir keine Chance und redet im höchsten Ton der Empörung weiter.

»Dein Plan langweilt dich nämlich zu Tode und saugt das Leben aus dir heraus, bis du am Ende alt und total unglücklich stirbst. Wenn du das nicht willst, solltest du möglichst schnell gegen deine eigenen blöden Regeln verstoßen, endlich frei und ungehemmt leben und deinen gottverdammten Plan vergessen.«

Fassungslos sinke ich in meinem Sitz zurück, blicke auf die Straße vor mir und verfolge die gelben und weißen Linien, die vor meinen Augen verschwimmen.

»Was willst du von mir hören, Jack?«

Nach dem emotionalen Ausbruch, den er da gerade hingelegt hat, muss er erst mal schlucken.

»Es geht nicht darum, was ich von dir hören will – ich will einfach die Wahrheit wissen, Jenna.« Nach einer Weile fügt er leise und eindeutig verbittert hinzu: »Etwas anderes habe ich nie gewollt.«

Ich schüttele den Kopf, atme langsam ein und bemühe mich, meine Gefühle unter Kontrolle zu bekommen. Zur Hölle mit Jack und seiner Wahrheit. Zur Hölle mit dieser ganzen elenden Sache.

»Ehrlich gesagt, weiß ich nicht, was die Wahrheit ist«, erkläre ich nach längerem Nachdenken. »Da hast du leider Pech, wie es scheint.«

Er zieht die Lippen zu einem schmalen Strich zusammen und heftet den Blick starr auf die Straße, während die gelben und weißen Markierungen nur so an uns vorbeifliegen. Als er schließlich antwortet, klingt seine Stimme enttäuscht.

»Sieht ganz so aus.«

Die nächsten hundert Meilen schweigen wir, schreiende Stille hängt zwischen uns. Und mit der Stille steigen weitere Erinnerungen an jene Nacht im letzten Jahr, die alles veränderte, in mir auf.

Nachdem Jack und ich Sex gehabt hatten, streckte ich mich neben ihm im Bett aus. Während wir beide noch nach Atem rangen, sahen wir uns eine Weile an, und ich versuchte, mein lächerlich glückliches Herz unter Kontrolle zu bekommen. Eine unmögliche Aufgabe, denn es klopfte so voller Freude wie noch nie zuvor in meinem Leben.

Ich strich mit dem Finger über seinen kräftigen Bizeps, auf den ein gefährlich aussehender Falke mit einer Schlange zwischen den Klauen tätowiert war. Dann blickte ich auf seinen Rücken, auf dem zwischen einem Dutzend anderer Motive ein mächtiger Adler schwebte.

»Deine Tattoos gefallen mir«, sagte ich und strich mit der Fingerspitze über die ausgebreiteten Flügel des Adlers.

»Mhm«, murmelte er und strich seinerseits sanft über das Sternschnuppentattoo an der Innenseite meines Schenkels. »Und mir gefallen deine.«

»Welches war dein erstes?«

Er drehte sich auf den Rücken und deutete auf seine linke Brustseite.

»Das hier«, sagte er und tippte auf die Umrisse eines kleinen Vogels, der auf den Mond zufliegt – seine Farben waren bereits ein wenig verblasst.

Es war nicht gerade das kunstvollste Bild auf seinem Körper, aber in seiner Einfachheit faszinierend.

»Welche Bedeutung hat dieser kleine mitternächtliche Vogel, der dem Mond zustrebt? Du hast ihn genau über deinem Herzen tätowieren lassen.«

Er schlug die Augen nieder und lächelte fast ein wenig traurig.

»Ein mitternächtlicher Vogel. Das gefällt mir.« Er sah auf. »Als ich mit sechzehn beschloss, mich tätowieren zu lassen, habe ich nach einem Motiv gesucht, das Hoffnung ausdrückt, und ein Vogel, der sich in die Lüfte erhebt, schien mir das richtige Symbol dafür zu sein.«

»Mit sechzehn? Welcher Laden tätowiert denn einen Minderjährigen?«

»Der in meiner Heimatstadt.«

»Wow.« Ich strich mit dem Daumen über den nächtlichen Hoffnungsträger und prägte mir jede Linie und jede Kurve des Tattoos ein. »Du hast also auf etwas gehofft.«

Er nickte.

Ich begegnete seinem Blick. »Und hast du es bekommen?«, erkundigte ich mich behutsam.

»Yep«, sagte er und lächelte.

»Dann ist es wohl ein Glückstattoo.«

»Scheint so.« Wir sahen uns eine ganze Weile tief in die Augen, und ein breites Grinsen überzog plötzlich sein Gesicht. »Pancakes?«, fragte er mich.

»Ich lachte. »Was?«

»Wollen wir Pancakes backen?«

Mein Herz vollführte einen Freudentanz, und ich strahlte wie ein Honigkuchenpferd.

»Ja, unbedingt.«

Also machten wir uns mitten in der Nacht Pancakes.

In einem seiner T-Shirts – sonst nichts – saß ich dann mit übereinandergeschlagenen Beinen auf der Arbeitsplatte seiner Küche, während er mich mit frisch gebackenen, von Sirup triefenden Pancakes fütterte. Sein gesamtes Besteck war schmutzig, sonst hätten wir vielleicht Gabeln anstelle unserer Finger benutzt, aber mit den Händen fand ich es sowieso lustiger.

Es war himmlisch.

Unsere Hände klebten vom Sirup, unsere Körper waren befriedigt, und ich fühlte mich so glücklich, wie ich es wahrscheinlich noch nie zuvor gewesen war.

Und das blieb so, bis Jack das Schlimmste überhaupt von sich gab.

»Ich mag dich, Jenna«, sagte er und sah mich ernst an. »Sehr sogar.«

Sein ernster Blick ging durch mich hindurch wie heiße Klingen, und aus dem ersten Impuls heraus wollte ich spontan sagen: *Ich mag dich auch,* doch mein nächster Impuls war zu rufen: *Ich liebe dich!* Und dann wurde es richtig schlimm, denn mein Herz wollte schreien: *Ich will dich für immer,* aber für diese Wahrheit war ich nicht bereit.

Ich starrte auf sein übergroßes T-Shirt hinunter und geriet völlig in Panik, schüttelte den Kopf und leugnete fortan, dass ich überhaupt etwas für ihn empfand.

Was ich gesagt habe, weiß ich nicht mehr.

Jack warf mir später vor, lauter Schrott von mir gegeben zu haben. Jedenfalls tut er seitdem sein Möglichstes, mir doch noch die Wahrheit zu entlocken. Vergeblich. Inzwischen habe ich jede Menge Schutzschilde in Stellung gebracht und bin bereit, meine angestrebten Ziele zu verteidigen und für ihre Verwirklichung zu kämpfen.

Ein vernünftiger Vorsatz in meinen Augen.

Mal angenommen, Jacks Ziele würden nicht zu meinen passen – was dann?

Wer von uns würde sich seine Träume erfüllen?

Wie viele Kompromisse würden wir bereit sein einzugehen?

Liebe befördert nämlich keine Träume, sie zerstört sie vielmehr.

Und wenngleich ich es schon damals nicht offen zugeben mochte, wusste ich eines: Wenn ich mit Jack weitermachte, würde es nicht beim Sex bleiben, sondern auf Liebe hinauslaufen. Wenn es das nicht bereits war.

Er bat mich sogar, mich darauf einzulassen. Das war nicht fair. Jack konnte nicht einfach aufkreuzen und all meine wohlüberlegten Pläne über den Haufen werfen. Schließlich hatte ich sie mir aus gutem Grund zurechtgelegt und bisher nie infrage gestellt.

Auf keinen Fall nämlich wollte ich wie meine Mutter enden. Allein. Arm. Mit gebrochenem Herzen und verstaubten Träumen, die sie nie verwirklicht hatte und bis an ihr Lebensende nie mehr verwirklichen würde. Und meiner Großmutter war es nicht besser ergangen. Ich hatte an beider Beispiel gesehen, was aus einem wurde, wenn man sich unbedacht der Liebe zu einem Mann hingab.

Nein, ich weigerte mich rundheraus, in ihre Fußstapfen zu treten.

Mein Großvater hatte Granny wegen einer Kellnerin, die halb so alt war wie sie, sitzen lassen, als sie im achten Monat schwanger war. Und folglich wuchs meine Mutter in derart ärmlichen Verhältnissen auf, dass sie lange Zeit nicht wusste, wie ein Zehn-Dollar-Schein aussah.

Mom arbeitete sich bereits neben der Schule den Arsch ab und sparte Geld, um Medizin studieren zu können. Damals hatte auch sie einen Traum, einen Plan. Leider verliebte sie sich jedoch in einen gut aussehenden Mann und war vier Monate später mit mir schwanger. Mein Vater versprach ihr, für sie da zu sein und sie zu unterstützen, damit sie ihr Studium beenden und Ärztin werden konnte.

Und dann wachte er eines Morgens auf und erklärte ihr, er habe es sich anders überlegt. Es sei ihm zu anstrengend mit Frau und Kind, sein eigenes Leben war ihm wichtiger. Er ließ sie vollkommen verloren und mittellos zurück.

Wir hatten nie ein sicheres Einkommen, zogen deshalb permanent um und flogen ständig aus unseren Wohnungen raus. Immer waren wir im Verzug mit der Bezahlung unserer Rechnungen. Der Strom wurde uns abgestellt. Das Wasser. Ich wechselte von einer Schule zur nächsten, musste mir ständig neue Freunde suchen. Bloß wurde ich sowieso aufgrund meiner abgetragenen oder zu klein gewordenen Kleidung zum Außenseiter abgestempelt. Und in Zeiten, wenn wir mal wieder obdachlos waren und in Moms altem Auto kampierten, haperte es sogar mit der Hygiene, und ich musste mit fettigen Haaren zur Schule gehen.

Es war schrecklich.

Sicherheit kannte ich nicht, und so schwor ich mir bereits als Kind, es einmal anders zu machen. Mir ein Leben zu schaffen, in dem ich jede Nacht ruhig schlafen konnte und mir keine Sorgen darüber machen musste, wann ich das nächste Mal wohl wieder etwas zu essen bekam.

Schließlich besserte sich die Lage. Als ich sechzehn war, fand Mom eine Stelle als medizinische Assistentin in einer Klinik – immerhin konnte sie, wenngleich nicht als Ärztin, künftig im medizinischen Bereich arbeiten, was sie glücklich machte. Sie verdiente sich zwar keine goldene Nase, aber immerhin hatte sie jetzt ein regelmäßiges Einkommen und eine Krankenversicherung. Und da ich gleichzeitig als

Kellnerin in einem Café jobbte, kamen wir ganz gut klar und lebten endlich in einigermaßen gesicherten Verhältnissen. Bald darauf kamen dann nacheinander die Pflegekinder ins Haus, die schließlich meine Adoptivschwestern wurden.

Obwohl sich für meine Mutter am Ende alles doch noch versöhnlich geregelt hatte, wollte ich es von Anfang an anders machen. Zudem reichte mir »einigermaßen okay« nicht. Deshalb auch mein Verhalten Jack gegenüber. Sobald ich in jener Nacht merkte, dass womöglich mehr dahintersteckte als Sex, beschloss ich, die Notbremse zu ziehen.

Zu viel stand für mich auf dem Spiel.

Er erzählte mir in der Küche, er sei verrückt nach mir, und wie gut wir zusammenpassen würden. Und dass ich alles sei, was er sich je erträumt habe. Lauter Dinge, die jedes andere Mädchen glücklich gemacht hätten.

Mich wahrscheinlich auch, wären da nicht die familiären Hypotheken gewesen. Die gebrochenen Versprechen meines Vaters, das schäbige Verhalten meines Großvaters. Darum sagte ich Nein, hörte auf, Pancakes zu essen und verließ Jacks Wohnung. Sein Geruch hing noch an meiner Haut, während frische Tränen über meine Wangen rannen.

Mittlerweile haben wir die Staatsgrenze nach Texas überquert. Schweigend. Verstohlen blicke ich zu Jack hinüber, und meine Brust schnürt sich zusammen. Ich habe zwar nicht gelogen, als ich behauptete, die Wahrheit nicht zu wissen, aber ganz ehrlich war ich auch nicht.

Was ich empfinde, widerspricht komplett dem, was ich tue. Ich fühle mich mehr zu Jack hingezogen als zu irgendeinem anderen Mann, trotzdem kann und will ich mich nicht fest an ihn binden. Was mich allerdings nicht daran hindert, rasend eifersüchtig zu reagieren, wenn er andere Mädchen abschleppt – dann merke ich, wie besitzergreifend ich mich ihm gegenüber verhalte.

Oder ein anderes Beispiel für mein völlig irrationales Verhalten: Wenn wir uns ein paar Tage lang nicht gesehen haben, fühle ich mich leer, und dennoch dulde ich es nicht, dass er die trostlose Leere in meinem Herzen und in meinem Leben füllt.

Weil es meinen schönen, soliden Plan für eine gesicherte Zukunft vielleicht durcheinanderwerfen würde.

Und der sieht folgendermaßen aus: Nach meinem Uniabschluss will ich damit beginnen, zunächst eigene Skulpturen zu verkaufen und mir einen Namen zu machen, um später dann, sobald ich genug Geld zusammenhabe, eine Galerie zu eröffnen und Kunst in größerem Umfang zu vermarkten. Außerdem gehören zu dem Leben, das ich mir vorstelle, ein eigenes Haus, ein schönes Auto und eine ausreichende soziale Absicherung. Und was etwaige Hausgefährten angeht, da schwanke ich zwischen einer schwarzen Katze oder einem Minischwein.

Jack hat da keinen Platz – er passt einfach nicht in diese Pläne.

Wenn er mich also nach der Wahrheit fragt, stecke ich in der Klemme. Bin hin- und hergerissen zwischen dem Bedürfnis, ihm zu erklären, warum ich ihn nicht will, und meinem Wunsch, ihm die Kleider vom Leib zu reißen.

Die beste Lösung wäre, mich ganz von ihm fernzuhalten, aber das schaffe ich nicht. Dazu bin ich wiederum nicht konsequent genug. Und im Übrigen will ich es nicht. Ihn vollkommen aus meinem Leben zu verbannen, ist zumindest derzeit keine Option.

Dafür ist er mir einfach zu wichtig. Trotz mancher Marotten wie etwa seinem geheimnisvollen Getue wegen seines Familienkrams.

Mein Telefon klingelt, und ich blicke auf das Display. Apropos Familie …

»Hallo, Mom«, melde ich mich und hebe das Telefon an mein Ohr.

Jack sieht zum ersten Mal seit mindestens einer Stunde zu mir herüber, bevor er den Blick wieder auf die Straße richtet, wo wir auf allen Seiten von endlos trockener, öder Wüste umgeben sind. In Texas gibt es buchstäblich nichts. Keine Bäume. Keine Schilder. Nichts.

»Hallo, Süße.« Als ich die fröhliche Stimme meiner Mutter höre, freue ich mich plötzlich darauf, nach Hause zu kommen. »Wie geht's dir?«

»Gut«, erwidere ich. »Und wie geht es Grandma?«

»Oh, sie hält durch. Aber sie freut sich darauf, dich zu sehen. Wie ist die Fahrt?«

Ich starre aus dem Fenster und blase die Wangen auf. »Lang? Langweilig? Öde? Such dir was aus.«

»So weit, so gut also?«

»Ja, so in etwa«, erwidere ich vage.

»Nun, zumindest bist du nicht allein«, sagt sie. »Deine Cousinen sind heute mit dem Flugzeug gekommen und haben erzählt, dass du einen Reisebegleiter dabeihast. Sie wussten nicht genau, wie weit er mitfährt, schätze jedoch mal, dass er noch bei dir ist. Sonst hätte du das Telefon auf Lautsprecher gestellt.«

Meine Mutter darf sich etwas auf ihre Kombinationsgabe einbilden. Früher habe ich sie deswegen *Sherrylock* Holmes genannt. Ich konnte ihr nie etwas vormachen. Die Frau verfügt über eine sagenhafte Intuition und den richtigen Riecher, weshalb sie mich auch bei jeder Lüge ertappte. Es war extrem schwierig, sie auszutricksen, wenn ich mal irgendwas unternehmen wollte, das sie für unpassend hielt. Zu gefährlich. Zu unschicklich. Und überhaupt unangemessen für ein braves Mädchen.

»Ja, Mom, ich habe einen *Reisebegleiter*«, spotte ich. »Wie alt bist du? Siebzig? Du redest ja wie Andy Griffith? Echt schräg.«

Sie schnaubt. »Wer ist hier schräger: die Fünfundvierzigjährige, die ›Reisebegleiter‹ sagt, oder das einundzwanzigjährige Mädchen, das Andy Griffith kennt?«

Ich muss grinsen. »Touché.«

»Warum bringst du Jack nicht einfach mit?«

»Wie kommst du darauf, dass es Jack ist, mit dem ich unterwegs bin?«

Erneut schaut er zu mir herüber, mustert mich neugierig. Als ich merke, dass meine Haut zu glühen beginnt, wende ich rasch den Blick ab.

»Weil er der einzige Junge ist, den du je namentlich erwähnt hast. Darum habe ich angenommen, dass er ebenfalls der Einzige ist, den du auf so eine Fahrt mitnehmen würdest«, folgert sie zutreffend.

Bei den Worten meiner Mutter beginnt mein Herz Purzelbäume zu schlagen – offenbar schaltet es mal wieder in den Panikmodus. Wie kommt sie bloß darauf, so etwas zu sagen. Rede ich zu viel von Jack? Bin ich eins dieser albernen Mädchen, die zu Hause anrufen und dauernd den Jungen erwähnen, den sie mögen? *Bin ich so?*

Weil von mir keine Reaktion kommt, ergreift Mom wieder das Wort.

»Vielleicht haben deine Cousinen es erwähnt, ich habe bei ihrem Geschnatter nicht so genau hingehört«, fügt sie hinzu und erlöst mich aus der Zwangslage, eine Rechtfertigung suchen zu müssen. »Egal. Darf ich dann Ende der Woche mit euch beiden rechnen?«

»Nein, sicher nicht«, erwidere ich wie aus der Pistole geschossen. Jacks Familie lebt in Little Vail, ich setze ihn unterwegs dort ab.«

Sie räuspert sich, scheint mir nicht zu glauben.

»Nun ja, ich bin bloß froh, dass du nicht allein bist«, meint sie schließlich. »Hoffentlich habt ihr eine angenehme Reise. Rufst du mich morgen mal an?«

Ich nicke, obwohl sie mich nicht sieht. »Mach ich. Bis dann, Mom.

Unser Gespräch ist beendet, und ich stecke mein Telefon weg.

Haben wir, Jack und ich, eine angenehme Reise?

Können Stunden angespannten Schweigens angenehm sein?

Nun ja, bestimmt ist es besser, als eine Stunde zu streiten oder Sex zu haben … Okay, es ist nicht besser als Sex. Aber ehrlich, was ist schon besser als eine Stunde Sex? Nichts. Außer vielleicht zwei Stunden Sex. Wow, ich sollte an etwas anderes denken.

»Wie geht es deiner Grandma?«, erkundigt sich Jack.

»Gut«, sage ich, streiche mir die Haare zurück und raffe sie mit einem Band zusammen. Nachdem ich sie gestern Abend nach dem Duschen an der Luft habe trocknen lassen, stehen sie ziemlich wirr um meinen Kopf herum und kleben ständig unangenehm in meinem Nacken. »Sie freut sich, dass ich nach Hause komme.«

Er nickt. »Es ist eine Weile her, dass du das letzte Mal dort gewesen bist.«

»Ja. Fast eineinhalb Jahre, aber bei dir dürfte es noch länger her sein, oder? Wenn ich das richtig auf die Reihe bringe, bist du etwa zwei Jahre nicht da gewesen?«

»Drei«, korrigiert er mich.

Ich hebe eine Braue. »Wahnsinn. Die Sache mit Drew muss ja ziemlich ernst sein, wenn du dich jetzt allein deshalb auf den Weg machst.«

Er zuckt mit den Schultern. »Vielleicht. Vielleicht auch nicht.«

Seine angespannte Haltung widerspricht seiner lässigen Antwort und lässt mich Böses befürchten. Wenn er sich Sorgen macht, mache ich mir auch welche. So geht es mir immer mit Jack.

Mein Blick fällt auf seine langen Finger, die locker das Lenkrad umfassen, und folgt den Linien seiner vernarbten Knöchel. Jack hat viele Narben. Nicht so viele, dass es störend wirken würde, aber genug, um sich Fragen zu stellen. Bislang habe ich sie jedoch nicht offen geäußert. Aus seinen Ärmeln seines schwarzen Shirts lugen Tattoos hervor, die knapp bis zu seinen Händen reichen. Die Linien verbinden sich auf seinen Unterarmen zu komplizierteren Mustern und bewegen sich, sobald er seine Muskeln anspannt. Doch das ist alles nichts gegen die Zeichnungen auf Bizeps und Schultern, denn dort werden sie zunehmend komplexer und erzählen Geschichten über Jack, die noch nie jemand gehört hat.

Denn das machen Tattoos: Geschichten erzählen. Genau wie andere Bilder auch.

Und Jack besitzt viele Geschichten. Viel mehr als ich.

Mittags halten wir irgendwo mitten in Texas an und essen schweigend in einem heruntergekommenen Café. Bei der Weiterfahrt tauschen wir die Plätze, und ich übernehme das Steuer, während Jack auf dem Beifahrersitz schläft. Zumindest glaube ich, dass er schläft. Er hat eine Mütze aus seiner Tasche geholt und sie sich so aufs Gesicht gelegt, dass ich seine Augen nicht sehen kann.

In mir befindet sich alles in Aufruhr. Mein Magen, mein Herz, mein ganzer Körper. Ich fühle mich, als würde ich gegen mich selbst Krieg führen und auf ganzer Linie verlieren. Je schwerer mir ums Herz wird, desto mehr sehne ich mich nach meinem Zuhause.

Irgendwann nachmittags zieht Jack seine Mütze vom Gesicht und richtet sich auf. Wir schaffen es, ein vernünftiges Gespräch zu führen, wo wir übernachten wollen und wie wir dort am besten hinkommen. Später halten wir an, um zu tanken, Jack bezahlt. Zurück auf der Straße blicken wir uns genau zweimal an, ansonsten richten wir unsere Blicke aus dem Fenster.

Mittlerweile fühle ich mich ein bisschen besser. Weniger verkrampft, weniger nervös. Keine Ahnung, woran das liegt. Vielleicht einfach daran, dass wir uns nicht streiten. Dafür kehrt jetzt mit der untergehenden Sonne die sexuelle Spannung zurück, und das Auto fühlt sich wieder klein und eng an. Ich fasse es selbst nicht.

Wo bin ich hingekommen, wenn das Schwinden des Tageslichts bereits reicht, in mir schwüle Fantasien zu wecken?

Jack scheint davon nicht angekränkelt. Er denkt bei Anbruch der Dämmerung lediglich daran, dass ein Fahrerwechsel fällig ist. Nachdem ich ihm das Lenkrad überlassen habe, versuche ich zu schlafen oder zumindest so zu tun. Ich höre ihn atmen, höre, wie seine rauen Hände über das Lenkrad gleiten, nehme Jack überaus lebendig und deutlich neben mir wahr.

Wie soll ich da schlafen?

Skeptisch mustert Jack das San Antonio Motel, zu dem ich uns gelotst habe.

»Das ist eine Absteige«, stellt er lakonisch fest.

Er hat recht. Zwar keine von der ganz ekligen oder grauenhaften Sorte, aber es ist schon arg primitiv und heruntergekommen. Überall blättert die Farbe ab, in der Leuchtreklame fehlen zwei Buchstaben, und das Dach hängt in der Mitte durch. Höchstens zwei Sterne, würde ich schätzen. Wenn überhaupt.

Ich straffe die Schultern und hole tief Luft.

»Nun ja, mit dem Auto die lange Strecke auf sich zu nehmen macht nur Sinn, wenn man in sehr, sehr preiswerten Motels übernachtet. Sonst kann man gleich fliegen. Ich setze dich aber gern in einer Luxusherberge ab, wenn das hier deinen Ansprüchen nicht genügt.«

Gleichmütig greift er nach seiner Tasche, zuckt die Schultern und geht in Richtung Rezeption.

»Wenn du hierbleiben willst, ist es für mich ebenfalls okay.«

Ich folge ihm und ziehe einen meiner Koffer hinter mir her, die anderen beiden lasse ich im Auto.

Als Jack die Tür zur Lobby öffnet und sie für mich aufhält, ertönt ein lautes Klingeln. Hinter der Rezeption erwartet uns eine quirlige Frau mittleren Alters mit braunen Locken und einer dicken Brille.

»Guten Abend!« Sie winkt uns zu, obwohl wir direkt vor ihr stehen. »Willkommen im San Antonio. Sie suchen ein Zimmer für heute Nacht?«

»Zwei Zimmer, bitte«, korrigiere ich sie sofort.

Ihr fröhliches Lächeln verblasst. »Tut mir leid, wir haben momentan nur noch ein Zimmer frei. Ist das ebenfalls okay für Sie?«

Nicht im Entferntesten.

»Nein«, erkläre ich seufzend. »Ich denke, dann schauen wir uns anderweitig um. Vielen Dank.«

Als ich mich zum Gehen wende, sagt die Frau: »Ich fürchte, Sie werden Schwierigkeiten haben, in der Gegend für heute Nacht ein freies Zimmer zu finden.« Alarmiert wende ich mich wieder zu ihr um. »Hier ist diese Woche nämlich ein großer Kunstmarkt, wissen Sie. Darum sind Hotels, Motels, Apartments, Pensionen im ganzen Umkreis fast alle ausgebucht.«

Na, toll. Ich reibe mir das Gesicht, bin zu erschöpft und zu genervt, um zu antworten. Und zu ratlos.

»Möchten Sie vielleicht doch das eine Zimmer haben?«, hakt die Frau nach.

Jack nimmt mir die Entscheidung ab. »Ja, bitte«, sagt er. »Sehr gerne.«

Ich schieße zu ihm herum. »Was?«

»Du willst sparen, hast du mir gerade lang und breit unter die Nase gerieben – und das tust du, wenn du dir mit mir ein Zimmer teilst, oder?« Fragend sieht er mich an und fügt hinzu, ohne auf eine Antwort zu warten: »Und außerdem bin ich müde und habe keine Lust, noch lange herumzufahren und nach etwas anderem zu suchen.«

Mehr als sein überhebliches, selbstgewisses Grinsen ärgert mich die Tatsache, dass er recht hat und ich im Grunde ohnehin keine Wahl habe.

»Wir nehmen das Zimmer«, sage ich brüsk und reiße der Frau fast den Schlüssel aus der Hand.

Wir verlassen die Lobby und gehen außen herum zu unserem Zimmer, in dem zu meiner großen Erleichterung – oder vielleicht auch Enttäuschung – zwei Einzelbetten stehen.

»Siehst du?« Er schließt die Tür hinter uns. »Zwei Betten. Du hast dich ganz ohne Grund aufgeregt. Das ist jetzt genauso wie letzte Nacht in New Mexico, bloß für die Hälfte des Preises.«

»Schon gut, es ist okay.« Seufzend werfe ich meinen Koffer auf das hintere Bett. »Willst du zuerst duschen?«

Jack blickt nachdenklich auf sein Telefon, sieht mich dann etwas unschlüssig an.

»Mach du ruhig zuerst. Ich sollte sowieso ein paar Anrufe erledigen.« Er tippt ein paarmal auf das Display, hält das Telefon an sein Ohr und schlüpft aus der Tür. Ehe sie ins Schloss fällt, höre ich ihn sagen: »Hey Samson. Wie ernst ist die Lage? Mist … Nein, ich habe mit niemandem über die Geschichte gesprochen.«

Obwohl ich nach wie vor nichts Genaues weiß, beschleicht mich ein ungutes Gefühl. Jack scheint wirklich Probleme mit seiner Familie zu haben.

Ich hole meine Sachen aus dem Koffer, gehe ins Bad und drehe die Dusche auf. Auch wenn wir den ganzen Tag die Klimaanlage eingeschaltet hatten und ich weder schmutzig noch verschwitzt bin, fühle ich mich so. Zwar bin ich nach der Dusche körperlich erfrischt, aber die Sorgen, die ich mir wegen Jack mache, lassen sich dadurch nicht vertreiben. Und das macht mir zu schaffen.

Immerhin ist er, abgesehen von Pixie mein einziger richtiger Freund. Und ich wette, ich bin für ihn ebenfalls eine gute Freundin. Darum sollte man meinen, ich wüsste, was bei ihm und seiner Familie los ist. Aber über unsere wahren Probleme, über Dinge, die uns wirklich ausmachen, reden wir im Grunde nicht.

Was in nicht geringem Maße an mir liegt, doch jetzt wünsche ich allmählich, es wäre anders. Ich sehne mich mit jeder Faser meines Herzens danach, Jack in irgendeiner Weise zu unterstützen. Dazu müsste ich allerdings wissen, was bei ihm los ist.

Erst mal ist er wie vom Erdboden verschluckt, als ich aus dem Bad ins Zimmer zurückkomme. Ich spähe durchs Fenster nach draußen, nichts.

Ich glätte mir in Ruhe die Haare, lackiere mir die Zehennägel in einem leuchtenden Lila und ziehe mich an. Anschließend erledige ich den obligatorischen Anruf bei meinen Cousinen, damit sie wissen, dass ich nicht zerhackt in einem Kofferraum liege, und wähle gleich danach Jacks Nummer. Es meldet sich lediglich die Mailbox.

So langsam breitet sich Sorge in mir aus, schiebt sich in meinen Körper wie die Wurzel eines riesigen Baumes, erfasst meine Glieder, wickelt sich um meine Brust. Ich will nach draußen, um ihn zu suchen, aber in dem Augenblick, als ich gerade meine Schuhe anziehe, kommt er zur Tür herein, die Arme voller Tüten.

»Hey«, sagt er lässig, als wäre er nicht eineinhalb Stunden weg gewesen.

Als hätte er mich nicht in Panik versetzt.

»Hey?« Ich stemme eine Hand in die Seite. »Wo zum Teufel bist du gewesen?«

Er stellt die Tüten auf einem kleinen Tisch neben der Tür ab, legt den Kopf schief und lächelt.

»Warum? Hast du mich etwa vermisst?«

»Im Ernst, Jack.« Ich mache eine drohende Geste in seine Richtung. »Du bist einfach weggegangen, ohne ein Wort zu sagen. Ich hatte null Ahnung, wo du bist oder wann du zurückkommst. Und als ich versucht habe, dich anzurufen, bin ich direkt auf deiner Mailbox gelandet …«

»Ganz ruhig.« Er fasst sanft meine Oberarme. »Mein Telefon hat keinen Saft mehr, und ich konnte es nicht aufladen. Ich habe nicht damit gerechnet, dass ich so lange wegbleibe. Tut mir leid, wenn ich dir Angst eingejagt habe …«

»Das hast du nicht«, stoße ich kratzbürstig hervor und reiße mich von ihm los. »Angst hatte ich keine – ich wusste nur nicht, wo du bist.«

Er mustert mich aufmerksam, macht sich dann an den Tüten zu schaffen.

»Ich habe uns was zum Abendessen besorgt, weil die Stadt wegen dieser Kunstsache voller Touristen ist und ich keine Lust auf Stau und Warteschlangen im Restaurant hatte.« Er nimmt, ohne mich anzusehen, ein paar Take-away-Schachteln heraus, stellt sie auf den Tisch und legt Besteck daneben. »Vom Thailänder. Ich habe dir dieses Curryzeug besorgt, das du so gern magst, und ein paar Frühlingsrollen.«

Die Wut und die Angst, die mich gerade noch beherrscht haben, verfliegen, sobald mir der Duft des Hähnchencurrys in die Nase steigt.

»Und du? Du hasst doch Curry.«

Er nickt. »Ja, aber ich liebe Pulled-Pork-Burger. Zuerst bin ich zu diesem Barbecueladen gegangen, um uns dort was zu besorgen«, sagt er und holt zwei Schachteln mit Burger und Pommes aus einer anderen Tüte. »Erst dann habe ich den Thailänder nebenan entdeckt und dachte, dass dir das besser schmeckt. Darum hat es auch länger gedauert.«

Er reicht mir die Schachtel mit den Frühlingsrollen.

Typisch Jack. Scheut keine Mühen, um mir mein Lieblingsessen zu besorgen. Muss er immer so nett zu mir sein? Das macht alles noch komplizierter, als es ohnehin schon ist.

Ich blicke entschuldigend in seine grauen Augen. »Tut mir leid, dass ich so zickig war. Und danke, dass du uns was zu essen besorgt hast.«

Er grinst. »Danke, dass du dir meinetwegen Sorgen gemacht hast.«

Zum wiederholten Mal an diesem Tag verdrehe ich die Augen und setze mich.

»Ich habe mir keine Sorgen gemacht.«

»Natürlich hast du das«, konstatiert er und nimmt mir gegenüber Platz. Schweigend vertilgen wir anschließend unsere Portionen, wir waren wohl beide ganz schön ausgehungert.

»Wann willst du morgen früh aufstehen?«, fragt Jack schließlich und fängt an, die leeren Schachteln und Tüten wegzuräumen. »Oder hast du vor, dich von der Nachmittagssonne wecken zu lassen?«

»Ha, ha.« Ich spieße das letzte Stückchen Huhn auf meinem Teller auf. »Ob du's glaubst oder nicht, ich habe tatsächlich überlegt, mir den Wecker zu stellen.«

Er schnaubt verächtlich. »Das glaube ich erst, wenn ich es sehe.«

»Ich meine es ernst. Wenn wir früh genug aufbrechen, können wir bei Sonnenuntergang in Louisiana sein.«

Während ich die restlichen Tüten und Servietten in den kleinen Mülleimer werfe, spüre ich, dass sein Blick auf mir ruht.

»Sieht ganz so aus, als ob du dich echt freust, nach Hause zu kommen«, sagt er.

»Ich denke ja. Es wird bestimmt schön, meine Mom wiederzusehen. Und meine Großmutter natürlich genauso.« Da Jack von sich aus das Thema »Zuhause« angeschnitten hat, wage ich mich ein Stück vor. »Und du?«, frage ich unschuldig. »Freust du dich auch, dass du morgen nach Hause kommst?«

Er lehnt sich auf dem kleinen Stuhl zurück, auf dem er mir vorkommt wie ein Riese im Zwergenland.

»Nicht wirklich.«

Ich ziehe die Füße hoch und setze mich im Schneidersitz auf meinen Stuhl.

»Wegen der Sache mit Drew?«

Er nickt. »Yep.«

Krampfhaft überlege ich, was ich jetzt sagen soll, greife zur Ablenkung nach dem Pappbecher mit Eistee, den er mir ebenfalls mitgebracht hat, und steuere dann doch geradewegs aufs Ziel zu.

»Was ist denn mit ihm?«

Schweigen, dann: »Er steckt in irgendwelchen Schwierigkeiten.«

»Was für Schwierigkeiten?«

»Jenna, bitte.«

Als ich aufblicke, bemerke ich, dass er mich ansieht wie ein Falke seine Beute.

»Was ist denn?«

»Warum bohrst du so nach?«

»Warum tust du so geheimnisvoll?«

»Weil dich mein Familienkram nichts angeht.«

Er sagt das nicht auf eine gemeine Art, und dennoch treffen mich seine Worte.

»Aber dich beschäftigt er – und *du* gehst mich sehr wohl etwas an.«

»Tue ich das?«

Plötzlich hat sich eine schwüle Wärme im Zimmer ausgebreitet und legt sich wie eine Decke über meinen Körper. Unbehaglich rutsche ich auf meinem Stuhl herum.

»Ja«, sage ich und nicke zur Bekräftigung. »Das tust du. Weil ich dich mag.«

Zu sehr, füge ich stumm hinzu.

Er mustert mich noch immer, sodass ich den Blick abwende und kurz die Luft ausstoße.

»Was immer mit deinem Bruder los ist, belastet dich ganz offensichtlich«, nehme ich einen neuen Anlauf. »Vielleicht wäre es nicht mehr ganz so schwer für dich, wenn du es mir erzählen würdest.«

»Glaub mir, davon willst du nichts wissen«, erwidert er resigniert und schüttelt energisch den Kopf.

Diesmal lasse ich mich nicht abschütteln. »Und wenn ich es wissen möchte – egal worum es sich handelt?«

Sein Blick verdunkelt sich. »Ich würde alles in meiner Macht Stehende tun, um dich da rauszuhalten.«

Einen Augenblick sehen wir uns forschend an, ich bin kurz davor zu resignieren. Warum zum Teufel ist er so angefressen, so frustriert, so verbittert?

»Ich muss eine rauchen«, erklärt er und steht abrupt vom Tisch auf.

Ohne sich noch einmal umzudrehen, verschwindet er

aus der Tür, während ich auf meinen Pappbecher mit Eistee starre und mich völlig hilflos fühle. Ich weiß, dass Jack nur raucht, wenn er Probleme hat, unsicher ist oder sich selbst nicht traut.

Wenn er das Gefühl hat zu versagen.

Und ich scheine ihn dermaßen enttäuscht zu haben, dass er sich mir nicht mehr anvertraut. Offenbar habe ich das Recht verspielt, mich um ihn kümmern zu dürfen. Und das fühlt sich genauso an, als hätte ich versagt.

10

Jack

Drei Zigaretten später kehre ich leise in unser Zimmer zurück. Es ist dunkel, nur die kleine Lampe auf dem Tisch brennt noch, Jenna liegt bereits im Bett.

»Wie war das Rauchen?«, fragt sie in die Dunkelheit.

Ich seufze und lege den Inhalt meiner Hosentaschen auf den Tisch.

»Fang nicht wieder damit an.«

Jenna ist nie ein Fan vom Rauchen oder von Rauchern gewesen und hat mir das bei diversen Gelegenheiten deutlich zu verstehen gegeben. Und obwohl ich das Rauchen bis auf wenige Ausnahmen aufgegeben habe, mokiert sie sich regelmäßig darüber, wenn ich mir mal eine anzünde.

Ich höre, wie sie mit der Decke raschelt, und wage einen Blick in ihre Richtung. Der Schein der Lampe taucht die Umrisse ihres hübschen Gesichts in ein sanftes gelbes Licht.

»Es ist mir völlig egal, ob du rauchst«, sagt sie, und ich meine ihre Katzenaugen funkeln zu sehen.

Sie beobachtet mich, wie ich den Reißverschluss meiner Tasche öffne und ein sauberes T-Shirt heraushole.

»Warum siehst du mich so an?«, will ich wissen.

»Weil ich mir Sorgen mache.«

»Lass es gut sein«, sage ich verächtlich und gehe ins Bad,

lasse die Tür aber angelehnt, damit sie hört, was ich sage. »Ich dachte immer, sich um andere Sorgen zu machen würde gegen deinen Plan verstoßen.«

Keine Ahnung, warum ich diese Sticheleien nicht lassen kann. Außerdem kriegt Jenna gerade volle Kanne meinen Ärger ab, obwohl sie daran völlig unschuldig ist. Schließlich bin ich nicht sauer auf sie, sondern auf mich, weil ich die Probleme zu Hause nicht auf die Reihe kriege. Zusätzlich werfe ich mir all die falschen Entscheidungen vor, die ich in meinem Leben getroffen habe, und die vermutlich mit dem ganzen Schlamassel zu tun haben. Das hübsche Mädchen dort drüben in dem Motelbett, das sich seine Gefühle für mich nicht eingestehen mag, kann nichts dafür.

Ich drehe den Wasserhahn auf, ziehe mein verrauchtes Shirt aus und werfe es auf die Ablage, dann beuge ich mich hinunter, um mir das Gesicht zu waschen. Das kalte Wasser fühlt sich gut auf meiner Haut an. Klar. Frisch. Als ich mich wieder aufrichte, steht Jenna direkt neben mir, stemmt eine Hand in die Seite und sieht mich mit finsterem Blick an. Warum, ist mir schleierhaft.

»Du musst dich nicht wie ein ausgemachtes Arschloch aufführen«, sagt sie gereizt.

»Wegen deines Plans?« Ich zwinkere ihr zu. »Genau das tue ich aber.«

Mein Puls beschleunigt sich, als würde ich mich auf einen Kampf vorbereiten.

»Warum?«, giftet sie mich an.

»Weil dieser blöde Plan der Grund dafür ist, dass du die Wahrheit nicht sehen willst und so tust, als ob zwischen uns nichts anderes gewesen ist als toller Sex.«

Sie weicht zurück und hebt abwehrend die Hände. »Ich kann das jetzt nicht mit dir diskutieren.«

»Kein Problem«, sage ich und trete wieder ans Waschbecken. »Das kannst du doch nie.«

Gott, ich bin wirklich ein Arschloch. Aber ihre Weigerung, mit offenen Karten zu spielen – zu sagen, was sie denkt und fühlt – kränkt mich.

Okay, jetzt sind wir beide beleidigt – ich höre, wie sie unter gemurmelten Flüchen und Beschimpfungen zurück in ihr Bett steigt und so tut, als wollte sie schlafen.

Jennas alberne, wenngleich vorhersehbare Reaktionen, sobald das Gespräch auf uns kommt, belasten mich. Ich dachte, wenn ich ein paar Monate auf cool mache und sie nicht bedränge, würde sie von alleine ankommen, und wir könnten endlich vernünftig über alles reden. Mir war klar, dass das nicht schnell gehen oder einfach sein würde – das ist es mit Jenna nie –, doch mit solchen Schwierigkeiten, wie sie dann auftauchten, habe ich nicht gerechnet. Und ebenfalls nicht damit, wie schmerzhaft es sein würde, sie in der Zwischenzeit andere Typen abschleppen zu sehen, weil die ihren Plan nicht gefährden.

Okay, sie lässt sich auf keine engere Beziehungen ein, das habe ich mittlerweile kapiert. Keine Bindung, lautet ihr Mantra. Trotzdem finde ich es nicht fair, dass sie mich in dem großen Masterplan ihres Lebens wie eine beliebige Figur auf einem Schachbrett hin und her schiebt. Weil ich einfach weiß, dass sie mich auf eine Weise mag, die eben weitergehen würde. Aber genau das macht ihr offensichtlich eine Heidenangst.

Und das hat etwas zu bedeuten.

Sie ist verrückt nach mir, ich bin verrückt nach ihr, und

doch führt das zu nichts. Außer zu Frust, Spannungen und Streitereien, die zudem unsere Freundschaft belasten, was die ganze Sache noch vertrackter werden lässt. Und wenngleich ich ihre Stärke und Willenskraft zumeist bewundere, nervt sie mich damit manchmal gewaltig.

Wie gerade jetzt.

»O Gott!« Jenna reißt den Wagen ruckartig nach rechts und hält an.

»Was ist?«, frage ich benommen.

Nachdem ich letzte Nacht ganz saumäßig geschlafen habe – also fast gar nicht –, habe ich Jenna die erste Etappe überlassen und es mir auf dem Beifahrersitz in der Hoffnung bequem gemacht, ein wenig Schlaf nachholen zu können. Pustekuchen. Ihr Aufschrei hat es in den Anfängen bereits verhindert.

Ich blicke mich um. »Wir sind höchstens zwei Meilen vom Motel entfernt. Musst du etwa schon aufs Klo? Grundgütiger, du hast die kleinste Blase der Welt.«

»Nein, Jack. Sieh doch!« Aufgeregt deutet sie nach draußen auf den Gehweg, der voller Menschen ist, die sich um unterm freien Himmel ausgestellte Gemälde scharen. »Von diesem Event, diesem regionalen Kunstmarkt, hat die Frau an der Rezeption gestern Abend gesprochen.«

Obwohl ich auf nichts weniger Lust habe, als mir am frühen Morgen Gemälde und allerlei Krempel, der hier ebenfalls feilgeboten wird, anzuschauen, mag ich Jenna die Freude nicht verderben. Zumal ihre Augen und ihr Gesicht vor Begeisterung strahlen.

Sie ist so wunderschön. Einfach hinreißend.

Aber kann sie nicht schön *und* unkompliziert zugleich

sein, frage ich mich und gebe mir selbst die Antwort, dass das anscheinend zu viel verlangt ist.

»Können wir uns das ansehen?« Sie sieht mich an wie eine Dreijährige, die um Süßigkeiten bettelt, und ich bin ihr gnadenlos ausgeliefert. »Bitte?«

Ich seufze. »Klar.«

»Wirklich?«

Ihre Augen funkeln, und das bewirkt etwas in meiner Brust. Etwas selten Kostbares, und ich möchte, dass ihre Augen immer so funkeln. Gott, ich bin ihr verfallen, ihr auf Gedeih und Verderb ausgeliefert.

Eigentlich ein jämmerlicher Befund.

Trotzdem nicke ich. »Ja, wirklich.«

Wir steigen aus dem Auto, wobei Jenna geradezu herausHüpft, während ich mich steifbeinig und verschlafen vom Sitz schiebe. Dann nimmt sie meine Hand und zieht mich entschlossen hinter sich her.

Belustigt blicke ich auf unsere verschränkten Finger. Vor lauter Aufregung merkt sie gar nicht, dass sie nach wie vor meine Hand hält. Vielleicht ist dieser kleine Abstecher zur Kunst ja gar keine so schlechte Idee gewesen.

Wir schlendern von Stand zu Stand, von Verkäufer zu Verkäufer, sehen uns Gemälde und Skulpturen, Schmuck und Metallarbeiten an. Geblasenes Glas, Quilts und jede andere Art von Kunst oder Kunsthandwerk scheint hier ausgestellt zu sein und präsentiert sich wie ein einziges großes Gemälde in leuchtenden Farben und mit allen denkbaren Sujets.

Jenna ist sichtlich im siebten Himmel.

In jedem neuen Zelt, an jedem neuen Stand vertieft sie sich eingehend in die ausgestellten Dinge. Besonders in die

Skulpturen und natürlich in den Schmuck. Sie begutachtet hier eine Silberkette, dort einen Ring mit einem roten Stein und beobachtet sehnsüchtig Pflastermaler und Straßentänzer, geht von einem zum anderen, plaudert mit jedem Künstler und strahlt übers ganze Gesicht.

Mir war nicht klar, dass Kunst sie so glücklich macht.

Ich weiß natürlich, dass es ihre Leidenschaft ist, mit der sie sich einmal selbst verwirklichen will, aber Leidenschaft und Glück sind zweierlei Dinge, die nicht immer harmonisch zusammengehen. Bei Jenna jedoch scheinen sie zueinanderzupassen, zumindest bis jetzt. Wenn ich ihr Glück sehe, würde ich sie am liebsten jeden Tag zu einem Kunstmarkt oder einer entsprechenden Ausstellung bringen.

»Oh, die würden meinen Schwestern gefallen.« Sie nimmt handgefertigte Fächer in die Hand, die mit unterschiedlichen Pfauen bemalt sind, und öffnet sie, fächert sich mit ihnen Luft zu. »Mom nennt uns Mädchen ihre kleinen Pfauen, weil wir laut und bunt sind und uns gern präsentieren.«

Ich stoße ein belustigtes Lachen aus. »Das bist haargenau du – allerdings würde es ebenfalls auf Ethan passen. Wie viele Schwestern hast du eigentlich?«, frage ich.

»Drei, aber sie sind alle adoptiert«, erklärt sie. »Anfangs kamen Penny, Raine und Shyla als Pflegekinder zu uns, und ich fand es toll, dass sie bei uns bleiben konnten.«

»Verstehe, so hattest du wenigstens Geschwister. Das war doch, nachdem dein Dad euch verlassen hat, oder?«

»O ja, viel, viel später. Mein Vater ist abgehauen, kaum dass ich geboren war. Meine Mutter wusste kaum, wie sie uns durchbringen sollte.«

»Wow«, sage ich leise. »Das ist heftig.«

Ich hatte keine Ahnung, dass Jennas Kindheit mit solchen Schwierigkeiten belastet war.

Sie zuckt die Schultern. »Wir waren besser ohne ihn dran, weißt du. Irgendwann fand Mom einen anständigen Job, wir zogen in ein kleines Haus, und sie fing an, Pflegekinder aufzunehmen.«

»Das klingt, als hättest du eine ziemlich tolle Mutter«, entgegne ich daraufhin lächelnd.

»O ja«, sagt sie versonnen. »Sie ist echt klasse.«

Bevor wir uns wieder auf den Weg machen, kauft sie vier bemalte Fächer und bleibt dann noch einmal an dem Schmuckstand stehen, wo sie den Ring mit dem roten Stein entdeckt hat. Sie dreht ihn immer wieder zwischen den Fingern.

»Gefällt er Ihnen?«, fragt die Ausstellerin.

»Sehr«, erwidert Jenna inbrünstig, doch nach einem Blick auf das Preisschild verzieht sie, kaum merklich, das Gesicht.

Ich spähe ebenfalls auf den Preis – der Ring ist exorbitant teuer, aber eben auch sehr außergewöhnlich.

»Es ist ein Unikat, wissen Sie«, erklärt die Frau – die Designerin, wie sich herausstellt. »Es gibt nirgends auf der Welt genau den gleichen. Ich habe nur diesen einen gefertigt.«

»Er ist wunderschön«, haucht Jenna. »Rot wie Feuer und in der Mitte ein Streifen, der blau ist wie Wasser. Die perfekte Verbindung zweier gegensätzlicher Elemente.«

Die Designerin nickt voller Stolz. »Ja, diese Kombination ist ziemlich selten.«

Mit schräg gelegtem Kopf beobachte ich Jenna. Ich habe sie selten so fasziniert von etwas gesehen. Normalerweise wirkt sie, als wäre sie stets auf der Hut. Doch so, wie sie jetzt den Ring ansieht, bekommt man einen flüchtigen Eindruck davon, wie sie als Kind gewesen sein muss. Als sie sich noch im Staunen verlieren konnte. An Einhörner glaubte und Regenbogen jagte.

»Ich nehme ihn«, sage ich zu der Frau.

»Was?« Jenna wendet mir ihre großen goldenen Augen zu.

»Er gefällt dir. Ich kann ihn mir leisten. Kaufen wir ihn. Ende der Diskussion.«

Sie starrt mich weiterhin ungläubig an. »Aber das ist nicht … Ich kann doch nicht …«

»Willst du den Ring oder nicht?«, frage ich sie und halte ihren Blick fest.

Sie blinzelt kurz und gibt sich einen Ruck. »Ja«, murmelt sie leise.

»Okay.« Ich reiche der Frau meine Kreditkarte. »Wir nehmen ihn.«

Jenna bekommt im Gegenzug den Ring ausgehändigt. Sie betrachtet ihn mit solcher Ehrfurcht, dass ich fürchte, sie könnte gleich ausflippen.

»Du hast mir gerade einen Ring gekauft«, sagt sie leise.

Mist. Sie flippt tatsächlich aus.

»Denk nicht drüber nach, Jenn«, sage ich. »Nimm einfach den verdammten Ring und lass uns gehen.«

Vorsichtig schiebt sie ihn auf den Zeigefinger ihrer rechten Hand. Wir sprechen nicht mehr darüber, aber als wir in den Wagen steigen, betrachtet Jenna mit glänzenden Augen den neuen Ring.

Und das ist jeden Penny wert.

Wegen unseres unvorhergesehenen Aufenthalts auf dem Künstlermarkt erreichen wir Little Vail erst gegen zehn

Uhr abends. Mein Telefon klingelt, und ich blicke auf das Display.

»Hey Mom. Ich bin fast zu Hause. Noch zwanzig Minuten, mehr nicht …«

»Du musst Samson abholen«, unterbricht sie mich gereizt. »Er ist mit meinem Auto ins *Vipers* gefahren und hat sich wohl total volllaufen lassen. Fahren ist also nicht mehr – und ich habe keinen fahrbaren Untersatz, um ihn abzuholen.«

Ich unterdrücke ein Stöhnen. »Das verstehe ich nicht. Er wusste schließlich, dass ich heute Abend komme und dass wir ernsthaft reden müssen und wollen. Warum zum Teufel schießt er sich dermaßen ab?«

»Ich weiß es nicht, Jack. Heute Nachmittag war noch alles im Lot – bis heute Abend ein Anruf kam. Da ist er voll ausgerastet und mit meinem Auto auf und davon.«

»Warum hat er nicht seine Harley genommen?«

Sie zögert. »Weil er sie verkauft hat. Wusstest du das nicht?«

»Nein, das hat er wohl versehentlich oder absichtlich zu erwähnen vergessen«, sage ich mit einem unüberhörbaren Anflug von Zynismus.

Drew ist verschwunden. Mom ist außer sich. Samson verkauft sein gottverdammtes Motorrad. Was zum Teufel ist in letzter Zeit mit meiner Familie los?

»Kannst du ihn bitte abholen, bevor Jonesy ihn womöglich rauswirft?«

Wenn meine Mutter mich mit ihrer flehenden Stimme um etwas bittet, habe ich noch nie Nein sagen können.

»Mach ich, dann bis gleich.« Ich lege auf und blicke seufzend zu Jenna hinüber. »Darf ich dich um einen riesigen Gefallen bitten?«

Sie nickt. »Du musst deinen Bruder in einer Bar namens

Vipers abholen?« Ich sehe sie fragend an. »Deine Mom hat ziemlich laut gesprochen. Es war kaum zu überhören, was sie gesagt hat.«

»Okay.« Ich richte den Blick wieder auf die Straße. »Mir ist klar, dass du dadurch noch später in New Orleans ankommst. Wenn du Nein sagst, ist das völlig in Ordnung. Du kannst mich bei Freunden absetzen, und die bringen mich dann zu der Kneipe.«

»Nein, ist okay. Sind ja nur ein paar Minuten. Das macht keinen großen Unterschied.«

»Bist du sicher?«

»Ja.«

Ich nicke und atme langsam aus. »Danke.«

Dann wechsele ich die Spur und fahre in Richtung der Bar, die am Stadtrand liegt. Aus dem Augenwinkel sehe ich, dass Jenna zu mir herüberblickt, aber sie sagt nichts mehr, während wir durch das verschlafene Little Vail zur zwielichtigsten Kaschemme weit und breit fahren.

Das *Vipers* steht in dem Ruf, Dreh- und Angelpunkt krimineller Machenschaften zu sein. Razzien sind hier an der Tagesordnung, und ein Mord ist hier auch schon mal passiert. Dort bin ich quasi aufgewachsen, was nicht gerade zu den Dingen gehört, auf die ich sonderlich stolz bin.

Ich fahre auf den Kiesparkplatz, parke eher aus Gewohnheit als aus praktischen Gründen im hinteren Teil und schalte den Motor aus. Während ich das Kommen und Gehen der schwergewichtigen Kleinstadtganoven beobachte, überlege ich, was wohl weniger gefährlich ist – der dunkle Parkplatz neben dem heruntergekommenen Gebäude oder die Ansammlung fragwürdiger Gäste in der Bar. Ich entscheide mich für den Parkplatz.

»Du wartest hier«, sage ich zu Jenna, als ich aus dem Auto steige. »Ich bin gleich zurück.«

Sie schüttelt den Kopf und öffnet ihre Tür, steigt ebenfalls aus. »Ich muss aufs Klo.«

In dieser Verbrecherspelunke zur Toilette gehen? Bei dem Gedanken werde ich leicht panisch.

»Hältst du es nicht noch ein Weilchen aus – bis wir bei mir zu Hause sind?«

»Nein. Du hast Nerven. Seit dreihundert Meilen unterdrücke ich diesen Drang bereits.«

»Aber diese Toilette hier möchtest du nicht wirklich aufsuchen. Glaub mir.«

Sie verzieht unwillig das Gesicht.

»Was ist denn dabei? Lass mich pinkeln, okay?«, erklärt sie und stapft Richtung Eingang.

Mit drei schnellen Schritten bin ich bei ihr und rede mit gedämpfter Stimme auf sie ein, sodass meine Worte weniger streng rüberkommen als beabsichtigt.

»Wenn du darauf bestehst, mit mir da reinzugehen, weichst du mir nicht von der Seite. Verstanden?«

Spöttisch schaut sie mich an. »Selbst auf dem Klo nicht? Wohl kaum.«

»Ich meine es ernst«, sage ich mit drohendem Unterton und packe ihren Arm. Ihr Gesicht verrät mir, dass sie endlich kapiert. »Das ist keine Bar wie der *Thirsty Coyote.* Himmel, das ist nicht mal eine normale Kneipe. Das ist ein Gangstertreff. Und du …«

Erwartungsvoll sieht sie mich an. »Was?«

Ich mustere sie und weiß nicht, was ich sagen soll.

»Du wirst Aufsehen erregen, und das ist hier nicht gut«, vollende ich lahm meinen Satz.

Auffallen würde sie allerdings in der Tat. Sie trägt ein enges schwarzes Trägertop, das viel von ihrem Busen erkennen oder zumindest erahnen lässt, dazu knappe rote Shorts, in denen ihre langen Beine noch länger wirken, an jedem Finger hat sie einen Ring, und in Ohren und Nase sowie in einer Augenbraue steckt je ein kleiner Diamant – das ist wirklich zu viel des Guten. Von den Tattoos gar nicht zu reden, schon gar nicht bei dieser Klientel. Allein der Schwanz einer Meerjungfrau, der sich um ihren Schenkel windet. Mein Blick wandert nach oben, und ich schlucke.

»Du musst unbedingt bei mir bleiben, wenn wir da reingehen, hörst du«, ermahne ich sie erneut. »Bitte.«

Sie schiebt den Kiefer vor, als wüsste sie nicht, was sie denken soll, doch schließlich lenkt sie ein.

»Gut. Meinetwegen. Aber so wahr mir Gott helfe, wenn du versuchst, mir in die Toilettenkabine zu folgen, reiße ich dir die Eier ab und spüle sie runter. Haben wir uns verstanden?«

Ich kneife missbilligend die Augen zusammen und gehe vor ihr her zur Tür.

»Morddrohungen. Kastrationsfantasien, du bist ein hinterhältiges kleines Biest, weißt du das?«

Ich klinge erheblich entspannter, bin aber alles andere als das. Nicht nur weil ich weiß, was uns da drinnen erwartet – oder weil ich es hasse, hier meiner Vergangenheit zu begegnen –, sondern weil es sehr gut sein kann, dass ich Jenna tatsächlich zur Toilette begleiten muss, um ihre Sicherheit zu gewährleisten. Und ich habe wirklich keine Lust, zu allem Überfluss auch noch auf meine Eier aufzupassen.

11

Jenna

Also, Jack ist irgendwie schon merkwürdig, selbst wenn das hier nicht unbedingt eine Bar für Mädchen ist. Geschenkt also, wenn er besorgt ist, dass mir irgendwelche Typen blöd kommen könnten und so weiter. Bla, bla, bla.

Aber bitte, alles hat seine Grenzen.

Nicht von seiner Seite weichen? Ich bin eine erwachsene Frau mit einer randvollen Blase und kein Kleinkind, das durch Disneyland spaziert.

Er öffnet die Tür, doch anders als sonst hält er sie nicht für mich auf. Stattdessen tritt er ein, zieht mich hinter sich her und versteckt mich hinter seinem breiten Kreuz, während die Tür hinter mir zufällt.

Okay, nicht cool.

Schon will ich mich, einen flotten Spruch auf den Lippen, hinter ihm hervorschieben, bleibe aber abrupt stehen, als das laute Stimmengewirr in der Kneipe schlagartig abebbt. Ich spähe hinter seinem Rücken hervor und beobachte, wie die Gäste einer nach dem anderen den Kopf Richtung Eingang wenden und den Blick auf Jack richten.

Eine seltsame Spannung liegt in der Luft, fast bedrohlich, die Leute wirken wachsam und zugleich neugierig. Ganz offensichtlich kennen sie Jack.

Die Typen sehen alle ziemlich verwegen aus, um es vorsichtig auszudrücken. Motorradgangmäßig. Selbst die Frauen sind nicht gerade vertrauenerweckend. Rockerbräute eben, die aussehen, als könnten sie mich mit einem einzigen Hieb ihrer megalangen Acrylfingernägel köpfen. Jetzt bin ich so weit, dass ich ganz klein mit Hut bin und mich ängstlich an Jack klammere.

Sein harmloses Lächeln ist verschwunden und einer finsteren Miene gewichen – irgendwie scheint sich sogar seine Brust auszudehnen und seine bedrohlichen Körpersignale zu verstärken. Plötzlich muss ich gar nicht mehr so dringend und bin bereit, noch ein paar Minuten auszuhalten.

Teufel, wenn nötig, verkneife ich es mir unter diesen Umständen noch ein paar Stunden.

Und mir dämmert, dass es nötig werden könnte.

Ein kräftiger Mann hinter der Bar sieht Jack aus dunklen Augen herausfordernd an. Er ist um die fünfzig, hat lederne Haut und Hände, die bestimmt schon oft zugeschlagen haben. Die schulterlangen grauen Haare sind zu einem ordentlichen Knoten zusammengebunden und passen zu dem geschwungenen grauen Schnauzer unter seiner Nase.

Eine Sekunde vergeht. Dann zwei. Drei.

»Der verlorene Sohn ist heimgekehrt«, stellt der Barmann fest, und die Gespräche verstummen nun vollends. Alle spitzen sensationslüstern die Ohren.

»Tut mir leid, dich zu enttäuschen«, sagt Jack mit einer rauen Stimme, die ich noch nie bei ihm gehört habe, »aber ich bin nur wegen Samson gekommen.«

Unsere Situation ist eindeutig nicht prickelnd. Ich weiß nicht, ob ich mir Sorgen machen, Angst haben oder mich so schnell wie möglich vom Acker machen soll. Eins allerdings habe ich zweifelsfrei überrissen: Jeder hier in dieser Bar kennt Jack. Und niemand der Anwesenden scheint erfreut, ihn zu sehen.

»War mir nicht sicher, ob wir dich je wiedersehen würden«, fährt der Barmann fort. »Vor allem nach …« Er zuckt die Schultern. »Na, du weißt schon. Aber ich habe es zumindest gehofft. Ehrlich …«

Jack verzieht die Lippen zu einem bemühten Lächeln. »Ich nicht, um ebenfalls ehrlich zu sein.«

Ein großer Mann mit einer langen roten Narbe auf der Wange erhebt sich und schiebt quietschend seinen Stuhl zurück. Er kommt langsam auf Jack zu, baut sich direkt vor ihm auf und fixiert ihn mit bedrohlicher Miene. Jack jedoch mit seiner Muskelmasse steht ihm darin nicht nach – er wirkt mindestens ebenso gefährlich.

»Soll ich mich drum kümmern, Jonesy?«, nuschelt der Mann und schiebt seinen Kautabak in die Backe.

Ohne den Blick von Jack zu wenden, streift er geschickt einen Schlagring über seine dicken Finger, macht eine Faust und umfasst sie mit der anderen Hand.

Die Leute hier sind eindeutig keine Fans von Jack.

Die Atmosphäre ist angespannt. Unruhe erfasst die Zecher, hier und dort rutscht jemand auf seinem Stuhl hin und her, alle warten darauf, dass der Mann hinter der Bar – ganz offensichtlich Jonesy – antwortet.

Aber Jack kommt ihm zuvor. »Bist du sicher, dass das eine gute Idee ist, Murray?«, fragt er seinen Herausforderer mit unheilvoll leiser Stimme und deutet vielsagend auf den wulstigen Schmiss, der sich über dessen Gesicht zieht. »Das letzte Mal, als du mich in die Mangel nehmen wolltest, ist es nicht gerade gut für dich gelaufen.«

»Scheißkerl«, zischt Murray und stürzt sich mit seinem ganzen Gewicht auf Jack, der sich nicht vom Fleck rührt und blitzschnell eine Hand um den Hals des Kerls legt und ihn zu würgen beginnt.

Dann sagt er ruhig: »Ich schlage vor, du machst eine Fliege«, und drückt fester zu, bis Murray erstickte Laute von sich gibt. »Was meinst du, Jonesy?«, wendet er sich an den Barmann.

Meine Augen weiten sich vor Schreck.

Was zum Teufel hat das alles zu bedeuten? Ich kann nicht glauben, was ich da sehe.

»Wenn du mich fragst«, entgegnet Jonesy leicht amüsiert, »hast du deinen Standpunkt ziemlich deutlich gemacht.«

Jack lässt Murray los, der daraufhin hustend und röchelnd nach hinten taumelt.

»Fick dich, Oliver«, schleudert er Jack hasserfüllt entgegen.

Wer zum Henker ist dieser Typ?

»Ich weiß deinen Eifer zu schätzen, Murray«, wirft Jonesy ein, »aber du darfst dich zurückziehen. Ich bin sicher, Jack ist nicht hier, um Ärger zu machen. Stimmt's, Jack?«, sagt er und richtet seine dunklen Augen voller Neugier jetzt auf mich, obwohl ich hinter Jacks breitem Rücken kaum zu sehen sein dürfte.

»Kommt ganz darauf an, ob du Ärger willst«, erwidert Jack und rückt näher zu mir heran.

So langsam bricht mir der Angstschweiß aus.

Alles an Jack kommt mir plötzlich fremd vor. Seine Körpersprache. Sein Ton. Seine ganze Haltung. Als hätte er sich gerade in einen anderen Menschen verwandelt.

Jonesy löst den Blick von mir und lächelt in Jacks Richtung.

»Nicht wirklich«, gibt er reichlich unbestimmt zur Antwort.

»Wo ist Samson?«, fragt Jack.

»Hinten.«

Der Barmann deutet mit dem Kopf auf eine rote Tür am Ende eines dunklen Flurs.

Ein Muskel in Jacks Kieferpartie zuckt, während er leise vor sich hin flucht.

»Und? Sind wir brav oder nicht?«

Jonesy mustert erst ihn, dann mich und verzieht die Mundwinkel zu einem angedeuteten Lächeln, nickt dann.

»Wir sind brav. Vorerst.«

Mir entgeht nicht, dass Jacks Schultern sich leicht entspannen und seine Haltung sich verändert.

»Na dann«, sagt er mit einem schiefen Grinsen. »Was muss ein Kerl tun, um hier ein Bier zu bekommen?«

Jonesy lacht – für die Anwesenden offenbar das Signal, dass alles wieder im grünen Bereich ist. Die Spannung im Raum löst sich auf, und die Gäste setzen ihre unterbrochenen Gespräche fort.

Als Jack mit mir im Schlepptau zum Tresen geht, versuche ich zu ignorieren, dass sich zahlreiche Blicke auf mich heften. Nicht auf uns, auf *mich.*

Ich habe das Gefühl, angeglotzt zu werden wie ein wandelndes Stück Fleisch. Was womöglich daran liegt, dass sich unter den Gästen nur eine Handvoll Frauen befindet, die deutlich älter sind als ich.

Jack, dem das nicht entgeht, legt demonstrativ seine große Hand auf meinen Rücken. Eine zweifellos besitzergreifende Geste, die signalisiert: Wagt es nur ja nicht … Mir ist es zur Abwechslung sogar recht, denn die schamlosen, gierigen Blicke der vielen zwielichtigen Typen sind mir unheimlich.

»Willkommen zu Hause, Jack«, sagt Jonesy und stellt Jack ein Bier hin. »Wir haben dich vermisst.«

»Gott, hoffentlich nicht«, spottet Jack.

Irgendwie habe ich den Eindruck, in einem falschen Film zu sein. Nicht nur wegen dieser dubiosen Kneipe. Auch wegen Jack.

Das ist nicht derselbe Typ, mit dem ich Arizona verlassen habe. Er ist jemand ganz anderes. Dunkler. Gefährlicher. Trotzdem fühle ich mich noch immer sicher bei ihm. Mir schwant allerdings, dass ich diesen Jack neben mir bislang nicht wirklich gekannt habe – den mit den kleinen Narben auf den Händen und den, dessen Miene so bedrückt wirkt, wenn er raucht –, aber das ändert nichts an der Tatsache, dass ich ihm voll und ganz vertraue. Zum Glück, denn wie es aussieht, würde ich in diesem Laden ohne ihn ziemlich aufgeschmissen sein.

»Weißt du, es ist nicht mehr dasselbe, seit du weggegangen bist.« Jonesy seufzt und scheint ehrlich betrübt. »Wir haben deinen armseligen Hintern wirklich vermisst. Ich jedenfalls.«

Für einen kurzen Moment lächelt Jack fast traurig, um seine Augen bilden sich kleine Fältchen.

»Ich musste hier weg, es ging nicht anders.«

»Ich weiß.« Jonesy zupft an seinem Ohr. »Deshalb muss es mir noch lange nicht gefallen.«

»Nein.« Jack verändert seine Haltung. »Wohl nicht.«

Der Barmann wendet sich jetzt mir zu. »Und wer ist das hübsche junge Ding?«

Er mustert mich auf eine Weise, die zwar nicht abstoßend, jedoch auch nicht gerade sympathisch ist.

Ich straffe meine Schultern und warte, bis sein Blick wieder bei meinem Gesicht angekommen ist und nicht mehr über prüfend über meinen Körper wandert.

»Hast du genug gesehen«, frage ich mit einem anzüglichen Lächeln. »Oder soll ich mich ausziehen und mich für dich im Kreis drehen?«

Während Jack mich entsetzt anschaut, lacht Jonesy aus vollem Hals los. Es ist ein kratzendes Geräusch, als würden sich Steine an Altmetall reiben, und wer uns nicht ohnehin schon angestarrt hat, dreht spätestens jetzt den Kopf in unsere Richtung.

»Heilige Hölle!«, brüllt der Barkeeper, der sich nach wie vor nicht einkriegt. »Die gefällt mir, Jack. Hübsch *und* gemein. Ich wette, die hält dich auf Trab.«

Er blickt erneut zu mir, aber diesmal eher auf eine bewundernde Art.

»Du machst dir kein Bild«, brummt Jack.

»Ist das dein Mädchen?«

»Ja«, sagt Jack und ignoriert meinen empörten Blick. »Jonesy, das ist Jenna. Jenna, darf ich dir Jonesy vorstellen.«

»Hallo Süße.« Er lächelt mich an.

»Hey«, sage ich und überlege erneut, was ich von diesem Typen halten soll. Mag er Jack? Oder hasst er ihn?

Jack beantwortet meine unausgesprochene Frage: »Weißt du, Jonesy ist wie der Großvater, den ich nie hatte und auch nicht haben wollte.«

»Quatsch. Du magst mich«, bekommt er zur Antwort.

»Ja, ich mag dich, verglichen mit allen anderen in diesem Höllenloch«, korrigiert Jack ihn. »Allerdings traue ich dir kein Stück über den Weg.«

Jonesy zwinkert mir zu. »Und das aus gutem Grund.«

»Typisches Beispiel«, sagt Jack, dann schüttelt er den Kopf. »Tut mir übrigens leid wegen Samson. Ich zahle seine Zeche und bringe ihn nach Hause. Ist es okay, wenn wir nach hinten gehen?«

Jonesy nickt. »Geht nur. Übrigens: keine Sorge wegen seinem Deckel. Er hat alles bezahlt.«

Als wir den dunklen Flur zum Hinterzimmer entlanggehen, kann ich es nicht lassen, ihn auf seine unzutreffende Äußerung von wegen »mein Mädchen« anzusprechen.

»Was zum Teufel sollte das?«

Er blickt mich kaum an, weiß jedoch sofort, was ich meine. »Ich erkläre es dir später«, sagt er.

»Sorry, du *erklärst* es mir?«

»Ja. Ich erkläre es dir, aber jetzt beeil dich, damit wir hier wegkommen.« Er zeigt auf eine Tür. »Da ist die Toilette.«

Ich werfe Jack einen letzten finsteren Blick zu, drehe mich um und gehe auf die Toilette, obwohl ich inzwischen fast nicht mehr muss. Als ich zurückkomme, sehe ich, dass er sich wie ein professioneller Türsteher vor der Toilette aufgebaut hat und mit verschränkten Armen den Eingang blockiert.

»Bist du jetzt bei der Töpfchenaufsicht?«, ziehe ich ihn auf.

»Wäre es dir lieber, ich lasse dich hier allein?«

Leicht betreten schaue ich ihn an. »Äh, vielleicht lieber nicht.«

»Genau.« Mehr sagt er nicht.

Gemeinsam gehen wir zum Ende des dunklen Flurs. Er

voraus, ich hinter ihm. Vor einer roten Tür bleibt er stehen, und als er sie aufstößt, greift er mit der anderen Hand schützend nach mir. Mich überkommt unwillkürlich das Gefühl, dass wir etwas deutlich Gefährlicheres betreten als den Lagerraum einer Bar. Etwas, vor dem ich mich wahrscheinlich fürchten sollte.

Doch als mein Blick auf die klaren Linien des vertrauten Tattoos auf seinem Arm fällt – auf den großen Falken mit der Schlange zwischen seinen Krallen –, verfliegt der letzte Rest von Angst, die mich womöglich beschlichen hat. Er würde nie zulassen, dass mir etwas passiert. Uns. Das spüre ich instinktiv und bin mir ganz sicher. Es ist eine unumstößliche Wahrheit.

Vertrauensvoll lege ich also meine Hand in seine und lasse zu, dass er meine kalten Finger umschließt, bevor wir durch die scharlachrote Tür treten.

12

Jack

Ich werde Samson umbringen.

Sobald wir den Raum betreten haben, entdecke ich meinen Bruder, der sturzbetrunken auf dem Betonboden liegt. Bei seinem Anblick stoße ich unwillkürlich eine rasche Folge von Flüchen aus.

Am liebsten würde ich ihn dafür umbringen, dass er mich in diese Lage gebracht hat. Ich wollte nicht, dass Jenna etwas von meinem »wahren« Leben mitkriegt. Sie sollte mich vor unserem Haus absetzen und weiterfahren. Fertig. Nun aber ist sie mittendrin. Dank Samson.

Im *Vipers*. Ausgerechnet!

Gottverdammt. Was hat dieser Idiot sich bloß dabei gedacht, überhaupt hierherzukommen?

Wir sind nicht allein im Hinterzimmer. Zwischen Samson und mir sitzen an einem runden Tisch die »Pokerspieler«. Ich kenne alle beim Namen und weiß, womit sie dealen. Und natürlich wissen sie ebenfalls, wer ich bin.

Die Pokerspieler mustern Jenna, und ich kann geradezu hören, wie sich die Rädchen in ihren Köpfen drehen. Ich umfasse ihre Hand fester und habe das Gefühl, eine Gazelle in eine Höhle voller Löwen geführt zu haben.

Wenn es überhaupt für sie einen Schutz gibt, dann den,

dass alle sie für meine Freundin halten. Sie wird mir deswegen noch die Hölle heißmachen, doch ich hatte keine andere Wahl. Wäre sie bloß im Auto geblieben, so wie ich es ihr geraten hatte, dann wäre alles gut. Aber nein, die Diva musste pinkeln. Im *Vipers!*

Zum Glück richten die Männer, nachdem sie genug von Jenna gesehen haben, ihre Aufmerksamkeit auf mich, und ich entspanne mich etwas.

Auch deshalb, weil es heute Abend in diesem Raum offenbar vergleichsweise harmlos zugeht. Ich war mir nämlich ganz und gar nicht sicher, was uns auf der anderen Seite der Tür erwarten würde – ich habe bereits zu viel Unterschiedliches erlebt –, aber es sieht so aus, als würden die Männer tatsächlich brav pokern. Na ja, einigermaßen brav zumindest, denn einer der Typen am Tisch hat ein frisches blaues Auge und eine blutige Lippe. Zudem fehlen ihm an einer Hand zwei Finger.

»Jack«, sagt eine vertraute Stimme.

Sie gehört Alec, dem Besitzer der Bar. Er begrüßt nie jemanden auf eindeutige Weise, man weiß nie, woran man bei ihm ist, und das macht ihn neben anderen wenig netten Eigenheiten gleichermaßen bedrohlich und unberechenbar. Unwillkürlich frage ich mich, ob er wohl für die fehlenden Finger an der blutigen Hand des Kerls am Spieltisch verantwortlich ist.

Ich lockere meinen Griff um Jennas Hand, gehe in Habachtstellung und nicke ihm zu. »Alec.«

Erinnerungen, die ich tief in mir vergraben habe, steigen gegen meinen Willen in mir auf und ergreifen Besitz von mir, während wir einander taxieren.

Er zündet sich eine Zigarette an und zieht genüsslich an

ihr, ohne mich aus den Augen zu lassen. Seine blauen Augen sind eiskalt und berechnend. Ein Mann, den niemand zum Gegner haben möchte. Langsam stößt er den Rauch aus, und eine weiße Rauchsäule schwebt als kleine Wolke über dem Tisch.

»Hab dich lange nicht gesehen.« Alec streicht sich träge über die schwarzen Bartstoppeln. »Hätte nicht gedacht, dass du noch mal zurückkommst. Bleibst du diesmal?«

»Unwahrscheinlich.«

Ich blicke mich um, Unruhe und Angst beschleichen mich, mein Magen verkrampft sich – ich muss Samson und Jenna hier rausschaffen. Und zwar schnell.

Vor allem darf ich mir keine Schwäche anmerken lassen.

Selbstsicher und unaufgeregt deute ich deshalb auf meinen Bruder, der bäuchlings mit dem Gesicht nach unten hinter dem Pokertisch liegt.

»Hat er was kaputt gemacht?«

Die Pokerspieler schütteln einhellig den Kopf. Alec sagt nichts. Ich blicke einem nach dem anderen in die Augen.

»Schuldet er jemandem hier Geld – oder etwas anderes?«, schiebe ich nach.

Als Antwort erfolgt ein erneutes Kopfschütteln, aber Alecs hellblaue Augen verfinstern sich, und sofort steigt wieder die Spannung im Raum.

Heilige Scheiße. Heilige Scheiße, denke ich. Ich muss Jenna schleunigst hier rausbringen.

Ich lasse den Blick durchs Zimmer wandern zu dem Ausgang auf der Rückseite. Es gibt noch eine klapprige Leiter, die aufs Dach führt, und die schwere rote Tür hinter uns. Ich kenne mich in diesem Gebäude besser aus, als mir lieb ist, darum weiß ich genau, dass wir, falls Alec es drauf anlegt, in der Falle sitzen.

Jenna. O Gott. Was habe ich getan, sie hierher mitzunehmen?

Als ob sie meine Gedanken lesen könnte, tritt sie dichter zu mir und drängt sich an meinen Rücken, als wüsste sie, dass sie einen Schutzschild braucht. Sie erschauert und stößt die Luft aus.

Mist, Mist, Mist.

»Es ist nichts zu bezahlen«, bricht Alec schließlich das Schweigen. Seine leise Stimme klingt ziemlich unheimlich und gefährlich. »Aber du weißt ja, was ich davon halte, wenn jemand hier einfach so hereinschneit.«

Mein Puls beschleunigt sich. »Samson hat nichts mit dem Geschäft zu tun. Das weißt du. Er war nur …« Ich blicke zu meinem betrunkenen Bruder, der völlig ahnungslos ist. Verletzlich. »Zum Teufel, ich weiß nicht, was er hier getrieben hat. Jedenfalls ist er nicht gekommen, um Ärger zu machen.«

»O doch, das kann ich dir versichern.«

Alec lehnt sich zurück und gibt den Pokerspielern mit einer kurzen Kopfbewegung einen Wink. Sofort sind drei Waffen auf mein Gesicht gerichtet, und ich höre, wie Jenna nach Luft schnappt.

Dieser miese Alec.

Ich weiß, dass er bloß eine Show abzieht und mich nicht ernstlich umbringen will. Jenna hingegen weiß das nicht, und das Zittern ihrer Hand auf meinem Rücken verrät ihre Angst.

Herrgott, so eine Scheiße.

»Er hat heute Abend eine Menge Fragen gestellt«, fährt Alec fort. »Bohrende Fragen.«

Mist. Samson hat sich wahrscheinlich wegen Drew umgehört. Der Idiot sollte eigentlich wissen, dass es brandgefährlich ist, in einer Bar herumzuschnüffeln, in der zusätzlich dunkle Geschäfte laufen. So eine Dummheit kann einen sogar das Leben kosten. Und normalerweise ist das auch so.

Ich wähle meine nächsten Worte mit Bedacht. »Samsons Absichten waren harmlos, Alec. Er hat ganz bestimmt nicht versucht, etwas über deine Geschäfte herauszufinden. Das schwöre ich dir.«

»Weißt du«, Alec zieht lasziv an seiner Zigarette, »dass du der Einzige in dieser Branche bist«, er lässt den Rauch langsam entweichen und macht mit seinem Arm eine Bewegung, die den ganzen Raum umfasst, »auf dessen Versprechen ich etwas gebe?« Er macht eine Pause, wartet wohl auf einen Kommentar meinerseits, und fährt dann fort: »Und weil das so ist, vertraue ich dir.«

Er nickt erneut den Pokerspielern zu, woraufhin die ihre Waffen sinken lassen.

Dann blickt er von seinem Platz am Tisch zu mir hoch und wirft mir einen warnenden Blick zu.

»Sorge dafür, dass ich das nicht bereue, Jack«, sagt er und drückt seine Zigarette aus, ohne mich aus den Augen zu lassen. »Ich meine es ernst.«

Erleichterung durchströmt mich, und ich kann wieder frei atmen. Bloß wie ich das alles Jenna erklären soll, ist mir nach wie vor schleierhaft.

»Okay.« Ich nicke und stoße geräuschvoll die Luft aus. »Sind wir damit hier fertig?«

»Ich glaube schon.« Alec macht eine kurze Handbewegung in Richtung der Spieler, die sich auf diese Zeichensprache zu verstehen scheinen und sich wieder ihren Karten zuwenden.

Ohne Zeit zu verschwenden, eile ich zu meinem Bruder und schiebe Jenna mit meiner Hand auf ihrem Rücken neben mir her. Samson liegt noch immer ein paar Meter hinter dem Pokertisch, auf dem Bauch. Als wir zu ihm treten, rollt sein Kopf zur Seite, und schwarze Strähnen fallen in seine rot unterlaufenen grünen Augen, aus denen er mich jetzt anblinzelt.

»Hey Bruder«, lallt er. »Bitte schlag mich nicht.«

Ich ziehe ihn vom Boden hoch, was nicht gerade leicht ist. Denn mein »kleiner Bruder« ist kaum kleiner als ich und fast genauso muskulös.

»Versuch es bitte irgendwie, dich auf deinen eigenen Füßen hier rauszubewegen, Sam.« Ich richte ihn neben mir auf und halte ihn fest. »Oder ich werde Gewalt anwenden, damit du wach wirst.«

In dem jämmerlichen Versuch zu nicken rollt Samsons Kopf hin und her. Er wirkt wie das reinste Unschuldslamm. Zum Glück packt Jenna ihn auf der anderen Seite, hilft mir, ihn zu stützen und zur rückwärtigen Tür zu schleppen, hinter der ich den Wagen geparkt habe.

»War schön, dich wiederzusehen, Jack«, sagt Alec, ohne sich nach mir umzudrehen. »Vielleicht laufen wir uns ja bald noch mal über den Weg …«

Ich bemühe mich, das unangenehme Gefühl zu ignorieren, das seine Worte in mir auslösen, und konzentriere mich darauf, Samson zum Ausgang zu bugsieren. Mit mehr Kraft als nötig stoße ich die Tür auf und führe das Lamm und die Gazelle aus der Höhle des Löwen auf den Parkplatz hinaus.

Nachdem wir meinen Bruder auf der Rückbank verfrachtet haben, setzt Jenna sich wortlos auf den Beifahrersitz und schnallt sich an. In ihrer Miene erkenne ich eine Mischung aus Angst, Sorge und Wut, aber fürs Erste will ich nicht mit ihr über die Geschichte reden. Noch nicht.

Ich lege den Gang ein, fahre los und warte, bis ein paar Meilen zwischen uns und der Bar liegen, bevor ich meinen besoffenen Bruder ins Visier nehme, mit dem ich noch ein Hühnchen zu rupfen habe.

»Was zum Teufel sollte das Ganze? Bist du verrückt geworden?«

Er reibt sich mit beiden Händen durchs Gesicht. »Ich weiß«, stöhnt er.

»Nein, du scheinst nichts zu wissen – und schon gar nicht, dass du da drin hättest umkommen können.«

Mein Blick zuckt zu Jenna, und ich frage mich, was sie sich wohl denken mag.

»Es tut mir leid«, flüstert Samson schuldbewusst. »Aber es ist alles so schlimm.« Er schüttelt den Kopf. »Ganz schrecklich schlimm.«

»Da hast du recht.« Ich beiße die Zähne zusammen. »Trotzdem darfst du nicht in Alecs Geschäft herumschnüffeln, Sam! Der Typ dachte, du wolltest ihn ausspionieren oder so einen Mist. Nur weil er nicht dein Feind ist, heißt das nicht, dass er dein Freund ist. Kapiert?« Ich atme tief durch, denn nach wie vor sind meine Nerven zum Zerreißen gespannt. »Und warum zum Teufel hast du dich dermaßen abgefüllt, dass ich deinen Hintern aus der Bar schaffen muss? Du bist einundzwanzig, Mann. Nicht fünfzehn.«

Samson nickt betreten. »Du hast ja keine Ahnung, wie schlimm die Sache mit Drew für mich ist.«

»Mag ja sein, doch sich die Kante zu geben, macht es bestimmt nicht besser.«

»Nein, Mann. Du verstehst das nicht«, sagt er leicht lallend und steckt den Kopf zwischen den Vordersitzen hindurch. »Ich habe heute Abend einen Anruf bekommen. Von den Royals. Die …« Seine Stimme bricht. »Die haben ein Kopfgeld auf Drew ausgesetzt.«

Mein Griff um das Lenkrad verstärkt sich, und eine Zentnerlast legt sich plötzlich auf meine Brust.

Nein, das darf nicht sein.

Ein Kopfgeld?

Mir gefriert das Blut in den Adern.

Aus dem Augenwinkel sehe ich, wie Jenna die Kinnlade herunterfällt, und meine Angst steigert sich ins Unermessliche.

Scheiße, Scheiße, Scheiße.

So sollte das nicht laufen.

Nicht mit Jenna.

Nicht mit Samson.

Nicht mit Drew.

Ich hole tief Luft. »Und das haben dir die Royals gesagt?«, vergewissere ich mich.

Samson beugt sich wieder vor. »Darum habe ich heute Abend so einen Mist gebaut«, erklärt er kleinlaut. »Ich bin zu Alec gegangen, weil ich dachte, er könnte uns vielleicht wegen Drew helfen …«

»Verflucht, Sam«, brumme ich. »Ausgerechnet Alec!«

»Komischerweise war er genauso überrascht wie ich«, berichtet Samson weiter. »Er hatte keine Ahnung, dass Drew sich mit den Royals eingelassen hat – oder dass die Royals eine Prämie auf seinen Kopf ausgesetzt haben. Und da hab ich Panik gekriegt. Erst hat Jonesy mir ein paar Drinks spendiert, und dann hab ich einfach immer weitergetrunken, bis mir das alles irgendwie unwirklich vorkam.« Erneut schüttelt er den Kopf. »Das alles darf einfach nicht wahr sein.«

Einerseits verstehe ich ihn, andererseits bin ich wütend auf ihn.

»Ich dachte, ihr Jungs würdet euch da raushalten, euch nicht auf Dads Scheiß einlassen. Verdammt. Schließlich habt ihr es hoch und heilig versprochen, sonst wäre ich gar nicht weggegangen.«

»Ich hab nichts mit solchen Dingen zu tun, ich schwöre es«, beteuert Samson. »Und bis zu dem Anruf heute Abend wusste ich nicht, dass Drew in etwas von dieser Größenordnung verwickelt ist.« Er scheint am Boden zerstört zu sein. »Die Royals denken, ich wüsste, wo Drew ist – aber ich weiß es nicht. Ehrlich, ich hab keinen blassen Schimmer.« Er rauft sich die Haare. »Und wenn sie ihn finden, dann …«

»Lass gut sein«, blaffe ich ihn an, bevor er den Gedanken weiter ausführt. »Halt einen Moment die Klappe, damit ich nachdenken kann.«

Samson lässt sich in die Polster zurückfallen, und ich blicke verstohlen zu Jenna. Ich muss aufpassen, dass Samson in seinem Suff nicht noch mehr Details über die beschissene Lage unserer Familie preisgibt. Jenna ist bestimmt schon entsetzt genug.

In der nun einsetzenden Stille höre ich nichts anderes als das Rauschen des Blutes in meinen Ohren. Wenn Drew sich mit den Royals eingelassen hat, dann ist alles tatsächlich meine Schuld. Aber wie zum Teufel hat er es geschafft, mit ihnen in Kontakt zu treten? Die Bande sitzt ja nicht mal in Little Vail.

Verstohlen spähe ich zu Jenna hinüber. Es gelingt ihr ziemlich gut, abgebrüht oder unbeteiligt zu tun. Scheinbar gelangweilt, kratzt sie an einem ihrer violett lackierten Nägel herum. Als würde ihr das, was in der letzten halben Stunde passiert ist, nichts ausmachen, aber ich weiß es besser. Sie hat Angst und mit Sicherheit eine Menge Fragen an mich. Ich fürchte nur, dass ich keine Antworten für sie habe.

Zumindest keine, die ihr gefallen.

»Okay, ich sage dir, was wir tun«, wende ich mich wieder an meinen Bruder. »Ich setze dich bei Mom ab, damit du pennen kannst und ausnüchterst. Jenna fährt weiter nach New Orleans, und ich versuche, etwas über Drews Geschäfte mit den Royals herauszufinden.« Ich bewege meinen verspannten Nacken. »Anschließend sehen wir hoffentlich klarer.«

Vielleicht. Vielleicht auch nicht.

Dass die Royals eine Prämie auf Drews Kopf ausgesetzt haben, sagt nämlich etwas anderes. Es ist eine Kriegserklärung, und darum stehen die Chancen auf einen guten Ausgang nicht gerade günstig. Weder für Drew noch für den Rest der Familie. Ich bin froh, dass zumindest Jenna noch vor dem Morgengrauen aus der Schusslinie sein wird. Zurück in einer heilen Welt, geborgen im Schoß ihrer Familie und weit weg von meinen Schwierigkeiten.

»Alles okay bei dir?«, frage ich sie leise, während ich im dunklen Wagen ihr Profil betrachte.

Sie denkt einen Moment nach. »Seltsamerweise ja. Dafür, dass vor gerade mal fünf Minuten diverse Waffen auf uns gerichtet waren, geht es mir sogar verdammt gut.«

Ich weiß nicht, wo ich anfangen soll mit Erklärungen oder Entschuldigungen. »Es tut mir so leid, dass ich dich in diesen Mist hineingezogen habe. Was dort passiert ist, das war nicht … Ich hätte nicht …«

Von hinten höre ich Samson stöhnen, dass ihm schlecht ist. Das fehlt gerade noch.

»Kotz ja nicht ins Auto«, warne ich ihn.

»Dann hör auf, so schnell in die Kurven zu fahren«, klagt er. »Betrunken sein ist hart.«

Jenna sieht mich kopfschüttelnd an. »Lass uns reden, nachdem wir ihn abgesetzt haben, okay?«

Sie klingt ganz normal, tough wie immer, und dafür bin ich dankbar. Ich blicke zu ihr hinüber. Sie sitzt völlig entspannt da mit übereinandergeschlagenen Beinen, ihre schlanken Arme locker im Schoß ruhend, die Hände leicht verschränkt. Die Beleuchtung des Armaturenbretts lässt Schatten auf ihrem Gesicht entstehen, die ihre Wangenknochen betonen. Sie ist für mich der Inbegriff eines anderen, eines besseren und glücklicheren Lebens.

Ich kann sie nicht schnell genug aus dieser Stadt hinausbekommen.

Als ich auf die Uhr sehe, überdenke ich meinen Plan allerdings. Es ist fast Mitternacht, und New Orleans ist noch gut zwei Stunden Autofahrt entfernt. Jenna ist bestimmt hundemüde, und außerdem sieht sie, selbst wenn sie ausgeruht ist, nachts verdammt schlecht. Wahrscheinlich ist es deshalb nicht die beste Idee, sie im Dunkeln allein nach Hause fahren zu lassen. Bloß fürchte ich, dass sie da ganz anderer Meinung sein wird. Ich seufze stumm bei der Vorstellung, was sie von meiner Idee halten wird.

»Hör mal«, beginne ich vorsichtig. »Vielleicht solltest du doch erst morgen früh weiterfahren.«

Sie macht ein langes Gesicht. »Warum?«

»Weil es spät ist und dunkel und du wahrscheinlich genug vom Autofahren hast …«

»Darum will ich ja nach Hause.«

»Es ist aber noch eine ganz schöne Strecke, und selbst mit deiner Brille …«

»O Gott«, unterbricht sie mich prompt. »Bist du jetzt mein Augenarzt, oder was? Ich sehe *gut.*«

»Du siehst *nicht* gut, und das weißt du selbst am besten. Davon jedoch mal abgesehen, wäre es ohnehin besser, du würdest ein bisschen schlafen, bevor du weiterfährst.«

Jetzt kommt sie so richtig in Fahrt.

»Ich verschwende keinen Penny mehr für ein Hotelzimmer – vor allem nicht, wenn mein eigenes Bett gerade mal zwei Stunden entfernt ist.«

Müde schüttele ich den Kopf. »Warum muss alles mit dir ein ständiger Kampf sein?«

»Weil du unablässig versuchst, mich zu kontrollieren, und mir immer sagst, was ich zu tun habe.«

»Zum letzten Mal: Ich versuche nicht, dich zu kontrollieren, Jenna.« Wie zur Bestätigung schlage ich auf das Lenkrad. »Ich mache dir lediglich Vorschläge, weil ich nicht will, dass dir etwas passiert. Du bist der Kontrollfreak, nicht ich.«

Samson steckt erneut den Kopf zwischen den Vordersitzen hindurch und fragt neugierig: »Schlaft ihr zwei miteinander?«

»Nein!«, rufen wir wie aus einem Mund.

Er nickt. »Aha, das erklärt eine Menge.«

»Halt die Klappe, Samson.«

Ich biege in die Straße ein, in der ich aufgewachsen bin, und halte vor unserem kleinen Haus. Es ist grau mit schiefen Verandastufen, und statt eines gepflegten Vorgartens gibt es lediglich eine vertrocknete Rasenfläche. Trotzdem steigen beim Anblick der gelben Haustür und der alten Korbmöbel auf der Veranda bittersüße Erinnerungen in mir auf. Hier sind neben vielem Schlechten auch gute Dinge passiert. Meine Kehle schnürt sich zu, als ich das Haus meiner Kindheit betrachte.

An vielen Tagen habe ich gedacht, dass ich es nie wiedersehen werde. Tage, an denen ich sicher war, ich müsse sterben. Dann habe ich versucht, mich auf die schönen Erinnerungen zu konzentrieren, die ich mit der Kindheit in dem kleinen grauen Haus verbinde. Die Raufereien mit meinen Brüdern. Wie meine Mom mir heimlich Kekse in die Brotdose für die Schule gesteckt hat.

Und für einen kurzen Moment vergesse ich sogar, was mich jetzt in diesem Haus erwartet.

Alles sieht noch genauso aus wie an dem Tag, an dem ich weggegangen bin, abgesehen davon, dass Dutzende von Windspielen vom Verandadach hängen.

»Was zum Teufel soll das denn?«, murmele ich.

Samson, der meinen verwunderten Blick bemerkt hat, klärt mich nuschelnd auf.

»Ist Moms neuester Spleen … Um mit dem Rauchen aufzuhören. Hat in einer dieser Verkaufssendungen im Fernsehen diese Windspiele entdeckt. Und jetzt baut sie alle zwei Stunden eins von diesen Dingern zusammen, anstatt eine zu rauchen.«

»Das ist ja höchst merkwürdig«, sage ich und steige aus,

um Samson vom Rücksitz zu zerren, der sich mit Ach und Krach auf den Füßen hält.

»Und kaum zu ertragen«, ergänzt mein Bruder und blickt missmutig auf die leise klimpernden Teile. »Bei starkem Wind ist das wie der Lärm von tausend Glocken.«

Jenna steigt ebenfalls aus, und wir beobachten, wie Samson auf die Verandastufen zuwankt.

»Vielleicht macht Mom das ja mit Absicht«, spotte ich. »Damit du endlich ausziehst.«

Schwankend dreht er sich um. »Hey, ich kann nichts dafür, dass Trixie mich aus der Wohnung geschmissen hat und ich obdachlos bin.«

»O doch, kannst du«, erwidere ich unbarmherzig. »Du hast mit ihrer besten Freundin geschlafen …«

»Ich habe nicht *mit* ihr, sondern *bei* ihr geschlafen«, verteidigt er sich. »Warum ist das verdammt noch mal so schwer zu verstehen?«

In diesem Moment schallt die Stimme meiner Mutter durch die Nacht.

»Vielleicht, weil du immer große Reden führst, wenn du besoffen bist.« Ihre Silhouette hebt sich vor dem erleuchteten Wohnzimmerfenster ab, sie steht im Türrahmen und hat eine Hand in die Hüfte gestemmt. »Die Leute interessiert nicht, was ein betrunkener Mann von sich gibt. Jetzt hör auf, wegen Trixie zu jammern, und geh rein, bevor ich dafür sorge, dass du im Garten schläfst.«

Bevor sie weitere Familieninterna zum Besten gibt und Jenna denkt, ich sei von einer Verrückten großgezogen worden, unterbreche ich ihren Redeschwall.

»Hallo, Mom …«

Leider jedoch scheint sie mit dem Thema noch nicht fertig zu sein.

»Trixie, so ein Quatsch«, murmelt sie, den Blick auf Samson geheftet, der ins Haus trottet und sich bäuchlings aufs Sofa schmeißt. »Wahrscheinlich ist es zehnmal besser, draußen zu schlafen, als im Bett von diesem Mädchen.«

»Mom …«

»Was zum Teufel ist das überhaupt für ein Name? Trixie? Das klingt nach einer Bordsteinschwalbe. Könnt ihr Jungs euch nicht Frauen mit anständigen Namen suchen?«

»Mom!« Erst als ich einen scharfen Ton anschlage, hört sie auf zu lamentieren und dreht sich um. »Mom, komm her. Das ist Jenna«, sage ich und atme scharf ein, weil ich nicht weiß, was als Nächstes kommt.

Ich habe Glück. Meine Mutter blinzelt in die Dunkelheit und schafft es sogar, etwas beschämt auszusehen, als sie merkt, dass wir Besuch haben.

»Ach du meine Güte.«

Ich nehme Jennas Arm und ziehe sie zu der verrückten Frau auf der Veranda.

»Darf ich dir meine Mutter vorstellen, die es zwar immer gut meint, aber ein ziemlich übles Mundwerk hat.«

Jennas Augen funkeln amüsiert, sie lächelt. »Freut mich, Sie kennenzulernen, Mrs. Oliver.«

Mom schenkt ihr ein schiefes Lächeln und kommt die Verandastufen herunter.

»Mich auch, Schätzchen«, sagt sie. »Und entschuldige bitte. Jack wird mich später bestimmt wegen meiner Ausdrucksweise zur Rede stellen.«

Sie sieht gut aus. Gesund. Nicht zu dünn. Nicht erschöpft. Ihre dunkelbraunen Haare fallen in dicken Wellen bis auf die Mitte ihres Rückens, und ihre grünen Augen – die Samson geerbt hat – wirken klar und strahlend.

»Und bitte, nenn mich Lilly«, wendet sie sich wieder an Jenna und streckt die Arme aus, um sie zu umarmen. »Ich freue mich ja so, ein Mädchen kennenzulernen, dessen Name nicht klingt, als würde es strippen.«

Obwohl ich einiges von meiner Mutter gewöhnt bin, trifft mich der Schlag.

»Das ist jetzt nicht dein Ernst, Mom!«

»Was denn?«, tut sie unschuldig, entlässt Jenna aus ihren Armen und legt mir ihre kühle Hand auf die Wange. »Bist du etwa eifersüchtig, weil ich dich nicht zuallererst begrüßt habe?«

»Mom wirklich!« Ich verdrehe die Augen und stoße einen verzweifelten Seufzer aus. »Das ist einer der Gründe, weshalb ich niemals ein Mädchen mit zu dir nach Hause gebracht habe.«

Sie tätschelt mir grinsend die Wange. »Also, bitte. Das du keine Mädchen mit nach Hause bringst, hat einen ganz anderen Grund.« Ihr Blick gleitet zu Jenna, dann wieder zu mir, und sie zwinkert mir zu.

»Mom!«, warne ich sie.

Sie schenkt mir ein wissendes Lächeln und sagt dann ohne jegliche Ironie: »Willkommen zu Hause, mein Kleiner«, küsst mich auf die Wange und flüstert mit bebender Stimme: »Ich bin so froh, dass du da bist, Jack. Du hast mir so schrecklich gefehlt.«

»Du mir auch«, erwidere ich gerührt und gebe ihr ebenfalls einen Kuss.

Sie tritt zurück, räuspert sich und winkt uns, jetzt wieder ganz fröhlich, ins Haus.

»Kommt rein, ihr zwei. Ich möchte hören, wie eure Reise gewesen ist.«

»Eigentlich muss ich los.« Jenna, weicht einen Schritt zurück und meidet bewusst meinen Blick.

Dass Jenna fährt, ohne dass ich ihr etwas erklären oder mich zumindest für das entschuldigen kann, was ich ihr zugemutet habe – dieser Gedanke macht mich fertig.

»Meinst du nicht, du solltest noch ein bisschen bleiben?«, frage ich. »Damit wir – du weißt schon – reden können?«

Die letzten Worte presse ich mit zusammengebissenen Zähnen hervor und sehe sie eindringlich an.

Ihr Blick fliegt von links nach rechts, erst zu meiner Mutter, dann zu Samson.

»O nein. Du und ich, wir können *jederzeit* reden«, sagt sie mit merkwürdiger Betonung. »Ich sollte mich also wirklich auf den Weg machen, ehe es noch später wird.«

Nein, begehre ich innerlich auf, das geht nicht. Ich darf nicht zulassen, dass Jenna mich verlässt, ohne dass ich einiges klarstellen kann. Zumindest muss ich sicher sein, dass sie wirklich okay ist. Und was noch wichtiger ist, ich muss wissen, ob sie mich nach dem, was heute Abend passiert ist, mit anderen Augen sieht. Herrgott, ich habe sie immerhin in eine unmögliche und zudem gefährliche Situation gebracht – wir sind mit Schusswaffen bedroht worden! Da hat sie doch bestimmt eine Menge Fragen oder auch eine Menge Bedenken, was meine Person betrifft.

»Unsinn«, sage ich mit gezwungenem Lächeln. »Du solltest heute Nacht hierbleiben. Stimmt's, Mom?«, wende ich mich Hilfe suchend an meine Mutter.

»Natürlich!« Sie lächelt breit, ist ganz offensichtlich entzückt über die Aussicht, ein Mädchen im Haus zu haben. »Ich würde mich sehr freuen.«

Jenna wirft mir einen wütenden Blick zu, bevor sie lächelnd erklärt: »Ich muss wirklich nach Hause. Meine Mom wartet vermutlich längst auf mich und so.«

Als sie nach ihrem Telefon greift, entsteht in meinem Kopf plötzlich ein brillanter Masterplan.

»Tolle Idee«, sage ich. »Rufen wir deine Mutter an und fragen sie, was sie von einer Nachtfahrt hält.«

Ihr zuckersüßes Lächeln erstirbt. »Ich glaube nicht, dass das nötig ist.«

»Warum nicht? Deine Mutter hat sicher eine Meinung dazu, ob du heute noch fahren sollst oder nicht.«

Sie blickt auf ihr Display und seufzt dramatisch. »Geht nicht, der Akku ist fast leer. Ich muss ihn erst im Auto aufladen, bevor ich telefonieren kann.«

»Kein Problem«, sage ich. »Wir nehmen mein Handy. Die Nummer ist sogar gespeichert.«

Ich ziehe das Gerät aus der Hosentasche, wähle die Nummer und halte es mit triumphierendem Lächeln an mein Ohr.

Ihre Augen weiten sich. »Woher hast du die Nummer meiner Mutter?«

»Vom letzten Mal, als deine Grandma angeblich im Sterben lag, schon vergessen? Du hast mich aus New Orleans angerufen, um dich darüber aufzuregen, dass deine Cousine dir eine Idee für ein Tattoo geklaut hat. »Hallo, Sherry?« Ich lächele und wende den Blick ab. »Ja, hier ist Jack Oliver. Ich bin …« Jenna starrt mich verärgert an, während ihre Mutter ins Telefon flötet. »Ja, genau *der* Jack.« Ich zwinkere Jenna zu, die ihrer Mutter offensichtlich mehr über mich erzählt hat, als ich wissen soll. »Ich bin mit Jenna jetzt in Little Vail, und weil es schon ziemlich spät ist, habe ich vorgeschlagen, dass sie hier bei uns übernachtet. Bloß fürchtet Jenna, Sie könnten enttäuscht sein und so … Hm, hm … Ja, genau das habe ich auch gesagt. Aber wir wissen ja beide, dass sie sich standhaft weigert, nachts ihre Brille zu tragen …« Jenna stößt verächtlich die Luft aus, während meine Laune sich stetig bessert. »Richtig … Also, was meinen Sie? Ich möchte Sie bestimmt nicht um die kostbare Zeit mit Ihrer Tochter bringen, doch ich bin zugleich um ihre Sicherheit besorgt … Aha, ganz Ihrer Ansicht … Klar. Hier ist sie.«

Ich halte Jenna das Telefon hin.

Sie durchbohrt mich mit ihren Blicken und reißt mir das Handy aus der Hand.

»Hi Mom … Was sagst du? … Findest du wirklich? … Ja, okay … Bis dann.«

Sie legt auf und gibt mir verdrossen das Telefon zurück. »Sieht aus, als würde ich heute Nacht hierbleiben.«

»Fantastisch«, freut sich meine Mutter und grinst von einem Ohr zum anderen. »Kommt rein, ich mache alles für die Nacht fertig.«

Während wir ihr die Verandastufen hinauf folgen, zischt Jenna mir leise zu: »Ich hasse dich.«

»Ja«, sage ich lächelnd. »Ich weiß.«

13

Jenna

Der heutige Abend ist ziemlich verrückt gewesen. Es wäre eine Lüge, wenn ich behaupten würde, ich hätte mich vorhin in dem Hinterzimmer nicht total erschrocken, als alle plötzlich ihre Waffen auf Jack richteten. Und trotzdem habe ich mich seltsamerweise die ganze Zeit über sicher gefühlt. Liegt es daran, dass ich Jack so sehr vertraue, oder daran, dass ich ernsthaft verrückt bin. Wie dem auch sei, jedenfalls habe ich mir mehr Sorgen um Jack als um mich selbst gemacht.

Allerdings hat die Situation einige Fragen aufgeworfen. Zum Teufel, einen Haufen Fragen sogar, die mir seitdem unentwegt durch den Kopf geistern.

Einerseits habe ich das Gefühl, Jack gar nicht mehr zu kennen, denn der Typ, der heute Abend neben mir in dieser Bar gestanden hat, war irgendwie ein Fremder für mich –, und ich bin mir nicht sicher, was das mit meinen Gefühlen gemacht hat. Der Typ allerdings, der jetzt neben mir sitzt, ist derselbe alte Jack, den ich immer gekannt habe, und ich weiß genau, wie ich mich neben dem fühle.

Glücklich.

Dazu trägt nicht unwesentlich bei, dass Jacks Mom überaus unterhaltsam ist und mich ständig zum Lachen bringt. Lilly Oliver ist eine ganz schöne Furie – und das meine ich im besten Sinne. Ich weiß, dass Jack versucht, sie im Zaum zu halten, doch ehrlich gesagt fände ich es schade, wenn sie ihre Authentizität verlöre.

»Magst du Bier, Jenna? Wir haben welches da«, sagt sie und wirbelt in der Küche von Schrank zu Schrank, um Gott weiß was herauszuholen. »Wir haben keinen Wein vorrätig, weil keiner von uns dieses süße Zeug mag. Und auch keinen Champagner, weil … Igitt. Bei uns sind Bier, Whiskey, Tequila, Gin und Bier im Angebot.« Sie unterbricht sich und sieht mich an. »Trinkst du überhaupt Alkohol? Wenn nicht, ist das völlig okay.« Sie öffnet den Kühlschrank und prüft leise summend den Inhalt. »Du könntest abgelaufene Milch haben, ein halbes Sunny Delight oder Leitungswasser.« Sie holt ein Sixpack aus dem Kühlschrank und hält es triumphierend in die Höhe. »Oder eben Bier.«

Jack reibt sich die Schläfe. »Meinst du nicht, dass Jenna inzwischen mitbekommen hat, dass du Bier im Haus hast?«

Sie wirft ihm einen missbilligenden Blick zu. »Ich versuche nur, eine gute Gastgeberin zu sein.«

Er nickt. »Das entscheidende Wort ist Gastgeberin, Mom. Nicht Barkeeperin.«

Sie beachtet ihn nicht weiter und sieht mich an. »Was möchtest du trinken, Schätzchen? Sunny D? Wasser?« Sie zwinkert mir zu. »Bier?«

Ich lächele. »Kann ich vielleicht einen Whiskey bekommen?«

Als keine Antwort kommt, befürchte ich schon, dass Jacks Mom beleidigt ist, weil ich kein Bier genommen habe. Doch dann lässt Lilly die Kühlschranktür zufallen und wirft fröhlich die Hände in die Luft.

»Endlich! Ein Mädchen mit Geschmack! Tut mir leid, Schätzchen, aber ich muss das einfach tun«, sagt sie, kommt zu mir und küsst mich auf den Scheitel.

»Mom«, stöhnt Jack. »Kannst du nicht wenigstens versuchen, dich normal zu benehmen?«

Ich lache, als Lilly einen zweiten flüchtigen Kuss auf meinem Kopf haucht und ihrem Sohn einen tadelnden Blick zuwirft.

»Das *ist* normal für mich. Du hast ein schönes Mädchen mit nach Hause gebracht, das Whiskey trinkt – und das ist ein Grund zum Feiern.« Sie eilt durch die Küche und holt drei Gläser und eine Flasche Maker's Mark. »Wie trinkst du ihn, Jenna?«

»Auf Eis bitte«, sage ich.

Während sie Eis in unsere Gläser füllt, blickt sie zu Jack und formt mit den Lippen die Worte: *Ich liebe sie.*

Er erwidert auf dieselbe Art: *Das merkt man.*

Mein Telefon vibriert, und ich sehe, dass ich vier Anrufe verpasst habe – alle von meinen Cousinen.

Ich lächele Lilly zu. »Würden Sie mich einen Augenblick entschuldigen? Ich bin gleich zurück.«

Ich verlasse die Küche und gehe nach rechts den Flur hinunter und rufe Callie an. Sie geht nicht ran. Ich versuche es bei Becca. Nichts. Als ich meine SMS durchsehe, stelle ich fest, dass sie lediglich wissen wollten, ob ich noch lebe und wann ich voraussichtlich in New Orleans ankomme.

Also schreibe ich ihnen eine Nachricht und teile ihnen mit, dass alles okay ist und ich morgen eintreffe. Auf meinem Rückweg zur Küche fällt mir ein ziemlich neues Foto von Jack und Samson auf, das dort an der Wand hängt. Ich betrachte den Jüngeren genauer, denn heute Abend habe ich ihn gar nicht richtig ansehen können bei all den Waffen, die auf uns gerichtet waren. Außerdem lag er betrunken am Boden. Jetzt auf dem Foto sehe ich zum ersten Mal, dass Samson Jack sehr ähnlich sieht. Beide sind groß, dunkel und ziemlich attraktiv, nur dass Samson jungenhafter und frecher wirkt. Und während Jack dunkelgraue Augen hat, die von einer grünen Linie umgeben sind, sind Samsons richtig grün.

Als ich weitergehe und gerade die Küche betreten will, sehe ich, dass Jack und seine Mutter offenbar in ein intensives Gespräch vertieft sind. Um sie nicht zu stören, ziehe ich mich schnell wieder in den dunklen Flur zurück.

»Sag mir die Wahrheit, Jack«, höre ich Lilly besorgt sagen. »Wie schlimm ist die Sache mit Drew?«

Jack seufzt schwer. »Ich weiß es nicht, Mom.«

Ich schwanke zwischen Neugier und Takt. Zwar gehe ich noch ein Stück weiter in den Flur zurück, aber als ich sie immer noch belauschen kann, bleibe ich gebannt stehen.

Lillys Stimme klingt jetzt schrill: »Geht es ihm gut? Ist er in Schwierigkeiten? Ist er …«

»Es geht ihm gut, da bin ich sicher«, beruhigt Jack sie. »Alles kommt wieder in Ordnung.«

»Verdammt, Jack«, schnieft Lilly. »Sag es mir, damit ich Bescheid weiß. Ich schwöre dir: Alles, was ich mir vorstelle, ist schlimmer als die Wahrheit. Viel schlimmer.«

»Ja, das stimmt wahrscheinlich«, sagt er und seufzt vernehmlich.

Ich drücke mich an die Wand des Flurs und höre, wie Jack tief Luft holt.

»Also gut, es ist folgendermaßen: Drew hat sich mit einigen von Dads Kumpeln eingelassen, und jetzt versucht er, da wieder rauszukommen – aber reg dich nicht auf. Samson und ich haben einen Plan. Alles wird gut.«

Verwundert schüttele ich den Kopf. Ich weiß ganz sicher, dass die beiden *keinen* Plan haben – Jack will seine Mutter bloß beruhigen. Was ihm allerdings nicht zu gelingen scheint.

»Mit welchen Kumpeln?«, fragt Lilly hörbar alarmiert.

»Mom, bitte …«

»Mit welchen, Jack?« Ein Moment vergeht. »Zwing mich nicht, Jonesy anzurufen.«

Jack seufzt. »Mit den Royals.«

»Den *Royals*?« Ein entsetzter Schrei dringt aus ihrer Kehle. »O nein. Nicht Drew. Nein, nein, nein …«

»Mom. *Mom.* Sieh mich an.« Jack senkt die Stimme, bis er beinahe flüstert. »Ich werde alles für unsere Familie tun. Für dich. Für Samson. Und insbesondere für Drew. Also werde ich ihn finden.« Er zögert. »Egal wie, ich werde ihn finden und nach Hause bringen. Alles kommt in Ordnung. Versprochen.«

Er klingt so sanft. So liebevoll. Manchmal ist er so – ich habe es selbst schon erlebt.

Lilly seufzt erneut. »Ich mache mir solche Sorgen.«

»Das brauchst du nicht – ich kümmere mich um Drew.«

»Nein, das meine ich jetzt nicht. Ich mache mir Sorgen um *dich.«* Ich höre, wie ein Stuhl über den Boden geschoben wird, als würde sie näher zu ihm rücken. »Du hast dich um diese Familie gekümmert, seit du ein Teenager warst – noch bevor das alles mit deinem Vater passiert ist. Und als du weggegangen bist …« Sie holt Luft. »Ich habe zwar versucht, dich davon abzuhalten, Jack, aber insgeheim war ich erleichtert. Du musstest hier raus und dich von all den Altlasten befreien, die du von deinem Vater geerbt hast. Und jetzt bist du wegen dieser Sache mit Drew zurückgekommen, und ich habe Angst, dass du zwangsläufig wieder in die alte Rolle rutschst und alles erneut auf dir lastet.«

»Euch zu lieben ist keine Belastung.«

»Du weißt, was ich meine. Ich kann dir nicht sagen, wie sehr du mir gefehlt hast, und ich bin so froh, dass du jetzt hier bist – doch ich will nicht, dass du wieder der Jack wirst, der du früher gewesen bist.«

Ein Moment vergeht, bevor er antwortet: »Du musst dir keine Sorgen machen. Ich bin jetzt ein anderer, ein glücklicherer Jack.«

»Ich weiß.« Man kann das Lächeln in ihrer Stimme hören. »Das merke ich. Deshalb wäre es auch schrecklich, wenn das durch diese Geschichte wieder zerstört würde.«

»Du machst dir zu viele Sorgen, Mom. Das passiert schon nicht. Und außerdem werdet ihr, du und Sam, auf mich aufpassen.«

»Und Jenna.«

»Wohl kaum«, erwidert er. »Sie will so schnell wie möglich von hier weg. Nicht dass ich es ihr verübeln würde. Musstest du sie übrigens wirklich auf den Kopf küssen?«

Sie lacht leise. »Ach, Jack.«

»Was?«

»Ich freue mich einfach, dass du zu Hause bist. Das ist alles.«

Das ist mein Stichwort.

Mit einem lauten Räuspern und festen Schritten stapfe ich vernehmlich durch den Flur und kehre mit einem strahlenden Lächeln in die Küche zurück.

»Tut mir leid, hat ein bisschen länger gedauert.«

Die Flasche Maker's Mark steht neben den drei mit Eiswürfeln gefüllten Gläsern auf dem Tisch. Als ich mich setze, schenkt Lilly mir einen Drink ein, dann will sie Jacks Glas ebenfalls füllen, aber der lehnt ab.

»Ich muss noch mal weg.«

Lilly wirkt ebenso beunruhigt wie ich. »Heute Nacht noch?« Sie blickt auf die Uhr an der Wand. Es ist fast Mitternacht.

Er nickt. »Ich will ein paar alte Freunde treffen.«

»Hat das nicht bis morgen Zeit?«

»Nein.« Jack zuckt mit den Schultern. »Je länger ich warte, desto mehr Leute wissen, dass ich in der Stadt bin. Und ich hatte irgendwie gehofft, ein paar von ihnen … zu überraschen.«

Ich kneife die Augen zusammen. Nach seinem ganzen Gerede von wegen, ich sollte nicht nachts fahren und sei zu müde, will er noch mit seinen Freunden weggehen? So ein Quatsch. Er hat etwas vor. Und nach allem, was ich vor ein paar Stunden in der Bar mitbekommen habe, ist es wahrscheinlich etwas Fragwürdiges.

Lilly zieht sein leeres Glas zurück »Na, gut. Bleibt mehr Whiskey für mich.«

»Ist es okay, wenn ich mir dein Auto leihe?«, erkundigt sich Jack bei seiner Mutter, doch dann fällt ihm offenbar etwas ein, und fahrig streicht er sich durch die dunklen Haare. »Mist. Dein Auto ist ja gar nicht hier«, murmelt er.

»Leider nein.« Sie schüttelt den Kopf. »Damit ist Samson heute Abend ins *Vipers* gefahren, und dort steht es hoffentlich noch.«

»Verdammt. Warum hat er bloß sein Motorrad verkauft?«

»Wegen des Geldes. Diese Harley war das einzig Wertvolle, was Samson besessen hat.« Lilly stutzt. »Wo ist der Junge eigentlich? Ist er etwa auf meinem Sofa eingeschlafen? Wehe, er sabbert wieder auf das Polster.« Sie steht auf, nimmt ihr Whiskeyglas vom Tisch, marschiert ins Wohnzimmer und murmelt: »Vor allem, wenn sein eigenes Zimmer nur zehn Schritte entfernt ist …«

Sobald wir in der Küche allein sind, verändert sich Jacks Haltung – es ist, als würde er in bequeme Kleidungsstücke schlüpfen. Freundlich lächelt er mich an.

»Wetten, dass du ziemlich müde bist?«

Ich mustere ihn, während ich von meinem Whiskey trinke.

»Eigentlich nicht.«

Er lehnt sich auf seinem Stuhl zurück und tut, als müsste er gähnen.

»Das war immerhin ein langer Tag.«

»Hm.« Fragend hebe ich eine Braue, obwohl ich genau weiß, dass gleich seine Ich-muss-dich-um-einen-Gefallen-bitten-Stimme kommt.

Ich warte …

Auf seine Ellbogen gestützt, beugt er sich zu mir vor und sieht mich mit flehendem Blick aus seinen faszinierenden Augen an.

»Ist es okay, wenn ich mir heute Nacht dein Auto leihe? Für ein oder zwei Stunden?«

Na, bitte.

»Damit du dich mit ein paar sogenannten Freunden treffen kannst?«

Er nickt.

»Klar.« Ich lächele zuckersüß und füge dann hinzu, als er

sich bereits erwartungsvoll aufrichtet: »Aber nur, wenn du mir sagst, warum du *wirklich* noch mal weg musst.«

Sein Versuch, unschuldig auszusehen, geht gründlich daneben. Ist bei ihm ohnehin nicht einfach mit der etwas wilden Frisur, den vielen Tattoos und seinem ganzen coolen Gehabe.

»Das habe ich dir doch gesagt. Ich treffe mich mit ein paar alten …«

»Freunden. Richtig.« Ich nehme noch einen Schluck. »Du bist ein elender Lügner. Und ich gebe dir mein Auto bloß, wenn du endlich mit der Wahrheit rüberkommst.« Als ich seine versteinerte Miene sehe, schiebe ich provozierend nach: »Entweder das oder du musst mich mitnehmen.«

Statt aufzubrausen, lässt er die Schultern sinken. Das heißt, mich mitzunehmen, ist keine Option – und im Umkehrschluss bedeutet es, er will mir nicht die Wahrheit sagen, weil er nichts Gutes im Schilde führt.

Okay, dann soll er zusehen, wie er ohne mein Auto klarkommt.

Zu meiner Überraschung gibt er nach.

»Von mir aus«, knurrt er widerwillig.

»Gut, ich höre.«

Seufzend beginnt er nach einer Weile zu sprechen.

»Ich weiß, dass du wahrscheinlich eine Menge Fragen hast. Wegen heute Abend. Wegen …«

»… der Prämie, die auf den Kopf von deinem Bruder ausgesetzt ist? Ja, genau.«

»Pst, sei leise!« Er späht kurz zum Wohnzimmer. »Meine Mom könnte dich hören.«

Ich nicke und dämpfe meine Stimme. »Tut mir leid, aber

sollte sie nicht wissen, in welcher Gefahr sich Drew wirklich befindet?«

Er schüttelt den Kopf. »Nein.«

»Nein?«, wiederhole ich entgeistert. »Diese Leute wollen ihn tot sehen, Herrgott.«

»Schon klar. Trotzdem will ich ihr nichts sagen, ehe ich nicht herausgefunden habe, ob es eine echte Bedrohung ist oder nicht.«

Mir bleibt der Mund offen stehen. »Bist du verrückt? Du solltest die Cops rufen und nicht auf eigene Faust Detektiv spielen.«

Geräuschvoll stößt er die Luft aus. »Die Cops können uns nicht helfen.«

»Warum bitte nicht? Wird Little Vail etwa von Gangstern regiert, oder was?«

»So ungefähr.«

Ungläubig starre ich ihn an und warte darauf, dass er seine Bemerkung relativiert oder zumindest erklärt, aber seine Miene bleibt ernst. Kalte Angst packt mich, meine Gedanken rasen und führen alle zu demselben Ergebnis: dass Jack sterben wird.

»Was zum Teufel ist hier los, Jack?«, frage ich mit brüchiger Stimme.

Er wischt sich mit der Hand durchs Gesicht und antwortet ausweichend.

»Du bist in Sicherheit, versprochen. Und meine Mutter und Samson ebenfalls. Ich weiß, du hast einen Haufen Fragen, und ich werde sie dir beantworten, ehrlich. Vorher muss ich allerdings unbedingt ein paar Sachen klären, morgen können wir dann reden.«

Unschlüssig schürze ich die Lippen.

»Meinst du, ich kann schlafen nach allem, was ich so mitbekommen habe und was mir seitdem so durch den Kopf geht?«

Sanft nimmt er mein Gesicht in seine Hände – eine Geste, die ich erst wenige Male bei ihm erlebt habe – und sieht mir tief in die Augen.

»Du musst mir vertrauen.« Er blickt suchend in mein Gesicht, und plötzlich möchte ich mich in seine Arme werfen und an seinen warmen Körper kuscheln, wo ich mich vertraut und sicher fühle und niemand mir etwas antun kann. »Ich würde nie zulassen, dass dir etwas passiert.«

Um mich wieder zu fassen, schlucke ich heftig und löse mein Gesicht langsam aus seinen Händen.

»Ich mache mir keine Sorgen um mich. *Du* bist es, der mitten in der Nacht irgendwelche *Freunde* treffen will. Und außerdem sagst du mir nicht die Wahrheit.«

»Du hast recht.« Ernst sieht er mich an. »Das stimmt, aber …«

Er hält inne, als plötzlich Lilly in die Küche zurückkehrt, die noch immer leise vor sich hin über Samson schimpft. Jack und ich rücken voneinander ab.

»Gott, bin ich müde«, erklärt sie und gähnt.

Ihr Gähnen erinnert mich daran, dass die arme Frau wahrscheinlich morgen zeitig aufstehen muss und ich mit meinem Schlummertrunk ebenfalls langsam zu einem Ende kommen sollte.

»Schlaft ihr zwei heute Nacht in deinem Zimmer, oder soll ich …«, beginnt Lilly und sieht ihren Sohn an, doch Jack unterbricht sie sofort.

»Jenna kann in meinem Zimmer schlafen«, sagt er. »Ich haue mich auf irgendeine sabberfreie Couch.«

Lilly setzt ein gezwungenes Lächeln auf. »Perfekt. Dann hole ich mal frische Bettwäsche und Handtücher.«

Zehn Minuten später bin ich so weit, ins Bett zu gehen. Da ich keine Lust habe, mein Gepäck noch hereinzuschleppen, beschließe ich, in T-Shirt und Leggins zu schlafen. Morgen werde ich mir ein paar frische Sachen holen und eine Dusche nehmen und all das. Heute Abend bin ich für das alles einfach zu müde.

»Schlaf gut, wir reden morgen früh weiter, versprochen«, sagt Jack etwas halbherzig von der Schlafzimmertür aus, nachdem ich mich in sein Bett gekuschelt habe.

»Gute Nacht.«

Mit einem lauten Knacken schließt er die Tür, das Geräusch hallt in meinen Ohren wider. Ich weiß nicht, ob ich eine gute Nacht haben werde. Wie auch, wenn ich bis morgen auf Antworten warten muss nach alldem, was ich heute Abend mit angesehen und gehört habe. Von einem ungeduldigen Menschen ist das verdammt viel verlangt – und Jack weiß, wie ungeduldig ich bin.

Ich vergrabe mich unter der sauberen dunkelblauen Decke in Jacks Bett. Sie riecht nicht nach ihm, was mich irgendwie enttäuscht, doch das Zimmer fühlt sich nach ihm an. Allerdings weder nach dem Jack aus Arizona noch nach dem dunklen Jack von früher, sondern nach einer Mischung aus beiden.

Auf der Kommode entdecke ich einen Helm. Er erinnert mich daran, dass Jack ein Motorradtyp ist. Komisch, wenn ich ihn in Arizona auf seinem Motorrad beobachte, kommt mir das immer so vor, als würde er den harten Kerl, den bösen Jungen nur spielen. Hier scheint er es wirklich gewesen zu sein. Der schwarze Helm in seinem Zimmer macht mir klar, dass der hin- und hergerissene Jack, in dem eine gequälte Seele steckt, in die ich gerade erst Einblick erhalten habe, der richtige ist – oder zumindest der Jack, vor dem er davonzulaufen versucht. Und ich weiß nicht, was ich von diesem anderen Jack halten soll.

In dem Moment springt draußen ein Motor an, und mein Herz schlägt ebenso schnell, wie meine Beine aus dem Bett springen und mich hinunter in den Flur tragen.

Dieser Mistkerl fährt jetzt tatsächlich mit meinem Auto davon. Obwohl er seinen Part des Deals lediglich zu einem kleinen Teil erfüllt hat. Schließlich weiß ich nach wie vor herzlich wenig über die Geschichte.

Ich laufe zum Fenster, ziehe die Vorhänge zurück und sehe gerade noch die Rücklichter meines kleinen roten Chargers in der Nacht verschwinden. Leicht verärgert, kehre ich in mein Bett zurück und hänge trüben Gedanken nach.

Na ja, ein bisschen sauer bin ich schon, aber vor allem habe ich Angst um Jack, der sich jetzt mit wer weiß was für Verbrechern trifft. Dass ich jetzt wieder daran denke, vertreibt meine Müdigkeit, macht mich unruhig und lässt mich ständig auf die Uhr schauen. Ein bis zwei Stunden hat er gesagt. Die Zeit verrinnt, und Jack kommt nicht zurück. Um mich nicht auf meine Ängste und Sorgen konzentrieren zu müssen, krame ich wieder meinen Groll hervor, will ihn am Kochen halten, bis Jack zurückkommt und ich ihn mit Fragen bombardieren kann.

Konzentriere dich auf deinen Ärger, Jenna. Der Typ hat einfach dein Auto genommen, während du damit beschäftigt warst, an seiner Bettwäsche zu riechen. Also echt …

Mit Gedanken wie diesen vergehen die nächsten zwanzig Minuten, besser geht es mir dadurch nicht. Und schlafen kann ich schon gar nicht. Also stehe ich auf, um zu duschen und dadurch vielleicht meine Nerven zu beruhigen. Als ich mich wieder anziehen will, fällt mir ein, dass nicht nur Jack und mein Auto weg sind, sondern auch mein Gepäck. Na, großartig.

Angewidert blicke ich auf mein Shirt und die Leggins und verziehe das Gesicht. Dreckige Sachen anziehen, nachdem ich geduscht habe? Igitt, um es mit Lilly Oliver zu sagen.

Barfuß tappe ich in Jacks Zimmer herum und suche wie ein nasser Waschbär in den Schubladen nach etwas, das ich als Schlafanzug tragen könnte. Probiere verschiedene Basketballshorts und T-Shirts an, doch nichts will passen. Ich bin nicht klein – überhaupt nicht, bin eher durchschnittlich groß und habe eine durchschnittliche Figur. Aber Jack ist ein Riese, der anscheinend alles in Größe XXL trägt.

Ich ziehe ein T-Shirt aus der Kommode, schnuppere abwesend daran und lächele, als ich Jacks Geruch wahrnehme. So langsam halte ich mich selbst für total bescheuert – stehe, in ein Handtuch gewickelt, nachts in einem fremden Zimmer und schnüffele verzückt an fremden Sachen. Immerhin sind sie klein genug, dass sie mir einigermaßen passen.

Das laute Geräusch eines Motors holt mich in die Wirklichkeit zurück. Mein erster Impuls ist es hinauszurennen, aber ich will schließlich noch ein Hühnchen mit ihm rupfen. Also stelle ich mich ans Fenster, schaue hinaus und erstarre. Aus dem Auto taumelt eine dunkle Gestalt und steigt vornübergebeugt langsam die Stufen hoch. Was ist los mit ihm, ist er etwa betrunken? Na toll.

Jetzt höre ich, wie er die Haustür öffnet, und gehe hinunter ins Erdgeschoss, mache mich bereit für eine Tirade, die ich auf ihn loslassen will. Doch als er das Licht einschaltet und ich sein Gesicht sehe, bleibt mir jeder Vorwurf, jede Anklage im Halse stecken.

»Jack«, hauche ich voller Entsetzen.

Er hebt eine blutige Hand über seine zugeschwollenen Augen und blinzelt mich an.

»Jenna. Was zum Teufel …?« In seiner Miene spiegeln sich Zorn, Angst und Erleichterung.

»Hör auf mit deinem ewigen *Was zum Teufel.* Schließlich hast *du* darauf bestanden, nachts zu deinen *Freunden* zu fahren. Mit meinem Auto.«

Er verzieht das Gesicht. »Hör zu. Ich bin nicht in der Stimmung, mit dir zu streiten. Wenn du also nichts dagegen hast, verschieben wir dieses Gezicke auf morgen. Wäre toll. Danke.«

Mit schleppenden Schritten geht er an mir vorbei den Flur hinunter, und in dem Moment bemerke ich, dass zwischen seinen Schulterblättern Blut über seinen Rücken sickert.

»Jack?« Mir bleibt vor Schreck das Herz fast stehen. »Was ist mit deinem Rücken?«

Er wirft einen Blick über seine Schulter. »Ach, das«, sagt er beinahe beiläufig und geht weiter. »Das ist eine Stichverletzung.«

14

Jack

Wäre die Welt so, wie ich sie mir wünsche, würde Jenna die ganze Sache gelassen hinnehmen und einfach zurück ins Bett gehen, ohne mir irgendwelche Fragen zu stellen. Meine Welt ist jedoch das Gegenteil von einem Wunschkonzert.

»Eine Stichverletzung?« Ihre Stimme klingt überraschend fest angesichts des vielen Blutes, auf das sie vermutlich noch immer mit großen Augen starrt, während sie mir wie ein Schatten ins Bad folgt.

»Ja.« Ich meide ihren Blick, ziehe mein kaputtes Shirt aus und werfe es in den Müll.

»Man hat dich *niedergestochen*?«, fragt sie, und der Ton ihrer Stimme verrät, wie entsetzt sie ist.

»Es ist eher ein Schnitt«, wiegele ich ab, drehe den Wasserhahn auf und hole Pflaster und Erste-Hilfe-Utensilien aus dem Medizinschrank.

Sie weiß es nicht, doch es ist keineswegs das erste Mal, dass ich blutüberströmt in dieses Bad komme – hoffentlich aber das letzte Mal.

»Gut. Man hat dich also *geschnitten?«,* insistiert sie und keilt mich dermaßen am Waschbecken ein, dass mir keine andere Wahl bleibt, als ihr in die Augen zu sehen.

»Ja.« Widerwillig schaue ich sie an und bereite mich darauf vor, dass sie sich voller Abscheu abwendet und unsere Beziehung sich von diesem Moment an verändern wird. Die Waffen im *Vipers* hätte ich vielleicht noch als Mätzchen hiesiger Kleinstadtganoven abtun können. Aber blutend von einer Messerstecherei mit richtig bösen Jungs heimzukehren? Das ist schon ein ganz anderes Kaliber. Sie wird mich nie wieder mit denselben Augen sehen.

Leb wohl, Arizona-Jack. Leb wohl, Jenna.

Zu meiner Überraschung fragt sie nicht, schimpft nicht, klagt nicht. In ihren Augen steht nicht einmal, wie erwartet, Argwohn – dort erkenne ich nichts als Sorge, in die sich kurz ein Anflug von Schmerz mischt, bevor sie resolut zur Tat schreitet.

»Dreh dich um«, fordert sie mich auf und wedelt ungeduldig mit der Hand. »Lass mich sehen, ob du vielleicht genäht werden musst.«

Ich schüttele den Kopf, bevor ich mich langsam umdrehe. »Ich muss nicht genäht werden.«

Gereizt erwidert sie: »Das entscheide ich.«

Dann nimmt sie einen sauberen Waschlappen, macht ihn im Waschbecken nass und säubert vorsichtig die Haut um den Schnitt zwischen meinen Schulterblättern. Nach wie vor blutet die Wunde so stark, dass sie den Lappen ein paarmal auswaschen muss, doch immerhin lindert die Prozedur die Schmerzen ein wenig.

Ich mag das Gefühl ihrer Hände auf meinem Rücken, den Druck ihrer Fingerspitzen, wenn sie sanft mit dem nassen Lappen meine Haut abtupft und ihr warmer Atem über mein Rückgrat streicht, bevor sie frustriert die Luft ausstößt. Ganz offensichtlich ist sie irgendwie wütend auf mich, jedoch gleichzeitig auch besorgt. Jedenfalls bemüht sie sich, ihre Zunge im Zaum zu halten. Ich weiß, was das für sie bedeutet, und bin mir nicht sicher, ob ich dieses Opfer wirklich verdient habe.

Nachdem sie das Blut abgewaschen hat, fängt sie an, die eigentliche Wunde zu säubern. Obwohl es nicht besonders wehtut, zucke ich zusammen, als sie mit dem Wattebausch den offenen Schnitt berührt und ich ein plötzliches Brennen spüre.

Sie hält inne. »Tut mir leid«, murmelt sie, bevor sie sanft weitermacht mit dem Desinfizieren der Wunde. »Du musst nicht genäht werden.«

»Hab ich doch gesagt«, erwidere ich und beobachte im Spiegel, wie sie den Schnitt vorsichtig mit kleinen Pflastern zusammenzieht und die gesamte Wunde am Ende mit einem großen Pflaster bedeckt.

Das alles macht sie präzise und sehr sachlich, aber anschließend starrt sie mit trauriger Miene auf die Tattoos zwischen meinen Schulterblättern, die ebenfalls in Mitleidenschaft gezogen worden sind. Zitternd holt sie Luft, und plötzlich läuft eine Träne über ihre Wange, ohne dass sie Anstalten macht, sie wegzuwischen. Mein Herz zieht sich zusammen, denn das ist erst das zweite Mal, dass ich Jenna die Fassung verlieren sehe und sie derart apathisch erlebe. Sie stellt keine Fragen. Sie schreit nicht. Sie versucht einfach, nichts zu fühlen.

Ich löse den Blick von ihrem Spiegelbild und senke den Kopf. Jenna betrachtet es als Schwäche, vor anderen Gefühle zu zeigen. Mein blutiger Körper hat sie zu Tode erschreckt, und jetzt versucht sie, sich das nicht anmerken zu lassen.

»Jenn«, flüstere ich, bin unsicher, was ich sagen soll. »Es tut mir leid.«

Sie sagt nichts. Tut nichts. Ihr Instinkt wird sie dazu bewegen, noch vor Tagesanbruch aufzubrechen, damit ich keine Gelegenheit mehr habe, sie derart zu ängstigen, und sie nicht erneut Gefahr läuft, sich solche Sorgen machen zu müssen. Nach wie vor drehe ich ihr den Rücken zu, beobachte bloß im Spiegel, wie Tränen von ihrer Wange heruntertropfen.

Ruhig wischt sie sich jetzt mit einer Hand übers Gesicht und räuspert sich.

»Soll ich auch deine Hände desinfizieren?«

Ich mustere meine blutigen Knöchel, die aufgerissene, schmutzige Haut. Wenngleich ich eigentlich keine Hilfe brauche, um diese Wunden zu säubern, drehe ich mich zu ihr um und strecke ihr meine Hände entgegen. Sie sieht nicht zu mir hoch, nicht ein einziges Mal, während sie die Schnitte reinigt.

»Willst du mich etwas fragen?«, sage ich, während ihre Finger vorsichtig über meine Hand streichen und sie meine Knöchel versorgt. »Wo ich heute Nacht gewesen bin? Was passiert ist?«

»Nein, ich glaube nicht, dass ich das wissen will«, erwidert sie und atmet ruhig und kontrolliert weiter.

Im Grunde könnte ich es dabei belassen und nichts weiter von mir preisgeben. Vielleicht würden wir sogar Freunde bleiben und so tun, als wäre Arizona-Jack der einzige Jack, den es gibt. Sie könnte die Stichwunde in meinem Rücken vergessen und sich langsam von mir entfernen, denn das scheint sie ja zu wollen.

Wenn es mir allein um *sie* ginge, würde ich ihr wahrscheinlich ihren Willen lassen. Bloß geht es mir ebenfalls um *uns*. Und *wir* haben lediglich dann eine Chance, wenn einer von uns beiden damit beginnt, sich dem anderen zu öffnen.

»Und wenn ich will, dass du es weißt?«, hake ich nach.

Sie sieht mich wachsam an, versorgt weiter meine Hände. »Dann würde ich wohl zuhören«, sagt sie schlicht.

Ich seufze vor Erleichterung und wähle meine Worte mit Bedacht.

»Ich bin zu einem Typen namens Hedrick gefahren, dem eine Bar im Stadtzentrum gehört und der auch für die Leute gearbeitet hat, die Samson heute Abend angerufen haben.«

»Die Royals«, wirft sie ein. »Die Leute, die eine Prämie auf Drews Kopf ausgesetzt haben.«

»So ist es«, bestätige ich. »Ich wollte mit Hedrick sprechen, um herauszufinden, in was für eine Sache Drew verwickelt ist. Ich dachte, Hedrick könnte mir erklären, warum Drew untergetaucht ist. Daraus ließe sich vielleicht schließen, wo er sich möglicherweise verbirgt und wo bestimmt nicht.« Ich starre in das blutige Waschbecken und schüttele den Kopf. »Hedrick hat sich merkwürdig verhalten, als hätte er Angst – und er hat behauptet, nichts von Drew oder den Royals zu wissen. Mir war klar, dass er log, und zugleich erkannte ich, dass er mir keine Silbe verraten würde – egal was er wusste oder nicht. Er hatte richtiggehend Schiss. Darum bin ich auch ziemlich schnell wieder gegangen. Auf dem Parkplatz ist mir dann ein Auto der Royals aufgefallen. Das fand ich komisch, weil die Royals eigentlich nichts mehr mit Hedrick zu tun haben. Zumindest sollten sie nichts mehr mit ihm zu tun haben. Deshalb war sonnenklar, dass hier etwas vor sich ging. Also habe ich getan, als würde ich wegfahren, aber nur eine Runde um den Block gedreht. Anschließend habe ich das Auto versteckt abgestellt und mich zum rückwärtigen Fenster von Hedricks Bar geschlichen. Und da sah ich gerade noch, wie zwei Royals Hedrick zusammenschlugen. Es war echt heftig.« Ich hole Luft. »Ich bin also reingestürmt, bin dazwischengegangen und wollte die Typen von ihm wegziehen. Und schon war ich mittendrin, und dabei ist das hier passiert.«

Ich nicke mit dem Kopf zu meinen Händen hin, die sie noch immer in ihren hält.

Sie starrt stumm auf die Wunden, die sie gerade versorgt.

Der heutige Kampf war ziemlich unausgewogenen, zumindest in körperlicher Hinsicht. Obwohl es zwei gegen einen ging, konnte ich meine Gegner schnell überwältigen. Das waren keine geschickten Kämpfer und leicht zu bezwingen. Hätte ich allerdings gewusst, dass sie ein Messer hatten, wäre ich vorsichtiger gewesen. So traf mich die Klinge völlig unvorbereitet – einer der Royals erwischte mich, kurz bevor ich ihn ausschalten konnte. Im Grunde ging alles ganz schnell. Beide Männer lagen innerhalb von Minuten bewusstlos am Boden. Leider Gottes war es ihnen vorher schon gelungen, Hedrick zusammenzuschlagen.

Ich schüttele den Kopf. »Diese Typen waren eindeutig als Aufpasser in der Bar, damit Hedrick nicht redete, und als ich unvermutet auftauchte, dachten sie offenbar, dass Hedrick mir etwas verraten hat.« Ich fluche leise vor mich hin. »Sie haben ihn meinetwegen zusammengeschlagen.«

Jenna tupft den letzten Schnitt mit einem Wattebausch ab. »Ist er okay?«

»Ja. Seine Nase ist gebrochen, und der eine Kerl hat ihn mit dem Messer am Bein erwischt, aber er ist okay. Ich habe ihn nach Hause gebracht, wo sich jetzt seine Freundin Sasha um ihn kümmert.«

Mein Blick gleitet über ihre langen, dunklen Haare, die offen über ihre Schultern fallen, und erst da merke ich, dass sie mein T-Shirt trägt. Und meine Shorts. Verzweiflung erfasst mich. Ich will sie nicht verlieren. Dazu darf es nicht kommen.

Sie klebt das letzte Pflaster um meinen Knöchel und drückt es sanft an, damit es hält.

»Und die anderen Typen?«, fragt sie leise, ohne mich anzusehen. »Wie sahen die am Ende aus?«

Ich brauche eine Weile, um zu antworten, während ich innerlich mit mir ringe. Wer bin ich, was will sie, frage ich mich.

»Nicht so gut.«

Sie deutet mit dem Kopf auf meine Hände. »Hast du wenigstens etwas über Drew herausgefunden?«

»Ja.« Ich nicke und spüre, wie sich meine Gesichtszüge verhärten.

Wut steigt erneut in mir auf, doch darunter verbirgt sich nichts als Angst. Starke, dunkle Angst. Ich habe heute Nacht herausgefunden, dass Drew genau in die Geschäfte verwickelt ist, aus denen ich meine Familie mit allen Mitteln heraushalten wollte. Allein bei dem Gedanken koche ich innerlich, krampft sich mein Magen zusammen. Es tut mir in der Seele weh. Gott, tut das weh. Wenn Drew etwas passiert … Sofort zwinge ich meine Gedanken in eine andere Richtung.

»Ich habe herausgefunden, wer außer Drew noch in die

Sache verwickelt ist«, berichte ich weiter. »Darum glaube ich jetzt zu wissen, wie ich ihn finden kann.«

Sie streicht mit den Fingern über meine Hände und nimmt sie erneut sanft in ihre, dann hebt sie den Blick zu mir, mustert mich eindringlich.

»Dann war es das wohl wert.«

Aus ihren goldfarbenen Augen spricht weder Angst noch Missbilligung – sie wirkt lediglich irgendwie verschlossen. Kurzfristig tritt meine Sorge um Drew und meine Angst um ihn in den Hintergrund.

»Du bist total schockiert, stimmt's?«

Nachdenklich schüttelt sie den Kopf. »Nein, nicht schockiert. Nur verwirrt. Ich habe das Gefühl, dich gar nicht zu kennen.« Ihr Blick wandert über meine Brust zu meinen verbundenen Händen, dann zu dem blutigen Waschlappen. »Überhaupt nicht.«

Ich kann sie gut verstehen. »Macht dir das Angst?«, frage ich.

»Nein.« Sie sieht mir weiterhin fest in die Augen, tritt dann zurück und stößt geräuschvoll, fast wütend die Luft aus. »Mir macht etwas ganz anderes Angst«, fährt sie fort. »Und zwar die Tatsache, dass du hier mit einer Stichwunde auftauchst und es mich nicht einmal schockiert. Das finde ich besorgniserregend.«

Ich deute auf die Schweinerei, die ich im Bad veranstaltet habe. »All das Blut, der Kampf – das macht dir echt keine Angst?«

»Im Grunde kapiere ich das selbst nicht«, antwortet sie und wirkt in diesem Moment, als wäre sie wütend auf sich selbst. »Du kommst nach einer blutigen *Messerstecherei* mit irgendwelchen miesen Typen zurück und alles, was ich denken kann, ist: O mein Gott, ist Jack okay? Hat er Schmerzen? Das Einzige, was mir heute Nacht Angst gemacht hat, war der Gedanke, dass du verletzt werden könntest. Oder Schlimmeres.«

Beim letzten Wort bricht ihre Stimme, sie wendet den Blick ab und beginnt, das Verbandszeug wegzuräumen, und wirft gebrauchtes Material in den Müll.

Ich greife nach ihren Händen, drehe sie zu mir herum und streiche mit den Fingern ihre Arme hinauf, den Hals entlang und umfasse schließlich ihr Gesicht. In ihrer Miene spiegeln sich Verzweiflung und Ärger. Wut auf mich und genauso auf sich selbst. Und Verletzlichkeit, denn plötzlich rinnen erneut Tränen über ihre Wangen.

»Es tut mir leid«, sage ich leise.

Hin- und hergerissen von widerstreitenden Emotionen schaut sie mich ein.

»Du hast da Blut …«, sagt sie leise und berührt mit ihrem Finger kaum merklich meine Unterlippe.

Verwundert gebe ich ihr Gesicht frei und taste die Lippe ab. Ich kann mich nicht erinnern, einen Schlag ins Gesicht verpasst bekommen zu haben, doch jetzt spüre ich, dass da eine Verletzung ist, ein dumpfer Schmerz. Ich versuche, das Blut wegzuwischen.

»Warte«, flüstert Jenna. »Sonst verschmierst du es nur.«

Sie säubert die aufgeplatzte Lippe vorsichtig mit einem Wattepad, dann lehnt sie sich zurück, legt eine Hand auf meine Brust und sucht mein Gesicht nach weiteren Blessuren ab. Zentimeterweise gleitet ihr Blick von einer Seite zur anderen, von oben nach unten, um schließlich an meinem Mund hängen zu bleiben.

Und mit einem Mal ändert sich die Stimmung.

Gereiztheit weicht Beklommenheit und knisternder Erwartung.

»Ich bin sauer auf dich«, sagt sie, als wollte sie sich selbst überzeugen.

»Weil ich dir Angst gemacht habe?«

»Weil du einfach so auf und davon bist. Mit meinem Auto, ohne noch einmal zu fragen, ob das wirklich okay ist.«

Ich nähere mein Gesicht dem ihren.

»Du hast recht. Das war nicht in Ordnung«, murmele ich an ihrem Mund und streiche mit meinen Lippen über ihre. »Du solltest dich lieber von mir fernhalten.«

»Das sollte ich wirklich«, flüstert sie und tut genau das Gegenteil.

Aus heiterem Himmel umschließt ihr Mund meine Unterlippe, saugt sich daran so fest, dass sie sicherlich mein Blut schmeckt. Das ist das Problem mit Jenna. Sie will mich mehr, als sie zugibt. Mal merkt man es mehr, mal weniger. Aber im letzteren Fall, wie gerade jetzt, ist ihre Lust geradezu animalisch. Wild und leidenschaftlich, macht uns beide süchtig – Momente wie dieser beweisen nur, wie nah ich ihr gekommen bin.

Und da ich nicht weniger will, umfasse ich ihre Taille, ziehe sie an mich und küsse sie, sauge nun meinerseits an ihren Lippen und öffne sie, um meine Zunge in die warme Höhle gleiten zu lassen.

Sie stöhnt, als ich ihren Mund liebkose, über ihre Zähne streiche und dann in ihre Lippe beiße. Greift nach meinen Haaren und zieht fest daran, biegt sich mir entgegen. Ihr Hinterteil umfassend, presse ich sie an mich und hebe sie auf den Waschtisch, dränge mich zwischen ihre Beine und gegen ihre heiße Mitte, während ich ihre Kieferpartie küsse und dann ihr Ohr. Ich will, dass sie immer so nah bei mir ist.

Lustvoll kreist sie mit den Hüften und reibt sich an meiner Erektion, gräbt dabei ihre Fingernägel in meinen nackten Rücken. Ich lasse eine Hand ihren Rücken hinauf bis zu ihren Haaren wandern, fasse hinein und ziehe ihren Kopf nach hinten, sodass sie mir ihren langen Hals darbietet. Ich küsse ihre Luftröhre, und ihr Keuchen erfüllt den kleinen Raum. Dann sauge ich an ihrem Schlüsselbein, während ich meine andere Hand unter ihr T-Shirt schiebe.

Mein T-Shirt, das locker an ihr herunterhängt.

Als meine Finger über ihren nackten Bauch streichen und sich langsam nach oben vorarbeiten, hält sie die Luft an. Und als meine Finger ihre Brüste mit den harten Spitzen finden, stöhnt sie. Erwidert gierig meinen Kuss und lässt die Hände nach unten wandern, um durch meine Jeans hindurch meinen Schwanz zu fassen. Ich kann mich kaum noch beherrschen, so sehr begehre ich sie. Die letzten Monate waren schrecklich, all das verzweifelte und vergebliche Sehnen nach ihr. Ständig habe ich davon geträumt, diesen vollkommenen, leidenschaftlichen Körper in meinen Armen zu halten.

Ich küsse sie erneut, dann lehne ich mich zurück und ziehe ihr das Shirt über den Kopf, werfe es achtlos zu Boden und betrachte ihre wunderschönen nackten Brüste. Von dort winden sich einige Tattoos zu ihren Schultern hinauf, andere zu ihrem Bauch hinunter. Ich beuge mich vor, umschließe eine der rosigen Knospen mit meinen Lippen und umspiele sie mit meiner Zunge.

Jenna fasst wimmernd meinen Hinterkopf und drückt

mich an ihre Brust. Ich löse mich von ihr und widme mich dem anderen Busen, während ich mit meinen Fingern über ihren Bauch nach unten gleite und meine Hand zwischen ihre gespreizten Beine lege. Sie windet sich, als ich sanft über ihre Mitte reibe. Ich hinterlasse eine Spur Küsse auf ihrer Brust und ihrem Bauch und bewege mich zu der empfindlichen Haut unter ihrem Bauchnabel, wo mein Blick auf das Tattoo des bunten Phönix fällt, der sich um ihren Hüftknochen und den unteren Brustkorb spannt. Mit seinen ausgebreiteten Flügeln und den bunten Federn sieht der mythische Vogel aus, als befände er sich mitten im Flug. Verführerisch, leidenschaftlich, unabhängig.

Genau wie Jenna selbst.

Ich will ihre Shorts nach unten ziehen, doch da greift sie nach meiner Hand und schiebt sie weg, hält mich zurück. Eine gefühlte Ewigkeit blicken wir einander in die Augen, beide atemlos und mit geröteten Wangen.

»Wir können nicht, ich kann nicht«, sagt Jenna und schüttelt den Kopf.

Noch gebe ich sie nicht frei, lasse die Hände um ihren Körper gleiten, sodass ich sie im Arm halte. Wir drängen uns noch immer aneinander – nicht allein mein Körper schreit nach Erlösung. Aber ich spüre auch, dass sie es nicht zulassen will und die Leidenschaft, die uns umfängt, nachzulassen beginnt. Jenna schließt die Augen, weigert sich, mich anzusehen. Sie hat schreckliche Angst, etwas zu fühlen, und quält sich deshalb. Versucht zu leugnen, dass sie mich begehrt, obwohl sie das hier will und vielleicht sogar braucht.

Sanft streiche ich mit dem Daumen über ihre Wange. »Bitte sieh mich an.«

Sie schüttelt den Kopf.

»Jenna«, sage ich.

»Nicht. Bitte nicht«, flüstert sie und verzieht das Gesicht, als würde sie gleich weinen.

»Was ist los?«, frage ich und küsse sie auf die Stirn. »Bitte, sieh mich an.«

Wie so oft reagiert sie wütend. »Was *los* ist? Dass du meinen Namen sagst und mich auf die Stirn küsst und mich im Arm hältst, als würde ich dir ernsthaft etwas bedeuten.«

Ich halte sie ein Stück von mir, um ihr ins Gesicht sehen zu können.

»Du bedeutest mir ernsthaft etwas.«

»Ich weiß«, presst sie unwirsch hervor und öffnet endlich die Augen. »Das ist ja das Problem. Können wir nicht einfach ...« Sie schüttelt erneut den Kopf. »Ich kann das einfach nicht. Nicht mit dir. Nicht jetzt. Tut mir leid.«

Ich beiße die Zähne zusammen, fühle mich gleichermaßen verletzt wie frustriert.

»Was soll denn das? Nicht mit mir. Nicht jetzt. Aber mit einem anderen vielleicht?«

Sie seufzt. »So habe ich das nicht gemeint.«

»Doch, ich glaube, *genauso* hast du es gemeint«, widerspreche ich bitter, lasse sie los und weiche ein Stück zurück. »Wenn ich irgendein Idiot wäre, dem du völlig egal bist, würdest du jetzt wahrscheinlich auf mir liegen.«

Jetzt wirkt *sie* beleidigt. »Das ist nicht fair.«

Nach wie vor getroffen durch ihre Zurückweisung, zucke ich die Schultern. »Mag sein, das ist nicht fair – du bist es allerdings hundertpro ebenfalls nicht.«

Demonstrativ richtet sie sich kerzengrade auf und macht keine Anstalten, ihre nackte Brust zu bedecken.

»Ich versuche zu retten, was wir haben, Jack. Sex hat unsere Freundschaft schon einmal fast kaputt gemacht, das mag ich nicht erneut riskieren. Ich will dich nämlich nicht verlieren.«

»Quatsch.«

Sie ist fassungslos. »Quatsch?«

»Ja. Quatsch«, wiederhole ich mit Nachdruck. »Der Sex hat nichts kaputt gemacht. Du kannst bloß nicht damit umgehen, dass du etwas für mich empfunden – dass du dich mir nah gefühlt hast.« Ich schlage mir mit der Hand gegen die Brust. »Das hat dir eine Höllenangst bereitet, weil du es nicht unter *Kontrolle* hattest. Und jetzt rastest du aus, weil du befürchtest, wieder die Kontrolle zu verlieren.«

Sie lässt sich vom Waschtisch gleiten und baut sich mit funkelnden Bernsteinaugen vor mir auf.

»Hier«, sagt sie betont langsam und wedelt mit ihrer Hand zwischen ihrer und meiner nackten Brust hin und her, »geht es nicht um Kontrolle.«

»Da täuschst du dich, Jenna, genau darum geht es«, widerspreche ich. »Darum hast du abgebrochen, weil du nicht willst, dass deine Gefühle die Überhand über deine Kontrollsucht gewinnen.«

»Nein, ich habe aufgehört, weil ich dich nicht verl...«

»Du wirst mich nicht verlieren, und das weißt du ganz genau«, unterbreche ich sie und blicke in ihr hübsches Gesicht, sehe ihre Zerrissenheit – einerseits sehnt sie sich nach meiner Nähe, andererseits wehrt sie sich dagegen. Meine Brust wird eng. »Du hast keine Angst, mich zu verlieren, Jenna«, fahre ich in ruhigerem Ton fort. »Du hast Angst, mich zu bekommen.«

Sie blinzelt ein paarmal, mustert mich eindringlich,

sagt aber nichts. Heute Nacht werden wir zu keiner Lösung kommen. Wir könnten uns bis zum Morgengrauen streiten, ohne dass es etwas ändern würde. Solange Jenna glaubt, ihr Herz überlisten zu können, wird das nichts. Und ich bleibe der blöde Typ, der in einem Badezimmer darauf wartet, dass die Frau seiner Träume endgültig zugibt, in ihn verliebt zu sein.

15

Jenna

Ich wache davon auf, dass mir jemand ein Kissen aufs Gesicht wirft und eine männliche Stimme brüllt: »Was zum Teufel ist denn im Bad passiert? Das sieht ja aus, als hätte man da drinnen jemanden abgemurkst.«

Verschlafen setze ich mich auf und blinzele in Richtung Tür. »Was …?«

»Mist! Sorry«, sagt Samson und verzieht das Gesicht. »Ich dachte, dass Jack hier ist.«

Ich reibe mir die Augen und schüttele bloß verschlafen den Kopf.«

»Klar.« Er nickt. »Du bist … Jenna? Richtig?«

Als ich nicke, sieht er mich reumütig an. »Tut mir leid wegen gestern Abend, war echt scheiße«, sagt er. »Weißt du, sonst bin ich nicht so ein Säufer.«

»Kein Problem.«

»Du weißt nicht zufällig, wo Jack steckt?«

Nein, weiß ich nicht. Nach unserer Sexeinlage im Badezimmer gestern Nacht, hat sich jeder für sich in sein Bett verzogen: ich in seinem Zimmer, er in einem anderen. Seither habe ich nichts mehr von ihm gesehen.

Ich reibe mir die Augen. »Er wollte auf irgendeiner Couch pennen.«

In diesem Augenblick hören wir seine Stimme.

»Samson«, ruft Jack von irgendwo aus dem Flur. »Was tust du? Lass Jenna gefälligst schlafen.«

»Wo bist du gewesen, Mann?«, erkundigt sein Bruder sich.

»Ich habe Frühstück besorgt, und jetzt komm aus dem Zimmer.«

Samson blickt sich mit einem entschuldigenden Lächeln noch einmal nach mir um.

»Tut mir leid, dass ich dich geweckt habe. Bis später.«

Er zieht die Tür zu, und ich starre ihm einige Sekunden lang hinterher.

Die gestrige Nacht dreht sich wie ein Karussell in meinem Kopf, ohne zum Stillstand zu kommen. Andauernd sehe ich die entscheidenden Momente lebhaft vor mir. Richtige, gefährliche Gangster, nicht irgendwelche Kleinkriminelle, haben uns mit Waffen bedroht, dann hat Jack mein Auto genommen und ist in eine Prügelei und Messerstecherei mit irgendwelchen anderen Verbrechern geraten, von der er blutend heimgekehrt ist. Erst habe ich seine Stichwunde versorgt, und dann sind wir hemmungslos übereinander hergefallen und wären um ein Haar im Bett gelandet.

Was für eine groteske Aufeinanderfolge von Ereignissen.

Mehr als der Irrsinn mit den Gangstern beschäftigt mich allerdings, was Jack gesagt hat. Dass ich die Kontrolle behalten wolle und Angst hätte, ihn zu bekommen. Es klang, als wäre ich eine Verrückte, die eigentlich in ihn verliebt ist und meint, diese Gefühle würden einfach verschwinden, sofern sie die Finger von ihm lässt.

Ist doch alles Blödsinn.

Oder etwa nicht?

Der eigentliche Grund, warum ich unsere Knutscherei abgebrochen habe, war der, dass er mir die Shorts ausziehen wollte und dann das neue Tattoo auf meinem Beckenknochen gesehen hätte, das ich noch nicht hatte, als er mich das erste Mal nackt gesehen hat. Wäre ja keine große Sache gewesen, nur hätte er daraus bestimmt wieder falsche Konsequenzen gezogen, und ich hatte schlicht und ergreifend keine Lust, es ihm zu erklären, und darum habe ich Panik bekommen.

Außerdem war das Ganze sowieso eine Schnapsidee, völlig abgespaced. Erst mal das ganze Drumherum: Sex auf dem Waschtisch, und außerdem wollen wir Ende der Woche zusammen zurück nach Arizona, sitzen also wieder mindestens zwei Tage in einem Auto fest. Deshalb habe ich die Notbremse gezogen.

Allerdings habe ich damit gerechnet, dass Jack mit mir wegen meines Kneifens streiten würde. Stattdessen hat er die Arme um mich gelegt und mich in seinen Armen gehalten wie eine gottverdammte Puppe. Als er mich dann noch auf die Stirn küsste und meinen Namen sagte, da fehlte nicht mehr viel, und ich hätte Rotz und Wasser geheult.

Immer wenn Jack meinen Namen ausspricht, bricht in mir alles irgendwie zusammen. Vor allem meine Schutzmauern. Dieses »Jenna« von seinen Lippen weckt in mir den Wunsch nach Dingen, nach denen ich mich nicht sehnen darf. Nach Dingen wie Liebe und Romantik und Babys und für immer und ewig zusammenbleiben. Dinge, die in meiner Zukunft keinen Platz haben.

Es war also richtig, unser ziemlich zielstrebiges Vorspiel abzubrechen, oder?

Was soll ich bloß tun?

Erst mal das, was alle Mädchen tun, wenn sie an ihrer Lebensplanung zweifeln: die beste Freundin anrufen. Ich angele nach meiner Tasche am Boden und krame mein Telefon hervor.

Pixie hebt nach dem zweiten Klingeln ab.

»Jenna«, quietscht sie erfreut. »Wie geht's dir? Seid ihr schon da? Wie läuft es mit Jack?«

Ich setze mich im Bett auf und lächele. »Gut. Prima. Nein, eher seltsam.«

Sie schnalzt mit der Zunge. »Ich wusste es – ich wusste, dass das nicht gut geht, wenn ihr, du und Jack, so viel Zeit miteinander verbringt. Hey, was machst du …« Sie kichert ins Telefon. »Levi, Schatz …« Noch mehr Kichern. »Hör auf, ich versuche, mit Jenna zu telefonieren …«

Es ist schon komisch. Vor ein paar Wochen war Pixie noch ein Schatten ihrer selbst und scheint erst jetzt, nachdem sie Levi gefunden hat, richtig lebendig geworden zu sein. Sie lächelt, sie lacht und sie liebt. Ich werde Levi auf ewig dankbar sein, weil er meiner besten Freundin ihre Seele zurückgegeben hat – auch wenn er mir jetzt am Telefon ihre Aufmerksamkeit stiehlt.

Ich räuspere mich. »Soll ich später noch mal anrufen?«

»Hm? O nein. Passt schon, ist okay«, sagt sie und unterdrückt ein Lachen. »Warte nur, bis ich aus dem Bett bin.« Ich höre Levi im Hintergrund protestieren, höre ein Gerangel und schließlich Pixies triumphierendes Ausatmen. »So, jetzt können wir in Ruhe reden. Tut mir leid. Also, was ist los mit Jack?«

Ich fasse schnell die Jack-und-Jenna-Ereignisse der letzten Tage zusammen, lasse jedoch die Waffen, die Stichwunden und andere blutige Details weg und konzentriere mich auf die Sache mit unserem leidenschaftlichen Clinch im Bad.

»Und jetzt weiß ich nicht weiter, Pixie«, erkläre ich und zupfe an der Bettdecke. »Was soll ich tun, was sagen, wie mich ihm gegenüber verhalten. Müsste ich mich entschuldigen, oder kann ich einfach so tun, als wäre nichts gewesen, oder was?«

»Mhm.« Pixie denkt kurz nach und fragt dann. »Jenna, verschweigst du mir etwas?«

Ich lasse die Bettdecke los, Adrenalin schießt durch meine Adern.

»Was? Wie meinst du das?«

»Erinnerst du dich, dass ich gesagt habe, zwischen dir und Jack sei eine seltsame sexuelle Spannung spürbar? Das ist so, aber es ist mehr als das. Du und Jack, ihr scheint euch so nah zu sein. *Wirklich* nah. Näher als bei normalen Freundschaften zwischen Frauen und Männern.«

»Und?«, erwidere ich ein wenig patzig und viel zu schnell. Mist, jetzt wird sie endgültig Bescheid wissen.

»Und?«, äfft sie mich nach und fängt an zu lachen. »O mein Gott. Jenna Lacombe, du hast mit Jack geschlafen, stimmt's oder habe ich recht?«

Ich seufze ins Telefon. »Ja.«

Lauteres Lachen. »Ist ja ein Ding! Wann?«

»Im letzten Winter.«

Ihre Stimme wird schrill. »Und das hast du mir nicht erzählt?!«

»Nein«, gebe ich zu und bemühe mich gleich um Schadensbegrenzung. »Aber nur, weil ich so tun wollte, als wäre es nie passiert. Und wie ich dich kenne, hättest du eine große Sache daraus gemacht, und ich hätte mit Jack darüber reden müssen, bla, bla, bla. Das wollte ich alles vermeiden. Ich schwöre dir, es hatte nichts damit zu tun, dass ich es dir verheimlichen wollte oder so.«

»Ja, ja, verstehe.« Ich kann fast hören, wie sich die Rädchen in ihrem Kopf in Bewegung setzen. »Und warum wolltest du so tun, als ob es nie passiert wäre?«

Ich zögere und ringe mit mir, ob ich ihr die hässliche Wahrheit anvertrauen soll. Doch dann denke ich an all die hässlichen Wahrheiten, die Pixie mir bereits anvertraut hat, und mir wird klar, dass es völlig unmöglich ist, es ihr *nicht* zu erzählen.

Ich hole tief Luft. »Weil ich … Nun, weil ich geweint habe.«

»Du hast geweint?« Pixie bleibt die Spucke weg. »Anschließend im Bad, weil du vergessen hast, ein Kondom zu benutzen, und weil du dachtest, du könntest schwanger geworden sein?«

»O Gott, nein!« Ich starre auf das Telefon. »Allerdings denke ich fast, so etwas ist dir passiert.«

»Lenk nicht vom Thema ab. Wann hast du geweint?«

Verzweifelt raufe ich mir die Haare und bereue meine Redebereitschaft schon wieder.

»Äh, beim Sex. Also, eigentlich mittendrin. Als ich auf ihm war.«

»Olala.«

»Ich weiß.«

»Und warum … Wie kam das, ich meine, was hat dich …?« Ihr fehlen die Worte – ein Gefühl, das mir allzu bekannt ist.

»Ich weiß es nicht, Pixie«, erkläre ich und starre Hilfe suchend zur Decke. »Wir hatten heißen Supersex, und dann hat Jack meinen Namen gesagt, und plötzlich bin ich total emotional geworden. Ich dachte, wie toll Jack ist, dass er mich immer zum Lachen bringt und mich nie im Stich lässt – und dass ich ihm mehr vertraue als irgendjemand anderem auf der Welt. Gott, es war total kitschig. Aber ich kam nicht mehr raus aus der Nummer, weißt du? Musste ihn unentwegt ansehen und denken, wie großartig er ist. Dann habe ich angefangen zu weinen, als wäre ich total durch den Wind, und die Tränen sind mir nur so runtergelaufen. Trotzdem habe ich mit ihm weitergemacht. Irre, oder?«

»War er schockiert?«

»Nein!«, sage ich. »Das ist ja das Merkwürdige. Er hat es einfach hingenommen. Hat mich sogar zu sich heruntergezogen und mich geküsst und mein Haar gestreichelt und mir ins Ohr geflüstert und so einen Mist, bis ich wieder total geil war.«

»Verdammt«, sagt sie und stößt die Luft aus. »Nun, das ändert alles.«

»Was? Nein, das darf nichts ändern. Nichts hat sich verändert.«

»Okay, beruhige dich. Ich habe nicht von deinem Leben gesprochen, sondern von deinen Problemen mit Jack. Es ändert meine Meinung über dein Gespräch mit ihm.«

»Aha.« Ich entspanne mich. »Okay, rede weiter. Was hältst du von dem, was Jack letzte Nacht gesagt hat?«

»Ich glaube, er hat recht – du bist eindeutig immer auf dem Trip, die Kontrolle zu behalten.«

Ich schnappe nach Luft. »Verräterin.«

»Sei mal ehrlich dir gegenüber. Du bist ganz schön schräg, wenn es um deine Zukunft geht. Ich meine, du bist fast hysterisch geworden, als ich vor einer Sekunde gesagt habe ›das ändert alles‹. Veränderung kannst du null aushalten, Jenna. Und mit seiner Feststellung, dass du Angst hast, ihn zu bekommen – nun, da glaube ich ebenfalls, dass er im Recht ist.«

»Vielleicht solltest du ja Jacks beste Freundin werden«, sage ich angesäuert.

»Hör zu. Du bist diejenige, die mir gesagt hat, ich soll keine Angst haben zu lieben, als das mit Levi losging. Schon vergessen? Du hast gesagt, die Liebe und das Leben seien nicht sicher und berechenbar, und ich soll Levi an mich heranlassen.«

Ich kann's nicht fassen. »*Das* habe ich wirklich und wahrhaftig alles gesagt?«

»Hast du, und ich rate dir jetzt, Jack eine Chance zu geben und einfach abzuwarten, wohin das führt.«

»Ich weiß, wohin das führt«, schieße ich zurück. »Von Liebe erst zu Hochzeit und Kindern, dann zu Scheidung und Einsamkeit und am Ende zu Armut und Tod.«

»Wow«, sagt sie total perplex. »Das ist das Deprimierendste, was ich je gehört habe.«

»Es ist die Wahrheit, Pixie«, erwidere ich leise. »Glücklich bis in alle Ewigkeit, das ist etwas für romantische Komödien und Märchenbücher.«

Sie stößt einen heftigen Protestlaut aus. »Willst du etwa behaupten, Levi und mir wird das passieren?«

»Was? Nein, natürlich nicht«, versichere ich rasch. »Ihr zwei werdet für immer zusammenbleiben. Levi liebt dich hingebungsvoll – er betet dich geradezu an.«

»Und wer sagt, dass du nicht eines Tages genauso geliebt wirst? Vielleicht sogar von Jack?«

»Hör auf, mir die Worte im Mund umzudrehen«, zische ich sie an.

»Hör auf, dich wie ein Baby zu benehmen.«

»Ich bin kein Baby.«

»Doch, das bist du«, sagt Pixie. »Du bist ein dickes, fettes Baby mit einem Kontrolltick.«

Gereizt stoße ich die Luft aus. »Ach ja? Dann bist du ein dicker, fetter Fiesling.«

»Gut. Immerhin bin ich ein Fiesling, der dich gernhat und weiß, dass ein toller Typ dich wie verrückt lieben und dich glücklich machen wird – das, was du nie wolltest.«

»Unsere Unterhaltung läuft absolut nicht, wie ich sie mir vorgestellt habe«, erkläre ich.

Ich höre ihrer Stimme an, dass sie lächelt.

Nachdem ich das Gespräch mit Pixie beendet habe, verlasse ich Jacks Zimmer und gehe in die Küche. Auf dem Weg dorthin komme ich am Bad vorbei und werfe einen Blick hinein. Der Mülleimer quillt von blutigen Wattepads und Verbandsmaterial über, und der Boden ist voller Blutflecken. Kein Wunder, dass Samson so erschrocken war.

In der Küche ist die Familie bereits versammelt. Lilly und Samson sitzen am Tisch und essen Omelett mit Speck, während Jack mit dem Rücken zu mir am Herd steht und etwas brät. Auf den ersten Blick ist von seinen Verletzungen nichts zu merken.

»Guten Morgen, Liebes.« Lilly lächelt mich strahlend an.

Jack blickt über seine Schulter zu mir, und unsere Blicke treffen sich in einer stillschweigenden Absprache. Waffenstillstand. Wir tun ganz normal, niemand soll was merken. Keine unangenehme Spannung. Keine heftigen Gefühle, keine unterdrückte Wut. Wir verstehen uns gut, wie üblich. Unsere Freundschaft ist das Wichtigste. Friede, Freude, Eierkuchen.

Ich lächele. Er lächelt. Dann kümmert er sich wieder ums Essen.

So läuft das bei Jack und mir. Wir sind und bleiben eben gute Freunde, auch wenn wir uns streiten. Das gehört dazu, jeder streitet sich schließlich mal. Ich habe letzte Nacht nicht gelogen, als ich sagte, dass ich ihn nicht verlieren wolle. Jacks Freundschaft gehört zu den wichtigsten Dingen in meinem Leben. Bloß fürchte ich insgeheim nach dem ganzen Irrsinn der letzten Nacht, dass ich ihn trotzdem verlieren werde auf die eine oder andere Weise.

Das Ganze hier ist mir völlig schleierhaft, und ich weiß ehrlich nicht, was ich denken soll. Seine Familie ist eindeutig in irgendwelche zwielichtigen Machenschaften verstrickt – was mir jedoch seltsamerweise keine Angst macht. Außer der Angst natürlich, die ich deshalb um Jack habe. Ansonsten betrachte ich das Ganze eher neugierig und frage mich mehr und mehr, wer der wahre Jack ist.

Ich ziehe einen Stuhl vom Esstisch und setze mich.

»Willst du ein Omelett?«, fragt Lilly.

Bevor ich antworten kann, kommt Jack mir zuvor.

»Jenna mag keine Eier«, sagt Jack, ohne den Blick von der Pfanne zu wenden.

»Oh.« Lilly wirkt überrascht. »Ich dachte, du hättest das gemacht, weil wir einen Gast haben.«

»Nein, Mom, ich tue das, weil keiner sonst auf die Idee käme, ein richtiges Frühstück mit allem Drum und Dran auf den Tisch zu bringen.«

Lilly zwinkert mir zu. »So wie Jack sich kümmert, könnte man annehmen, dass *er* der Vater ist.« Sie trinkt einen Schluck Kaffee. »Aber er hat recht. Ich bin eine lausige Köchin. Samson und ich leben von Mikrowellengerichten und Fast Food.«

»Total gesund«, murmelt Jack vom Herd.

Dann kommt er zu uns an den Tisch, in der Hand eine Platte mit Pancakes, mein Lieblingsessen. Er lässt einen auf meinen Teller gleiten, dann nimmt er sich selbst einen.

»Danke«, sage ich leise und meine es ganz ehrlich.

»Hübsche Knöchel.« Lilly mustert Jacks bandagierte Hände. »Will ich wissen, woher das kommt?«

»Wahrscheinlich nicht«, meint er und schiebt sich ein Stück Pancake in den Mund.

Lilly überlegt eine Minute. »Ist wenigstens etwas Gescheites dabei herausgekommen?«

Interessant, dass Lilly, wie es aussieht, über alles informiert ist und dennoch nicht übermäßig beunruhigt wirkt. Und das, obwohl sie weiß, dass ihr Jüngster in dunkle Geschäfte verstrickt ist und die beiden anderen wohl oder übel davon betroffen sind. Für mich unbegreiflich, für sie hingegen sichtlich nicht. In der Familie Oliver scheint das normal zu sein.

Jack zuckt mit den Schultern. »Ich glaube schon.«

Seine Mutter stellt ihren Becher ab und wendet sich wieder ihrem Omelett zu.

»Dann war es das wohl wert.«

Bei ihren Worten begegnen sich Jacks und mein Blick – genau dasselbe habe ich letzte Nacht gesagt. Ich kann nicht erklären, was ich in den grauen Tiefen sehe. Vielleicht Vertrauen. Vielleicht Angst. Schwer zu sagen. Ich jedenfalls habe plötzlich Herzklopfen. Denke ich wirklich genau wie

Lilly, dass es okay ist, wenn Jack irgendwelche miesen Kerle zu Brei schlägt, frage ich mich und bin mir nicht sicher, was das über mich aussagt.

»Trixie hat mich heute Morgen angerufen«, sagt Samson und schiebt sich ein Stück Speck in den Mund. »Sasha hat sich gestern Abend bei ihr gemeldet, nachdem du Hedrick grün und blau bei ihr abgeliefert hast.«

»Bah.« Lilly schüttelt den Kopf. »Trixie. Sasha. Hedrick … Es kommt mir vor, als würdet ihr alle eure Freunde im Bordell kennenlernen.«

Samson starrt sie wütend an, wendet sich dann an Jack: »Willst du mir nicht erzählen, was zum Teufel mit Hedrick passiert ist? Und warum das Badezimmer wie die Küche von einem Vampir aussieht?«

Lilly nickt. »Hedrick wäre ein toller Name für einen Vampir.«

Samson bedenkt seine Mutter mit einem spöttischen Lächeln.

»Und Lilly klingt nach einem vierjährigen Mädchen mit blonden Zöpfen, das unter einem Regenbogen lebt.«

Jack wirft ihnen einen missbilligenden Blick zu und unterbricht das Geplänkel der beiden.

»Ich bin gestern Abend zu Hedrick gefahren, um mit ihm zu reden, und dabei in eine Schlägerei mit ein paar Royals geraten. Langer Rede kurzer Sinn: Ich habe aus Typen die Information herausgeprügelt, dass Drew irgendein Geschäft mit Clancy gemacht hat.«

Samson zieht die Luft durch die Zähne, und Lillys fröhliche Miene erstirbt.

»Keine Sorge«, sagt Jack. »Ich habe schon einen Plan.«

Sein Blick verhärtet sich, Angst und Wut ringen in den

silbernen Tiefen miteinander. Aber noch etwas anderes schimmert auf. Etwas, das nach Traurigkeit aussieht. Und entgegen seiner beruhigenden Worte nach Sorge.

Mit einem Mal empfinde ich das spontane Bedürfnis, Jack in den Arm zu nehmen und die Traurigkeit zu vertreiben – nur habe ich keine Ahnung, was hier wirklich vor sich geht und warum Jack so niedergeschlagen aussieht.

Lilly drückt Jacks Arm. Eine tröstende Geste. Allerdings in dieser Situation für mich nicht wirklich nachvollziehbar. Ich hätte eher damit gerechnet, dass sie als Mutter des verschwundenen Jungen bei dieser Nachricht Trost gebraucht hätte. Doch es ist genau andersherum: Lilly scheint das Bedürfnis zu haben, Jack zu trösten.

Samson hingegen schüttelt den Kopf, brummt »Mist« und starrt düster vor sich hin.

Nach einer Weile tätschelt Jack die Hand seiner Mutter und sieht aufmunternd in die Runde.

»Das wird schon wieder. Ich kenne Clancy, und ich kenne Drew. Alles wird sich aufklären. Okay?«

Seine Stimme klingt jetzt optimistischer. Und selbst wenn er so tut als ob, hebt sich die dunkle Wolke, die eben noch in der Küche hing, und macht vorsichtiger Hoffnung Platz. Die Veränderung ist so deutlich spürbar, dass ich mich ebenfalls leichter fühle.

»Okay, Baby.« Lilly lächelt.

Durch die offene Tür weht eine frische Brise herein, und von der Veranda ist das Klingeln der Windspiele zu hören.

»Ich muss eine rauchen«, erklärt Lilly und schiebt ihren Stuhl zurück.

Jack hebt eine Braue. »Ich dachte, du hättest aufgehört?«

»Hab ich auch, deshalb muss ich ja noch ein Windspiel

basteln«, sagt sie, geht nach draußen und setzt sich an einen kleinen Tisch, auf dem eine Schachtel mit Bastelteilen für weitere Windspiele steht.

Jack wirft seinem Bruder einen fragenden Blick zu, und Samson erklärt: »Wenn sie das Klingeln der Windspiele hört, erinnert sie das daran, dass sie eine Zigarette rauchen will, und wenn sie eine Zigarette rauchen will, beschließt sie, stattdessen ein neues Windspiel zu basteln. Es ist ein Teufelskreis.« Sein Telefon klingelt, und er zieht es aus der Hosentasche und blickt auf das Display. »Bin gleich zurück.«

Jack und ich bleiben alleine mit einem Haufen Pancakes zurück.

Ich durchbreche die Stille als Erste. »Bist du sauer auf mich?«

Er runzelt die Stirn. »Warum sollte ich sauer auf dich sein?«

»Vielleicht weil ich eine Nervensäge bin.«

»Du bist keine Nervensäge. Überhaupt nicht. Aber um deine Frage zu beantworten: Nein, ich bin nicht sauer auf dich. Ich könnte nie sauer auf dich sein, bloß weil du mich nicht willst.«

Obwohl er mir zuzwinkert, versetzt die Bemerkung mir dennoch einen Stich.

»Darum habe ich nicht Stopp gesagt, und das weißt du ganz genau.«

»Ja.« Er nickt. »Die Frage ist, ob *du* es weißt.«

Da ich nicht wieder von vorn beginnen will, beende ich mein Frühstück und trage meinen Teller zum Spülbecken.

»Gibt es noch Kaffee?«

Jack deutet mit dem Kopf auf die Kaffeekanne, während

er zugleich seinen eigenen Teller wegbringt. Ich schenke uns beiden einen Becher ein, und gemeinsam gehen wir anschließend ins Wohnzimmer, wo Samson gerade sein Telefonat beendet.

»Das war mein Chef.« Samson seufzt. »Er hat keinerlei Verständnis, dass ich wegen einem verschwundenen Bruder frei haben will. Ich bin jetzt den dritten Tag nicht bei der Arbeit. Wir müssen Drew finden, Mann. Wie lautet dein Plan?«

Jack holt tief Luft. »Da wir wissen, dass Drew mit Clancy zu tun hat und Clancy der Anführer der Royals im French Quarter ist, denke ich, dass wir als Nächstes nach New Orleans fahren und mit Clancy sprechen sollten. Wenn wir herausfinden, was passiert ist, finden wir vielleicht auch heraus, wo Drew steckt.«

Samsons Miene verdüstert sich erneut. »Ich weiß nicht. Die Royals in New Orleans, das sind keine guten Neuigkeiten. Und Clancy?« Er stößt einen leisen Pfiff aus. »Der wird dir einen Scheiß über Drew erzählen. Und das weißt du genauso gut wie ich.«

Jack nickt. »Ich weiß, dass Clancy nicht freiwillig reden wird. Aber vielleicht motzt er herum, spielt sich auf, droht uns, zieht über Drew her, was weiß ich. Jedenfalls könnte ihm dabei leicht etwas herausrutschen, das uns weiterhilft. Also beeil dich und zieh dich an, damit wir Moms Wagen am *Vipers* abholen und nach New Orleans fahren können.«

»Hallo, das ist hier nicht Mommys Rent-a-Car«, schaltet sich Lilly durch die Fliegentür ein und hält ein unfertiges Windspiel in der Hand. »Ihr Jungs fahrt nicht mit meinem Auto nach New Orleans. Ich habe nämlich einiges zu erledigen.«

»Ja, und ich muss heute Nachmittag unbedingt arbeiten«, wirft Samson ein. »Hab's versprochen. Am Wochenende könnten wir fahren.«

Jack stößt einen Fluch aus und sieht mich an.

»Vielleicht fährst du dann mit mir«, schlage ich vor, um ihm die Bitte zu ersparen.

Sein Blick schnellt zu mir, und aus seinen grauen Augen spricht Hoffnung und Erleichterung.

»Wirklich?«

»Klar.«

»Und ich komme später nach«, verspricht Samson. »Du könntest vielleicht bei Onkel Brent wohnen. Er wohnt doch noch in New Orleans, stimmt's?«, wendet er sich an seine Mutter auf der Veranda..

»Im Prinzip schon, bloß ist er den Sommer über verreist«, erwidert Lilly, die der Bastelarbeit in ihrer Hand noch eine Klingel hinzufügt.

»Dann bleibe ich bei Freunden.« Jack zuckt die Achseln. »Mit Glück finde ich Drew ja noch heute und muss gar nicht dort bleiben.« Er wendet sich an mich: »Ist es wirklich okay für dich, wenn du mich mitnimmst? Wäre natürlich toll, aber ich kann auch trampen oder mir ein Auto leihen. Dann müsstest du auf mich keine Rücksicht mehr nehmen und könntest auf direktem Weg nach Hause fahren.«

»Nein, nein, alles bestens«, sage ich. »Hat sogar den Vorteil, dass ich dich auf der Rückfahrt nach Arizona nicht unterwegs aufsammeln muss. So können wir gleich von New Orleans aus starten. Und je eher du Drew findest, desto besser, richtig?«

Ich lächele, als wäre meine Argumentation vollkommen selbstlos und hätte nichts damit zu tun, dass mich die Aussicht, mehr Zeit mit Jack zu verbringen, überaus fröhlich stimmt. Ich rede echt nichts als Unsinn.

»Na gut, dann danke für dein Angebot.«

Samsons Telefon klingelt, und seine Augen hellen sich auf.

»Trixie!«

Unwillkürlich rutscht mir ein Lachen raus, denn ich sehe Lilly geradezu vor mir, wie sie bei der Nennung dieses Namens die Augen verdreht und etwas Gehässiges vor sich hin murmelt.

Nachdem Samson das Wohnzimmer zum Telefonieren verlassen hat, wende ich mich an Jack.

»Meinetwegen können wir bald aufbrechen. Ich muss nur noch meine Koffer aus dem Auto holen und mich umziehen«, sage ich und deute auf Jacks XXL-Shirt, in dem ich nach wie vor stecke.

Er sieht mich zärtlich an, und mein Herz zieht sich zusammen.

»Du gefällst mir in meinen Sachen – du siehst süß damit aus. Und so klein.«

»Kunststück«, gebe ich spöttisch zurück. »In deinen Riesenklamotten würde jedes Mädchen klein aussehen.«

»Aber ich habe nie zuvor ein Mädchen in meinen Klamotten gesehen«, kontert er grinsend.

»Echt nicht?«, frage ich argwöhnisch.

Als er nickt, fühlt sich das plötzlich sehr intim an. Genau wie die Kleider auf meinem Körper. Und irgendwie macht es mich stolz, für ihn etwas Besonderes zu sein.

Wow. Ich habe wirklich ein Problem mit Macht.

Um vom Thema abzulenken und diesen ebenso intensiven wie gefährlichen Moment zu beenden, komme ich auf sein Versprechen zurück, mir mehr über seinen Bruder zu erzählen.

»Also, heute wolltest du mir ausführlich berichten, was hier gespielt wird. Bist du jetzt bereit, mir zu erzählen, was mit deinem Bruder los ist und warum ein Kopfgeld auf ihn ausgesetzt wurde? Wer sind diese Royals überhaupt? Und warum haben alle so eine Angst vor diesem Clancy?«

Jack seufzt. »Kurz und bündig formuliert, lautet die Antwort, dass die Royals in gewisser Weise die Feinde meines Vaters sind. Natürlich ist es in der Realität etwas komplizierter. Damit du durchblickst, muss ich wahrscheinlich weit ausholen und weit zurückgehen. Doch ich warne dich: Es ist keine schöne Geschichte.«

Ich setze mich im Schneidersitz aufs Sofa. »Was ist schon schön?«

16

Jack

Als ich acht Jahre alt war, bin ich im Herbst mit ein paar Freunden zelten gewesen, und während dieses Ausflugs ist etwas Schreckliches passiert: Ich bin in ein Lagerfeuer gefallen. Wir hatten herumgealbert, uns gebalgt und geschubst, und plötzlich bin ich gestolpert, habe die Balance verloren und bin in die lodernden Flammen gestürzt.

Statt aufzuspringen, war ich starr vor Schreck. Ich weiß noch, wie sich die Hitze in meinem Gesicht angefühlt hat, wie mir der Rauch in die Nasenlöcher und in die Augen gekrochen ist und wie mir die Luft wegblieb.

Ich dachte, ich würde sterben.

Zum Glück zog mich der Vater einer meiner Freunde aus dem Feuer, und dank der dicken Klamotten, die ich trug, kam ich mit ein paar leichten Verbrennungen an den Händen davon.

Meine warme Jacke und mein Schal waren allerdings nicht mehr zu gebrauchen, und meine Haare waren angesengt und stanken tagelang nach Rauch, doch Hauptsache ich lebte.

Die Wunden und die Schmerzen waren schnell vergessen, nicht aber die Angst vor dem Feuer – vor dem Tod in den Flammen. Das geht sogar so weit, dass ich mich noch heute in der Nähe von Lagerfeuern oder offenen Kaminen nicht wohlfühle.

Aber das hier: In unserem Wohnzimmer vor Jenna zu stehen, die darauf wartet, dass ich ihr die ganze schmutzige Wahrheit erzähle, das ist ungleich schlimmer. Weil ich Angst habe, damit alles zu zerstören, was zwischen uns hätte sein können. Ich würde durch tausend Feuer laufen, wenn ich dafür Jenna nicht die Wahrheit über meine Vergangenheit erzählen müsste.

Doch diesen Flammen kann ich nicht entkommen. Nicht nach allem, was Jenna bereits weiß und was sie miterlebt hat. Außerdem habe ich es ihr versprochen.

Ich atme tief durch, beuge mich vor und sage: »Na, dann.« Dann räuspere ich mich ein letztes Mal und stelle mich der hässlichen Wahrheit meines Lebens.

»Als ich noch ein Kind war, betrieb mein Vater dieses Geschäft alleine, später wollte er ein Familienunternehmen daraus machen – und ich sollte ganz für ihn arbeiten, aber das mochte ich nicht. Darüber kam es erst zu Meinungsverschiedenheiten und dann in gewisser Weise zum Knall, was damit endete, dass er uns verlassen hat und uns nichts hinterließ als einen Haufen Schulden, die ich abbezahlt habe. Immerhin waren wir danach frei, hatten nichts mehr mit dem ganzen Kram und seinen dubiosen Geschäften zu tun und konnten neu anfangen.« Ich halte inne und blicke den Flur hinunter, wo Samson mit dem Telefon am Ohr auf und ab geht. »Zumindest dachte ich das.«

»Und von welcher Art von Geschäft reden wir hier?«, will Jenna wissen.

Blitzschnell versuche ich einzuschätzen, welche Optionen mir überhaupt bleiben. Ihr Bild von mir ist natürlich ruiniert, aber ist das unbedingt schlecht? Sie hat mich immer für einen Softie gehalten, und wenn ich mir die letzten Typen anschaue, mit denen sie meines Wissens im Bett war, komme ich dem schon näher. Vielleicht steht sie ja auf harte Jungs.

Kurz überlege ich, die ganze Geschichte so darzustellen, als wäre meine Familie auf einem heiß umkämpften Markt tätig gewesen – mit einem brutal rücksichtslosen, jedoch legalen Geschäftsgebaren. Würde sie mich dann womöglich nicht als gänzlich untragbar abschreiben? Mich zumindest als guten Freund weiterhin akzeptieren? Das wäre immerhin etwas, zumal ich als ihr Lover sowieso bislang nicht gelandet bin.

»Also«, beginne ich, atme tief durch und hoffe, dass sie mich nicht durchschaut. »Am besten lässt sich das, was mein Dad gemacht hat, so zusammenfassen … Du weißt ja, dass manche Branchen umkämpfter sind als andere und dass sie … Okay, meine Familie war im …«

»Drogengeschäft«, wirft Samson ein, der in diesem Moment zur Tür hereinkommt, schiebt sein Telefon in die Hosentasche zurück und lässt sich neben Jenna aufs Sofa fallen.

Und damit ist es raus.

Das war's.

Jahrelang habe ich daran gearbeitet, mir in Arizona ein neues Leben aufzubauen, einen neuen Ruf – Teufel, eine komplett neue Persönlichkeit –, und mit einem einzigen Wort ist das jetzt alles futsch. Einfach so.

Ab sofort wird Jenna mich mit anderen Augen sehen – nie wieder werde ich für sie der alte Jack sein.

Fassungslos starre ich meinen Bruder an. So ein elender

Verräter. Kalte Wut kriecht mir den Rücken hinauf und nimmt von mir Besitz. Klar, er hatte keine Ahnung, dass ich Jenna nichts von den illegalen Geschäften unserer Familie erzählen wollte – aber trotzdem bin ich sauer, dass er mir in den Rücken gefallen ist.

Samson lässt das offenbar völlig kalt.

»Was denn? Du hättest noch ewig herumgeeiert, bis du es ausgespuckt hättest.« Er beugt sich vor. »Drogenhandel. Ist doch gar nicht so schwer zu erklären, Jack.«

Jetzt bleibt mir endgültig die Sprache weg – Samson hat das mit voller Absicht gemacht.

»Ich fasse es nicht!«

Wie wird Jenna das aufnehmen? Verstohlen schiele ich zu ihr hinüber. Ihre Augen sind zwar größer als sonst, aber abgesehen davon wirkt sie nicht sonderlich schockiert. Noch nicht.

»Ihr verkauft also Drogen?«, hakt sie nach und deutet abwechselnd auf uns beide.

»Nein«, sagen wir wie aus einem Mund. Sogar meine Mom steht plötzlich im Türrahmen und ruft ebenfalls »Nein«.

Jenna blickt zu Lilly und runzelt die Stirn.

»Ihr seid Drogenhändler, die keine Drogen verkaufen?«

Ich fahre mir mit der Hand übers Gesicht. Diese Diskussion überhaupt zuzulassen war eine schlechte Idee. Eine sehr schlechte Idee.

»Erzähl es ihr einfach, Jack.«

Mom ist mit ihrem Windspiel fertig, kommt zu uns ins Wohnzimmer und setzt sich in den Schaukelstuhl neben dem Sofa.

»Es ihr erzählen? Alles?«

»Jenna kann bestimmt damit umgehen.«

Ich zögere, weiß nicht, wie ich anfangen soll, dann nicke ich und wende mich wieder Jenna zu.

»Okay. Es hat, wie gesagt, alles mit meinem Dad angefangen. Er hat für die Vipers gearbeitet – nicht für die Bar, sondern für die Drogenbande gleichen Namens, deren Boss Alec ist. Du hast diesen Unsympath ja gestern Abend kennengelernt. Und die Royals, die eine Belohnung auf Drews Kopf ausgesetzt haben, sind Rivalen der Vipers.« Ich zögere und verziehe das Gesicht. »O Gott, in deinen Ohren muss das komplett lächerlich klingen, als würde ich mir das alles ausdenken. Glaub mir, ich wünschte, es wäre so, doch das ist es nicht.«

Jenna neigt den Kopf: »Okay, ich höre zu.«

»Was Drew betrifft, so habe ich keine Ahnung, was die Royals von ihm wollen, aber angesichts der ganzen Vorgeschichte mit meinem Vater und den Vipers ist anzunehmen, dass es da irgendwelche Verbindungen gibt. Mein Dad hat sich vor Jahren für die Vipers um Kokainlieferungen gekümmert. Mom hat erst davon erfahren, als mein Dad schon viel zu tief drinsteckte. Als sie herausgefunden hat, worin er verwickelt war, wollte sie ihn verlassen, aber er hat gedroht, ihr die Söhne wegzunehmen. Er hatte Geld und mächtige Freunde – gefährliche Freunde –, und die Hoffnung meiner Mutter, mit uns Kindern aus der Ehe herauszukommen, löste sich in Nichts auf. Also blieb sie. Um uns keinem Risiko auszusetzen.«

Ich beobachte, wie meine Mutter den Blick zu Boden senkt, und würde ihr am liebsten versichern, dass sie alles so gut gemacht hat, wie sie es unter den gegebenen Umständen konnte. Dass sie getan hat, was sie für das Beste hielt. Es gibt kein Ratgeberbuch für die Ehe mit einem Drogendealer. Kein Handbuch, das einem sagt, wie man Kinder mit einem einflussreichen Psychopathen großzieht, der einen bei jeder Gelegenheit erpresst. Sie hat das Beste aus ihrer, aus unserer Situation gemacht. Das habe ich ihr schon tausendmal gesagt, doch ich weiß nicht, ob Worte ihre Schuldgefühle je zu beschwichtigen vermögen.

Sie sieht auf, und unsere Blicke treffen sich. Ich lächele ihr aufmunternd zu, signalisiere ihr damit: *Sieh mich an. Ich bin okay. Bei mir hast du gute Arbeit geleistet.* Dann schlucke ich und fahre fort mit meinem Bericht.

»Erst einige Jahre nachdem meine Mutter von den Drogengeschäften meines Vaters Wind bekommen hatte, erfuhren Sam, Drew und ich ebenfalls davon. Zu diesem Zeitpunkt hätte er schon nicht mehr aussteigen können – er wäre kaltgemacht worden. Nicht dass er überhaupt aussteigen wollte …« Ich schiebe das Kinn vor und straffe die Schultern. »Mein Vater war ein egoistischer Kerl, der den Hals nicht vollkriegen konnte. Ihm war das Geld viel zu wichtig, als dass er dieses Leben je freiwillig aufgegeben hätte. Er hat sogar unsere Familie mit hineingezogen. Ich weiß nicht, wie oft er uns in Gefahr gebracht hat. Todesdrohungen, Überfälle, Schüsse aus vorbeifahrenden Autos. Die Vipers haben Feinde – Feinde wie die Royals –, die keine Skrupel kennen. Es ist ein Wunder, dass wir alle noch am Leben sind.«

Ich halte inne und denke daran, wie schrecklich meine Teenagerjahre waren, in denen unser Haus regelmäßig beschossen wurde.

»Als ich siebzehn war, wollten die Vipers mich ins Drogengeschäft einführen. Mein Vater war begeistert, ich nicht – ich wollte absolut nichts damit zu tun haben, wollte mich von der Szene komplett fernhalten, doch er hat es nicht zugelassen.«

Ich merke, dass Mom in ihrem Schaukelstuhl unruhig zu werden beginnt – diesen Teil der Geschichte hasst sie besonders. Jennas Miene hingegen ist schwer zu schlüsseln: Irgendwie schwankt sie ständig zwischen Besorgnis und Neugier.

»Als ich mich geweigert habe, bei seinen kriminellen Geschäften mitzumachen«, fahre ich nach kurzem Schweigen fort, »hat er mich verprügelt. Und das tat er dann jeden verdammten Tag. Er dachte, ich würde nachgeben, wenn er mir immer wieder Schmerzen zufügte und mir zu verstehen gab, wer der Herr im Haus war. Er hätte ewig so weitermachen können – niemals hätte ich nachgegeben. Aber eines Tages drohte er, Mom etwas anzutun. Was hätte ich tun sollen? Ich sah keinen Ausweg mehr, habe nachgegeben und wurde Mitglied der Vipers. Sie wusste natürlich nichts davon – niemand wusste es. Die nächsten drei Jahre gehörte ich ihnen. Mit Haut und Haar.« Bedrückt stoße ich einen Seufzer aus. »Ich bin nicht stolz auf die Dinge, die ich für sie gemacht habe, aber ich habe mir immer gesagt, dass ich es lediglich tue, um meine Mutter zu schützen. Meine Familie. Die ganze Zeit habe ich einen Weg gesucht, da rauszukommen, doch es war unmöglich. Bis Dad einen Fehler beging und ich meine Chance gekommen sah. Als ich im Schuppen meines Vaters einen versteckten Safe entdeckte, dämmerte mir sogleich, dass er die Vipers hinterging, indem er Geld von ihren Gewinnen abzweigte und für sich zur Seite schaffte. Die Gang merkte das natürlich, wusste aber nicht, wer dahintersteckte. Also vereinbarte ich einen Deal mit Alec. Ich würde ihm den Verräter liefern sowie die fehlenden Summen – unter der Bedingung allerdings, dass man mich und meine Familie in Ruhe ließ. Scheinbar ein perfekter Plan, oder? Mein Dad wäre erledigt und könnte mich nicht mehr zur Mitarbeit zwingen, ich könnte mich abseilen ohne Gefahr für mein Leben, und meine Familie würde ebenfalls endlich wieder ruhig schlafen.«

»Weiter«, drängt Jenna mich, als ich innehalte und lange Zeit den Mund nicht mehr aufmache.

»Okay«, fahre ich schließlich fort. »Alec war nicht begeistert von meinem Vorschlag, weil er mich als Mitglied seiner Gang nicht verlieren wollte. Er hat sogar gedroht, mich umzubringen, wenn ich ihm nicht einfach sage, wer ihn beklaut. Doch ich habe mich standhaft geweigert und ihm die Stirn geboten. Soll er doch, sagte ich ihm, wenn ihm das wichtiger sei, als herauszufinden, wer sich einen Teil seiner Gewinne unter den Nagel reißt und ihn langsam, aber sicher in die Pleite führt. Er hat natürlich geblufft und sich schließlich auf den Handel eingelassen.«

Ich blicke zu meiner Mom, die mir schwach zulächelt und mich stumm ermuntert fortzufahren. Auch für sie ist es sozusagen eine Premiere, offen über die Leichen zu reden, die wir im Keller haben. Es fällt ihr noch immer nicht leicht, nach allem, was sie erlebt hat, jemandem außerhalb unserer kleinen Familie zu vertrauen.

Wahrscheinlich fühlt sie sich durch die schmutzigen Geschäfte meines Vaters irgendwie besudelt und macht sich Vorwürfe, weil sie nicht früher eingegriffen, ihn nicht aufgehalten hat und vor allem uns Jungs nicht vor der Drogenszene schützen konnte. Deshalb traut sie auch Fremden nicht. Außer jetzt Jenna, die meine Mutter auf Anhieb für sich eingenommen hat. Oder hat es gar nichts mit ihr, sondern mit mir zu tun? Vielleicht genügt es Mom ja, dass *ich* Jenna vertraue.

»Und was ist dann passiert?«, fragt meine komplizierte Freundin.

Ihre Stimme ist leise und ihr Blick aufmerksam. Sie saugt jedes Wort in sich auf und sucht nach Antworten, die sie gern hören würde – oder vielleicht auch nicht.

Mit Antworten ist es so eine Sache. Sobald man eine bekommen hat, gehört sie einem für immer. Man kann sie nicht mehr zurückgeben. Diese Endgültigkeit ist das Gemeine an Antworten. Sie sind wie ein Geschenk, das man, sobald man es geöffnet hat, nicht wieder einpacken kann. Ein Geschenk, das man nicht mehr loswird, mit dem man von nun an leben muss.

Trotzdem bittet Jenna mich mit ihrem Blick um alle meine Antworten. All meine sorgsam gehüteten Wahrheiten. Dabei würde ich lieber in das nächstbeste Feuer springen. Aber ich kann nicht mehr zurück, hole erneut tief Luft und setze zu weiteren Geständnissen an.

»Ich wusste, dass es meinen Vater das Leben kosten könnte, wenn ich ihn an Alec verriet, doch jeder Tag, den ich im Drogengeschäft weiter mitmischte, bedeutete wiederum ein Risiko für das Leben unserer Familie. Ich musste mich entscheiden und verriet meinen Dad.« Jennas Augen weiten sich vor Schreck, allerdings nur für den Bruchteil einer Sekunde, und deshalb fuhr ich fort. »Die Vipers haben ihn ziemlich fertiggemacht und ihn mit eingezogenem Schwanz davongejagt, ließen ihn aber am Leben. Bloß wollte keiner seiner zweifelhaften Bekannten noch etwas mit ihm zu tun haben, darum ist er aus der Stadt geflohen und hat sich irgendwo versteckt. Mit zwanzig Haftbefehlen auf seinen Namen, dazu mit einer Handvoll Feinde, die ihm das Licht auspusten wollten, und ohne Freunde, die ihn beschützten, blieb ihm keine andere Wahl, als aus der Gegend zu verschwinden und abzutauchen. Wir anderen atmeten auf. Alec hatte sein Geld zurück und uns nicht länger in der Hand, und ich ging hoffnungsfroh nach Arizona, um neu anzufangen.« Ich sehe Jenna an. »Jetzt kennst du die ganze Geschichte. Ich war in illegale Drogengeschäfte verwickelt und habe wahrscheinlich mehr Verbrechen begangen, als ich zählen kann.«

Jenna sagt nichts, keiner sagt etwas.

Eine Brise streicht über die Veranda, lässt die Windspiele klingeln und durchbricht so die lastende Stille im Wohnzimmer. Meine Mutter schaut konzentriert zu Boden; Samson starrt auf seine Hände, während Jennas Blick über mein Gesicht, meinen Körper und zurück zu meinem Gesicht gleitet. Sie öffnet die Lippen, dann presst sie sie wieder zusammen.

Mein Puls beschleunigt sich.

»Bitte sag etwas«, fordere ich sie auf und frage mich, ob es sich genauso schrecklich anfühlt, bei lebendigem Leib zu verbrennen, wie diesen Moment zu erleben.

Jenna blinzelt ein paarmal, sieht reihum einen nach dem anderen an, hebt eine Braue und sagt: »Ich glaube, ich könnte noch einen Kaffee vertragen.«

17

Jenna

Wow, mein Gott. Nach allem, was Jack mir gerade erzählt hat, weiß ich nicht, was ich sagen soll. Drogengeschäfte? Jack Oliver ein Drogendealer? Das passt einfach nicht zusammen.

Ich beobachte ihn, während Lilly mir den Becher abnimmt, um mir noch einen Kaffee zu holen, und beiße mir auf die Lippe. Eine wilde dunkle Mähne, Muskelpakete, Tattoos, überall Narben. Vermutlich sieht er irgendwie schon aus wie ein böser Bub, ohne dass er einer ist.

Das ist so, das weiß ich einfach.

Jack ist kein schlechter Mensch. Ganz im Gegenteil. Vielleicht kenne ich ihn nicht so gut, wie ich dachte, aber was auch immer in der Vergangenheit passiert sein mag, ändert nichts an meiner Einschätzung.

»Was denkst du?«, fragt Jack sichtlich besorgt.

O Gott. Er glaubt, dass ich ausrasten werde. Erwartet womöglich, dass ich abhaue und ihn samt all seinen Sünden und dunklen Geheimnissen verfluche.

Er sollte mich besser kennen.

Lilly kehrt zurück und reicht mir einen Becher mit frischem Kaffee, dann setzt sie sich wieder in den Schaukelstuhl. Ich lege die Hände um den warmen Becher und blicke zu Jack hoch.

»Ich glaube«, beginne ich und suche seinen Blick, »dass wir so schnell wie möglich nach New Orleans fahren sollten, damit du Drew suchen kannst. Wenn diese Royals nur annähernd so wie die Vipers sind, dann dürfte Drew ziemlichen Ärger haben und könnte die Hilfe seines großen Bruders wirklich gebrauchen.«

Während ich genüsslich von dem heißem Kaffee schlürfe, fallen Jack vor Überraschung fast die Augen aus dem Kopf.

Lilly hingegen grinst zufrieden. »Siehst du? Ich habe es dir doch gesagt.«

Er mustert mich unsicher. »Und du bist dir nach wie vor sicher, dass du mich mitnehmen willst?«

Ich nicke. »Wenn du so weit bist, können wir starten.«

Seine Körperhaltung wird sichtlich lockerer.

»In Ordnung«, sagt er erleichtert. »Dann lass uns fahren.«

Nachdem wir unsere Sachen gepackt haben, verabschieden wir uns von seiner Mom und seinem Bruder. Er und Samson verabreden, später zu telefonieren und zu besprechen, ob Samson ebenfalls nach New Orleans kommen muss.

»Bitte mach nicht so ein Gesicht, Mom«, sagt er sanft. »Drew geht es bestimmt gut. Wahrscheinlich hat er sich einfach vorsichtshalber für ein paar Tage aus der Schusslinie gebracht – du weißt doch, wie es in der Szene zugeht, und Drew kann sowieso nicht gut mit Stress umgehen. Da taucht er lieber ab, wenngleich es vielleicht gar nicht nötig gewesen wäre.«

»Nicht nötig?« Lilly schüttelt den Kopf. »Du warst schon

immer derjenige in der Familie, der den größten Blödsinn erzählt hat.«

»Ich rede keinen Blödsinn.«

»Natürlich tust du das.« Sie küsst ihn auf die Wange. »Aber egal. Hauptsache, du bringst mir unseren Drew nach Hause. Okay?«

»Mach ich.« Sein Blick verhärtet sich. »Versprochen.«

Ich wende mich ab, weil ich diesen Moment nicht stören will. Schließlich vermag ich mir als Außenstehende nicht einmal ansatzweise vorzustellen, wie es in den beiden wohl aussieht.

Wir verlassen zu viert das Haus und gehen die Verandastufen hinunter zu meinem Auto.

»Passt auf euch auf«, sagt Lilly, während Jack unser Gepäck im Kofferraum verstaut.

»Machen wir«, verspricht er.

Sie fasst seinen Arm und wartet, bis er ihr in die Augen sieht.

»Ich meine es ernst, Jack. Das alles ist umsonst, wenn dir ebenfalls etwas passiert.« Sie hebt eine Braue. »Verstanden?«

»Ja, keine Sorge. Ich finde Drew und bringe ihn zurück nach Hause. Alles wird wieder gut.«

Sie verschränkt die Arme vor der Brust und hält seinen Blick fest.

»Du musst klug handeln. Sei vorsichtig und tu nichts Gefährliches.«

»Mom …«

»Das ist mein Ernst.« Dann nickt sie zu mir herüber. »Und pass auf Jenna auf.«

»Das sollte wohl klar sein, oder?«, erwidert er gekränkt. »Ich würde nie …«

»Schon gut, ich weiß.« Lilly lächelt und tätschelt seine Wange, dann zwinkert sie mir heimlich zu. »Ich wollte nur sichergehen.«

Jack verdreht die Augen und murmelt: »Zur Hölle mit den Weibern.«

»Das habe ich gehört«, sagt Lilly mit gespieltem Ernst. »Ich möchte nur, dass alle sicher nach Hause kommen ...«

»Ich passe gut auf ihn auf«, versichere ich und grinse ihr zu.

»Gut zu wissen.«

Sie legt ihre Hände auf meine Wangen und sieht mich so eindringlich an, als könnte sie bis auf den Grund meiner Seele blicken und all meine Ängste und Wünsche entschlüsseln und den Widerstreit meiner Gefühle erkennen. Dann küsst sie mich flüchtig auf die Wange, lässt mich los und tritt zurück.

»Okay, braucht jemand Kondome?«, ruft sie plötzlich in die Runde.

Jack sieht sie konsterniert an. »Gott, Mom! Das war jetzt nicht dein Ernst, oder?«

Lilly runzelt die Stirn. »Doch war es. Allerdings bezweifle ich stark, dass Gott Kondome braucht.«

Ich muss unwillkürlich lächeln, während Jack sich mit beiden Händen verzweifelt durch die Haare streicht.

»Was denn?«, sagt sie. »Ich habe einen großen Vorrat im Haus und ...«

»Nein. Schluss.« Jack hält sich die Ohren zu.

»Ach, komm schon. Das ist schließlich eine ganz praktische Frage.« Demonstrativ hebt sie die Stimme und betont jedes Wort einzeln, als sie ihre Worte wiederholt: *»Braucht ... jemand ... Kondome?«*

Inzwischen ist Jack vollends schockiert. »Ich will auf der Stelle tot umfallen.«

»Ich brauche welche«, meldet sich Samson zu Wort und hebt lächelnd die Hand.

Lilly nickt zufrieden. »Siehst du?«, sagt sie zu Jack. »Wenigstens einer, der mein Angebot zu schätzen weiß.«

»O mein Gott. Du bist die peinlichste Mutter der Welt.« Jack wendet sich ab und fährt mich an: »Was ist daran so lustig?«

»Alles«, erkläre ich und gebe mir keinerlei Mühe mehr, meine Belustigung zu verbergen.

»Steig ins Auto.«

»Wiedersehen!«

Ich winke Lilly und Samson zum Abschied zu, dann starte ich den Motor und setze aus der Einfahrt zurück. Schon bald haben wir die Kleinstadtstraßen von Little Vail hinter uns und biegen auf den Freeway Richtung Süden nach New Orleans.

Gott, ich liebe Jacks Familie. Obwohl ich vorher so gut wie nichts über sie wusste, hatte ich mir gedacht, dass ich sie mögen würde. Warum, keine Ahnung. Es war einfach so ein Gefühl. Und das hat sich jetzt bestätigt. Sie kommen mir so echt vor. Ehrlich. Liebevoll.

In vielerlei Hinsicht erinnern sie mich sogar an meine eigene Familie, die ja ebenfalls ziemlich besonders ist. Vielleicht bringt mich deshalb ihre ungewöhnliche Familiengeschichte, um es mal vorsichtig auszudrücken, auch nicht aus dem Konzept. Sie lieben einander, und wenn sie aus Liebe zwischendrin Dinge tun, die nicht ganz sauber sind, nun ja …

Ich denke an die vielen Risiken, die Jack auf sich genommen hat, um seine Mom und seine Brüder zu beschützen. Hat mit Drogen gehandelt und riskiert, ins Gefängnis zu kommen, hat seinen Vater verraten. Und das alles aus Liebe zu seiner Familie. Er hat so viel getan, damit sie sicher sind, und all das auf Kosten seiner eigenen Interessen.

Kein Wunder, wenn es ihn jetzt so aufregt, dass Drew in dieses Milieu gerutscht ist, und er die Sache so persönlich nimmt. Obwohl er sich so bemüht hat, seine Brüder davor zu bewahren. Und nun verstehe ich auch, warum Lilly ihn heute Morgen getröstet hat, als er allen von Clancy erzählte.

Ich blicke auf den attraktiven Mann, der neben mir sitzt, und mein Inneres zieht sich zusammen. Das ist alles sehr … persönlich – bestimmt ist es ihm nicht leichtgefallen, seine ganze Familiengeschichte vor mir auszubreiten.

»Danke, dass du mir das alles erzählt hast«, sage ich. »Das war bestimmt nicht einfach für dich.«

Er stößt ein kurzes, bitteres Lachen aus.

»Danke, dass du dir all das angehört hast, ohne mich für meine Vergangenheit zu hassen.«

»Du weißt doch, dass ich dich niemals hassen könnte.«

Er kratzt sich an der Wange. »Nun ja, Drogengeschäfte könnten da durchaus eine Ausnahme bilden, denke ich. Darum war ich schrecklich nervös, wie du es aufnehmen würdest.«

»Ich mache dich nervös?«, erkundige ich mich grinsend und schlage einen bewusst lockeren Ton an.

»Nicht nur das. Du machst eine Menge Dinge mit mir«, erwidert er zweideutig und bedenkt mich mit einem eindeutigen Lächeln.

In meiner Brust setzt ein Flattern ein. Es fühlt sich an, als würde ein Schwarm Schmetterlinge nach einem Ausgang suchen.

Verlegen räuspere ich mich. »Ich verstehe gut, wie schrecklich die Sache mit Drew für dich ist. Nach allem, was du unternommen hast, um deine Familie da rauszuhalten. Und dann das …«

»Ja. Ich war ziemlich sauer. Und zugleich habe ich schreckliche Angst.« Er schüttelt den Kopf und murmelt kaum hörbar »Fuck«. »Das Ganze ist einfach verrückt. Ausgerechnet Drew. Er war immer der Brave, weißt du. Mommys kleiner Junge, immer folgsam, immer zufrieden. Nie Ärger. Ich kapiere einfach nicht, warum ausgerechnet er sich auf so etwas einlässt. Das passt nicht zu ihm. Er ist nicht fürs Drogengeschäft gemacht – ist nicht kalt oder hart oder skrupellos genug …«

»Das bist du auch nicht.«

Er lächelt traurig. »Ich kann dir gar nicht sagen, wie viel es mir bedeutet, dass du so denkst.«

»Es stimmt ja.«

»Nein«, sagt er. »Zumindest stimmte es früher nicht. Drew hingegen ist nie so gewesen wie ich. Seine Verbindung zu Clancy ergibt für mich überhaupt keinen Sinn. Ich habe nicht die geringste Idee, wie er eigentlich mit ihm in Kontakt gekommen ist.«

Zum wiederholten Mal schüttelt er den Kopf und starrt trübsinnig aus dem Fenster. Seine Miene spiegelt seine Ratlosigkeit, sein Nicht-begreifen-Können wider.

Aufmunternd lächele ich ihn an. »Vielleicht findest du ihn ja, sobald wir nach New Orleans kommen, und kannst ihn selbst fragen.«

»Dein Wort in Gottes Ohr«, gibt er mit einem Stoßseufzer zurück.

»Wo genau willst du überhaupt in New Orleans hin?«

»Clancy gehört eine Bar im French Quarter, das *Crowns*. Setz mich einfach dort ab.« Er sieht mich liebevoll an. »Ich bin dir wirklich dankbar für alles, Jenn, sehr dankbar. So hast du dir deinen Besuch zu Hause mit Sicherheit nicht vorgestellt.«

Unwirsch stoße ich die Luft aus. »Jetzt mach mal halblang. Ich fahre nur nach Hause, um meine Großmutter zur Rede zu stellen, dass sie mich schon wieder an ihr angebliches Sterbebett zitiert. Vermutlich wiederum völlig umsonst.«

»Tu nicht so, als würde es dir nicht gefallen, dass sie dir einen Anlass für die Reise gegeben hat.«

»Also bitte.«

»Stimmt doch«, insistiert er. »Je näher wir New Orleans kommen, desto kribbeliger wirst du. Außerdem sehe ich, wie deine Augen leuchten. Gib es zu.«

»Niemals.«

Zwar stören mich die hohen Kosten für diesen Trip, aber Jack hat recht. Ich freue mich tatsächlich, auf diese Weise mal wieder nach Hause zu kommen. Obwohl ich meine Familie vermisse, bin ich normalerweise nicht bereit, einen Haufen Geld für die Heimreise auszugeben. Nur weil ich sie vermisse? Das kann ich nicht vor mir rechtfertigen.

Kurz darauf erreichen wir New Orleans. Im berühmten French Quarter wimmelt es wie üblich vor lauter Touristen, und wir quälen uns im Schritttempo durch die Straßen.

»Vom *Crowns* habe ich noch nie gehört«, sage ich. »Dabei bin ich hier früher oft ausgegangen.«

Er wirft mir einen spöttischen Blick zu.

»Clancy hat eine ziemlich spezielle Klientel, zu der du sicher nicht gehörst.«

»Aber du schon?«

»Ja«, erwidert er, mehr nicht.

Die Art, wie er das sagt, lässt mich erschauern und jagt mir Angst ein.

Jack deutet auf ein schwarzes Gebäude. »Da ist es.«

Ich halte an, schalte den Motor aus und nehme die dunklen Fenster in Augenschein.

»Sieht nicht aus, als hätte die Bar geöffnet.«

»Ja, sieht fast so aus«, stimmt Jack mir zu und kratzt sich nachdenklich am Kinn. »Warte einen Moment.«

Er steigt aus, um zur Rückseite des Hauses zu gehen, kommt jedoch bald zurück und inspiziert den Vordereingang.

Frustriert stößt er die Luft aus, als er zu mir ans Auto tritt.

»Offenbar ist niemand da, auf dem Schild an der Vordertür steht, dass sie erst in vier Stunden öffnen.«

»Okay, warum kommst du nicht mit zu mir?«, schlage ich vor. »Meine Mom hat vorhin angerufen und gesagt, dass sie einen riesigen Berg Essen vorbereitet hat. Meine gesamte Familie ist da, was vielleicht etwas heftig ist, aber zumindest kannst du die Zeit mit uns totschlagen und dich anständig satt essen. Ich fahre dich später wieder her.«

Er blickt sich um, spielt mit der Autotür und überlegt eine Weile.

»Ja, ist wahrscheinlich besser, als hier auf der Straße rumzuhängen. Sonst kriegt Clancy am Ende vorzeitig spitz, dass ich in der Stadt bin. Bestimmt hat er überall Spitzel herumlaufen.« Er steigt ins Auto, schließt die Tür und grinst mich an. »Und außerdem wollte ich schon immer mal deine Mom kennenlernen.«

Ich verdrehe die Augen und fahre los.

»Pass bloß auf, dass ich es nicht bereue, dich eingeladen zu haben.«

Zwanzig Minuten später ist es so weit. Ich bereue es bereits.

»O mein Gott, Männerbesuch!«

Meine sechs Jahre alte Schwester Raine kommt sofort angerannt, als Jack und ich das Haus betreten, und wirft die Arme um ihn, obwohl sie ihn nie zuvor gesehen hat. Vor Überraschung bleibt er wie angewurzelt stehen, streckt die Arme zur Seite und blickt unsicher lächelnd zu ihr hinunter.

»Ooh, ist der hübsch!« Die vierjährige Shyla kommt ebenfalls angelaufen und klettert an mir hoch, um mich zu umarmen, während sie zugleich mit offenem Mund Jack anstarrt. »Hat der große Muskeln«, flüstert sie mir ins Ohr.

»Hallo«, säuselt meine sechzehnjährige Adoptivschwester und streckt die Hand aus. »Ich bin Penny. Wie nett, dich kennenzulernen.«

Zögernd nimmt er ihre Hand. »Ich bin Jack.«

»Weiß ich doch«, sagt sie und lässt seine Hand gar nicht mehr los.

»Ist das Jack?«, ruft meine Mutter, als sie zusammen mit meiner Großmutter nach vorne ins Wohnzimmer kommt. »Wie schön, dich kennenzulernen.«

Mom geht auf ihn zu, küsst ihn auf die Wange und hinterlässt dort prompt einen Abdruck ihres Lippenstifts.

»Ein sehr gut aussehender Mann«, gurrt Grandma, als sie

mit der kraftvollen Energie eines Teenagers und der gesunden Ausstrahlung einer Yogalehrerin zu uns tritt.

Von wegen Sterben.

»Wirklich unglaublich gut aussehend«, wiederholt meine Mom und reibt Jack den Lippenstift von der Wange, um dann sein Gesicht zu tätscheln, wie man das bestenfalls bei einem pummeligen Baby macht.

Jack beginnt mir leidzutun, zumal ihm anzumerken ist, dass ihn diese geballte Aufmerksamkeit deutlich überfordert. Raine sitzt auf seinem rechten Fuß, hat die Arme um seinen linken geschlungen und schaut voller Ehrfurcht unverwandt zu ihm hoch. Shyla klopft von meinen Armen aus auf seine Schulter und singt: »Große Muskeln. Große Muskeln.« Penny schüttelt nach wie vor seine Hand und klimpert angestrengt mit den Wimpern. Mom grinst bloß, und Grandma kann sich gar nicht beruhigen, wie gut er aussieht.

Als Jack Hilfe suchend zu mir blickt, erbarme ich mich und pfeife die Plagegeister zurück.

»Okay, alle mal herhören, lasst den armen Kerl in Ruhe«, rufe ich. »Weg von ihm. Auch du, Penny.« Ich schieße einen warnenden Blick in ihre Richtung, während Jack vorsichtig seine Hand aus ihrem Griff löst.

Mom und Grandma weichen ein paar Schritte zurück, lächeln Jack jedoch weiterhin an, als wäre er ein Star. Raine lässt seinen Fuß los, bleibt aber dicht neben ihm auf dem Boden sitzen.

Ich schüttele den Kopf. »Man könnte meinen, ihr hättet allesamt noch nie einen Mann gesehen. Gott. Freut sich denn hier keiner, *mich* zu sehen?«, spotte ich, und sofort bestürmen mich meine Schwestern und reden auf mich ein.

Meine Mutter strahlt, als meine Schwestern mich umarmen.

»Seht nur, all meine kleinen Pfauen zusammen«, sagt sie. »Oh, ich liebe meine Mädchen!«

Sie nimmt uns alle zusammen in den Arm, und ich lache.

Es ist schön, wieder zu Hause zu sein.

Nach dieser ersten stürmischen Begrüßung gehe ich zu meiner Großmutter und mustere sie kritisch von Kopf bis Fuß. Da sie ja angeblich auf dem Totenbett liegt, habe ich erwartet, sie blass, schwach und gebeugt anzutreffen und zumindest mit einem Stock.

Pustekuchen.

Ihr Haar ist zu perfekten Locken frisiert, ihre schokoladenbraune Haut strahlt, ihre bernsteinfarbenen Augen leuchten, und das lilafarbene Seidenkleid, das sie trägt, passt farblich zu ihrem Nagellack und den glitzernden Ohrringen.

»Hallo, Granny«, sage ich und küsse sie auf beide Wangen, bevor ich skeptisch ihre modische Aufmachung betrachte. »Du siehst ja ganz schön aufgedonnert aus«, stelle ich fest. »Und erstaunlich *gesund.*«

»Nun ja, der Tod schleicht sich nachts heran wie ein Dieb«, gibt sie grinsend zurück.

»Aha.« Ich nicke. »Ein Dieb, der einmal im Jahr einen Hausbesuch macht und dann wieder verschwindet?«

»Still, Jenna«, mahnt meine Mutter und tänzelt wieder zu Jack. »Entschuldige, dass wir dich so überfallen«, sagt sie und meint es nicht im Geringsten ernst. »Wir freuen uns einfach so, dich kennenzulernen.«

»Ein königlicher Empfang«, entgegnet Jack fröhlich. »Wem würde das nicht gefallen?«

»Na, dann hoffen wir mal, dass dir unser königliches Festmahl ebenfalls zusagt.« Sie winkt uns in die Küche, wo sich der Tisch buchstäblich unter der Fülle der Platten und Schüsseln biegt.

Jack macht große Augen. »Das sieht ja toll aus.«

Lautes Geschnatter kündigt die Ankunft meiner Cousinen an, die sich sofort auf mich stürzen.

»Gott sei Dank, da bist du ja.«

»Hat jemand versucht, dich zu grillen und zu essen?«

»Du hast nicht so oft angerufen, wie versprochen.«

Ich starre sie an. »Wow, freue ich mich, euch zu sehen.«

Jack beugt sich zu mir herüber und fragt: »Dich gegessen?«

Ich winke ab. »Das ist eine lange Geschichte, erkläre ich dir später.«

»Okay, jetzt kommt. Lasst uns essen.« Meine Mutter schiebt alle zu ihren Plätzen.

Ich sitze zwischen Grandma und Jack, während meine jüngeren Schwestern sich um den Stuhl auf Jacks anderer Seite streiten. Penny gewinnt und lächelt Jack strahlend an – zu strahlend, wenn ihr mich fragt.

Die erste halbe Stunde des Essens bombardieren alle Jack mit Fragen. Woher er kommt. Was er mag. Was die Tattoos bedeuten. Wie bei mir gehen auch bei ihm die Tattoos ineinander über wie bei einem großen Wandgemälde, so viele sind es. Er erzählt meiner Familie, dass seine Tätowierungen nicht viel bedeuten, aber ich weiß es besser.

Inzwischen vermute ich, dass sein Tattoo mit dem Falken und der Schlange symbolisch für ihn und die Vipers steht. Dass Jack der Falke ist, der die Schlange überwältigt hat. Oder der Mitternachtsvogel. Gut möglich, dass er ihn sich hat stechen lassen, als er bei den Vipers eingestiegen ist. Ein Symbol der Hoffnung – der Hoffnung, wieder freizukommen. Der Hoffnung, sich wieder sicher zu fühlen. Am Ende hat ihm das Tattoo wirklich Glück gebracht.

Endlich hört meine Familie auf, Jack mit Fragen zu löchern, und richtet ihre Neugier auf mich. Ich berichte ihnen alles, was sie wissen wollen, doch eigentlich interessieren sich alle bloß für Jack. Großartig!

Allerdings kann ich es ihnen nicht verübeln. In meiner Familie gibt es in meiner Generation ausschließlich Mädchen.

Es kommt selten vor, dass ein Mann am Tisch sitzt, geschweige denn ein so attraktiver.

»Also, Grandma«, sage ich und beuge mich zu ihr. »Du machst auf mich weiß Gott nicht den Eindruck, als würdest du sterben.«

Sie zuckt die Schultern und wirft mir einen scharfen Blick zu.

»Der Eindruck kann täuschen, mein Kind.«

»Weißt du, was noch täuschen kann? Großmütter, die ständig ihren Tod ankündigen.«

Sie lächelt. »Wenn dich das nach Hause bringt, werde ich weiterhin jedes Jahr sterben.«

»Ha. Genauso habe ich mir das gedacht«, sage ich und küsse sie auf die Wange. »Trotzdem: Es ist schön, dich zu sehen und dass es dir nach wie vor gut geht. Du hast mir gefehlt.«

»Du mir auch, meine Kleine – schließlich bist du mein Stern.« Ihr Blick gleitet zu Jack. »Und er scheint deiner zu sein.«

Ich verdrehe die Augen. »Nicht im Entferntesten. Du kennst mich doch, Granny. Ich brauche keinen Mann.«

»Wer redet denn von brauchen? Ich rede von Verlangen. Von euren Herzen.«

O Gott. Ganz eindeutig entstamme ich einer langen Reihe hoffnungsloser Romantiker, die es für ihre Aufgabe halten, mir den Weg zu weisen zu Liebe, Ehe und Kindern. Und das trotz der desaströsen eigenen Erfahrungen.

»Mom hatte Verlangen und Herz, und sieh dir an, wohin sie das gebracht hat«, werfe ich sarkastisch ein.

»Ich sehe es mir an«, sagt meine Großmutter. »Und es ist das Beste, was ihr je passiert ist.«

Ich hole tief Luft. »Sorry, aber es ist nicht jedermanns Lebenstraum, als alleinerziehende Mutter mit gebrochenem Herzen zu enden.«

Sie schnalzt mit der Zunge. »Deine Mutter hat sich für ihren Weg entschieden. Außerdem, was willst *du* denn sein? Eine kinderlose Frau mit viel Geld?«

Was spräche dagegen, überlege ich. Schließlich will ich nie heiraten und vor allem nie arm sein. Aber will ich wirklich kinderlos bleiben? Ich könnte natürlich Pflegekinder aufnehmen wie meine Mom, doch auch die würde ich alleine großziehen müssen. Außerdem bin ich unsicher, ob ich nicht doch gerne ein eigenes Kind hätte.

Die Richtung meiner Gedanken gefällt mir nicht. Es reicht, dass Grandma mich verunsichert.

»Wer will nicht reich sein?«, sage ich und zwinkere meiner Großmutter betont munter zu.

Sie schnalzt mit der Zunge und wendet den Blick ab.

»Lass dir eines sagen: Das schlimmste Schicksal ist es

manchmal, wenn wir bekommen, was wir wollen. Eigentlich meistens.« Sie trinkt einen Schluck von ihrem süßen Tee. »Dein neuer Ring gefällt mir übrigens.« Sie deutet mit dem Kopf auf meine linke Hand, auf den Ring mit dem roten Stein, den Jack mir auf dem Kunstmarkt gekauft hat und der zwei Finger neben dem Gris-Gris-Ring sitzt, den sie mir vor meinem Umzug nach Arizona geschenkt hat. »Er sieht sehr besonders aus«, fügt sie hinzu.

Ich blicke auf meine Finger, an denen ich diverse Ringe unterschiedlichster Form und Größe trage.

»Woher weißt du, dass er neu ist?«

Lächelnd stellt sie ihr Teeglas ab.

»Das habe ich nicht an deinen Fingern erkannt, Liebes, sondern an deinen Augen.« Ein gerissenes Lächeln umspielt ihre Lippen. »Hat der junge Mann ihn dir geschenkt?«

Woher weiß sie so etwas immer, frage ich mich und schüttele verwundert den Kopf.

»Wie kommst du darauf?«, hake ich nach.

»Täusche ich mich denn?«, gibt sie lächelnd zurück.

Resignierend seufze ich. »Nein. Du täuschst dich nicht. Der Ring ist ein Geschenk von Jack.«

Mit triumphierendem Leuchten in den Augen wendet sie sich wieder ihrem Essen zu.

»Habe ich mir doch gedacht.«

Zwar tue ich genervt, aber bei der Erinnerung an den Kauf des Rings erfüllt mich eine überwältigende Freude, die sich noch steigert, als er mir plötzlich zulächelt. Seine grauen Augen, die an Gewitterwolken erinnern, funkeln unter seinen dichten, dunklen Brauen, und ich fühle mich wie ein Schulmädchen beim ersten Date. Schnell wende ich den Blick ab.

Jack. Er löst Gefühle in mir aus, die unbeschreiblich sind, und die ich dennoch eigentlich nicht haben will.

Als wir mit dem Essen fertig sind, helfe ich beim Spülen, und meine kleinen Schwestern ziehen Jack fröhlich kichernd mit sich fort.

Eine Dreiviertelstunde später wandere ich durchs Haus und suche nach ihm. Als ich das Spielzimmer betrete, finde ich dort meine Cousinen und meine Großmutter, die mit einem fast verzückten Lächeln Jack beobachten, der, erneut von den Mädchen umringt, an einem Kindertisch auf einem winzigen Kinderstuhl sitzt, der im Vergleich zu seinem großen massigen Körper geradezu absurd klein aussieht. Seine langen Beine sind angewinkelt, die Knie fast unter dem Kinn. Er sieht aus wie ein Riese im Zwergenland. Noch komischer ist jedoch, dass die Mädchen ein Tuch als Kleid um ihn drapiert haben, und dass er einen großen Hut mit Blumen auf dem Kopf hat und weiße Handschuhe trägt, die kaum über seine Pranken passen. Und er ist geschminkt. Leuchtendes, pinkfarbenes Rouge auf den Wangen, über den Augen lila Lidschatten, die Lippen knallrot angemalt. Shyla und Raine haben sich ebenfalls verkleidet und geschminkt, und die drei sitzen mit Stofftieren am Tisch und trinken Tee.

»Ich sehe, mein Gris-Gris-Zauber wirkt«, stellt Grandma fest.

Ich schrecke auf und bemerke, dass ich andächtig grinsend die Szene beobachte.

»Ich weiß nicht, wovon du sprichst«, tue ich dennoch arglos, verlagere aber unbehaglich mein Gewicht.

Sie verdreht die Augen. »Bitte! Ich erkenne Liebe, wenn

ich sie sehe, und dieser Junge ist in dich verliebt.« Sie seufzt. »Mein Glaube an Magie scheint sich mal wieder zu bewahrheiten.«

Jetzt ist es an mir, die Augen zu verdrehen.

»Aha, und natürlich schreibst du *dir* das auf die Fahnen.«

»Du gibst also zu, dass er in dich verliebt ist, das gefällt mir«, stellt sie zufrieden lächelnd fest und zwinkert mir zu. »Immerhin ein Fortschritt.«

Sosehr ich meine Großmutter liebe – manchmal treibt sie mich zur Weißglut.

»Du bist unerträglich, weißt du das?«

»Gern geschehen«, erwidert sie mit maliziösem Lächeln.

In diesem Augenblick sieht Jack mich an und strahlt übers ganze Gesicht.

»Hallo, Jenna. Würdest du dich auf einen Tee zu uns gesellen?«, fragt er und hebt eine winzige Teetasse hoch.

»Nein, nein, nein, Mr. Jack!« Shyla hebt drohend einen Finger. »Du musst den kleinen Finger abspreizen, wenn du trinkst. So«, sagt sie und macht es ihm mit ernstem Gesicht vor.

»Verzeihung, das tut mir sehr leid.« Jack streckt den kleinen Finger nach außen. »Besser so, Miss Shyla?«

Sie nickt. »Viel besser.«

»Komm doch zu uns«, lädt Raine mich ein und zieht an meinem Arm. »Wir spielen Verkleiden.«

»Das sehe ich.«

Ich setze mich auf einen der kleinen Stühle, und die beiden Kleinen fangen sofort an, sich um mein Haar und meine Kleidung zu kümmern. Sie setzen mir ein Diadem auf den Kopf und legen mir Dutzende Perlenketten um den

Hals, dann malen sie mich abwechselnd mit ihren Kinderschminksets an.

»Tada!«, ruft Shyla triumphierend, als sie fertig sind.

Mit gefühlten zehn Pfund Kleister im Gesicht wende ich mich an Jack.

»Wie sehe ich aus, Mr. Jack?«

»Hinreißend, Miss Jenna.«

Ich lache, als er sich verneigt und der lächerliche Schlapphut mit den Blumen ihm vom Kopf rutscht, greife danach und stülpe ihn ihm wieder auf. Aus seinen grauen Augen spricht Freude über das entspannte Zusammensein mit meiner Familie und über das Helle, das er in mir sieht, und ich möchte mich in ihnen verlieren.

Gris-Gris-Zauber hin oder her: Etwas beginnt in mir zu wachsen und Gestalt anzunehmen, das ich verdrängt habe. Etwas, das aus der Leidenschaft geboren wurde. Etwas, um das Jack schon lange weiß, und vor dem *er* sich nicht fürchtet.

Etwas, das sich stark nach Liebe anfühlt.

Dieser Mann ist wie eine Droge. Und wenn ich nicht aufpasse, werde ich noch süchtig nach ihm.

Das heißt, wenn ich das nicht schon längst bin.

18

Jack

Das schwarze Gebäude, das vorhin völlig verlassen wirkte, vibriert nur so von der lauten Musik, die herausschallt. Draußen stehen lärmend eine Menge Leute herum, die rein- und rausgehen. Es ist ein ständiges Kommen und Gehen.

Jenna hält etwas weiter die Straße hinunter mit ihrem Wagen. Auf der Rückbank sitzen aufgetakelt ihre drei Cousinen und planen per SMS und unter pausenlosem Geschnatter ihr Abendprogramm. Nachdem sie herausgefunden hatten, dass Jenna mich ins French Quarter fährt, wollten sie unbedingt mit, um dort auszugehen. Zu diesem Zweck zwangen sie Jenna in ziemlich sexy Klamotten – in ein knappes trägerloses Top, hautenge Jeans und High Heels. Bei ihrem Anblick wünschte ich, sie würden mich auffordern mitzukommen, aber Callie hat klargemacht, dass es sich hier um einen »Mädelsabend« handelt.

»Danke fürs Mitnehmen«, sage ich zu Jenna.

»Kein Problem.« Sie wirkt nachdenklich. »Und du bist sicher, dass du heute Nacht einen Platz zum Schlafen hast?«

Die ehrliche Antwort lautet Nein. Ich kenne zwar ein paar Leute in New Orleans, jedoch nicht so gut, dass ich auf ihrem Sofa pennen würde. Trotzdem: Jenna braucht eine Pause von all meinem Chaos, und ich möchte ihr nicht einen lustigen Abend verderben, indem ich bei ihrer Familie zum Schlafen aufkreuze.

Gott, ich kann nach wie vor nicht glauben, dass ich sie überhaupt in dieses ganze Drama mit hineingezogen und sie in eine verrückte Situation nach der anderen gebracht habe. Dabei war das Einzige, was das arme Mädchen wollte, nach New Orleans zu ihre Grandma zu fahren.

Ich bin ein Mistkerl.

Jenna hat eindeutig etwas Besseres als mich verdient. In jeder Beziehung. Darum beschließe ich, in eines der vielen Hotels im Quarter gehen, sobald ich mit Clancy gesprochen habe.

»Ja. Alles okay.« Ich lächele und steige aus dem Auto, stecke noch mal den Kopf durch die geöffnete Tür. »Bleibt es bei der Rückfahrt am Samstag?«

Sie nickt. »Ja, falls du Drew allerdings bis dahin nicht gefunden hast …«

»Das habe ich bestimmt«, sage ich mit mehr Überzeugung, als ich in diesem Augenblick empfinde.

»Okay«, antwortet sie nachdenklich. »Ich schreibe dir eine SMS, dann machen wir aus, wo wir uns treffen.« Ich nicke, und sie senkt die Stimme. »Schick mir eine Nachricht, sobald du Drew gefunden hast, ja? Nur damit ich weiß, dass es ihm gut geht und dass … du ebenfalls in Ordnung bist.«

Der Ausdruck in ihren Augen berührt mich. Es gefällt mir, dass sie sich um meine Sicherheit sorgt – dass sie keine *Angst* hat, sich zu sorgen. Wenn sie doch bloß den Mut besäße zuzugeben, dass sie sich für mehr interessiert als nur für mein Wohlergehen, dann hätten wir beide vielleicht eine Chance.

»Mach ich«, verspreche ich ihr, woraufhin sie noch einmal kurz winkt und davonfährt.

Ich drehe mich um, blicke zu den blinkenden Lichtern hinauf, die das *Crowns* umgeben und lockere vorsichtshalber mal meine Hände. Zeit, mich meinen Gegnern zu stellen.

Den Royals und Clancy.

Letzterer ist meine einzige Chance, Drew zu finden.

Mit seinem violetten Anzug, den Krokodillederstiefeln, seinem glänzend schwarzen Stock und dem weißen Feodora-Hut auf dem Kopf wirkt Clancy wie ein Ganove aus einem Comicheft. Er sieht schillernder aus, als man es bei einem Mann wie ihm, der außerdem nicht auffallen darf, erwartet. Aber ich habe auf die harte Tour gelernt, Clancy und seine sonderbare Aufmachung nicht zu unterschätzen.

Gedankenverloren streiche ich mit dem Finger über die schmale, verblasste Narbe, die von der Unterseite meines Kinns bis zu meinem Schlüsselbein verläuft. Mit der scharfen Klinge eines Steakmessers hat mich dieser Mann vor langer Zeit gezeichnet.

Hoffentlich kann ich ihm das eines Tages heimzahlen.

»Jack Oliver«, sagt Clancy und erhebt sich von seinem Stuhl im Hinterzimmer der Bar. Ein einzelner Goldzahn glänzt in seinem weißen Gebiss, als er die Mundwinkel zu einem lasziven Grinsen verzieht. »Ich habe nicht damit gerechnet, dich so bald wiederzusehen. Oder dich überhaupt je wiederzusehen. Welchem Umstand verdanke ich dieses Vergnügen?«

Als ich weiter in den Raum hineintrete, greifen zwei seiner Bodyguards lässig nach den Waffen an ihren Gürteln.

»Glaub mir, Clancy, ich bin nicht zum Vergnügen hier«, erwidere ich sarkastisch.

Er legt den Kopf schief, lächelt noch immer, wenngleich zunehmend argwöhnisch und drohend fast.

»Geschäftlich etwa? Komisch. Ich dachte, du wolltest nichts mehr mit unserer Branche zu tun haben.«

»Wollte ich auch nicht, aber jetzt ist mein Bruder verschwunden.«

Er mustert mich eine ganze Weile eindringlich.

»Dann weißt du also ebenfalls nicht, wo er steckt?«, konstatiert er und stößt einen lauten Seufzer aus. »Und ich dachte, du bist gekommen, um zu verhandeln.«

Ich verschränke die Arme. »Mit meinen Feinden verhandele ich nicht.«

Er lacht finster. »Na, wir wissen ja wohl beide, dass das nicht stimmt.«

»Wir hatten eine Abmachung, Clancy. Du hast zugestimmt, dich von meiner Familie fernzuhalten.«

»Und genau das habe ich getan.«

»Warum ist dann eine Prämie auf Drews Kopf ausgesetzt?«, erkundige ich mich in scharfem Ton.

»Weil er den Royals großen Schaden zugefügt hat.« Clancy legt die Fingerspitzen aneinander. »Einen Schaden, der nicht wiedergutzumachen ist.«

»Einen Schaden, an dem ihr selbst schuld seid, weil ihr ihn nicht in Ruhe gelassen habt«, fahre ich ihm in die Parade. »In was ist er durch euch hineingeraten?«

Clancy bläht die Nasenflügel. »*Ich* habe ihn in gar nichts hineingezogen. Wenn du jemanden für die Sünden deines Bruders verantwortlich machen willst, solltest du die Spur deines Vaters verfolgen.«

Sofort gerät mein Blut vor lauter Wut und Angst in Wallung, und ich kneife die Augen zusammen.

»Mein Vater? Was hat der mit der Sache zu tun?«

»Alles. Er hat Drew hier angeschleppt. Noch mal: Weißt du, wo dein Bruder ist?«

Ich hebe den Kopf. »Das habe ich dir doch schon gesagt. Nein.«

»Weißt du, wo dein Vater ist?«

»Nein.«

»Dann ist diese Unterhaltung hiermit beendet.«

»Das verstehe ich nicht.«

»Musst du auch nicht«, stößt Clancy hervor und macht ein paar Schritte auf mich zu. »Du kommst in meine Bar, in mein Geschäft und verlangst Antworten, ohne mir dafür im Gegenzug etwas anzubieten. Darum ist dieses Gespräch ab sofort beendet.«

Er gibt seinen Schlägertypen ein Zeichen, die mir daraufhin ziemlich dicht auf die Pelle rücken.

»Wenn Drew etwas passiert«, sage ich und blicke Clancy fest in die Augen, »finde ich dich. Und dann wirst du erleben, wie ein richtiger Schaden aussieht.«

Ich weiche ein Stück zurück und trete hinaus in die laue Nachtluft von Louisiana.

»Wenn du deinen Vater siehst«, ruft Clancy mir mit kaltem Blick nach, »sag ihm, dass ich mich auf unsere nächste Begegnung freue.«

Wenn ich meinen Vater sehe …

Ich verstehe das Ganze nicht, glaubte ich doch, er sei auf der Flucht, würde sich irgendwo verstecken – oder sei sogar tot.

Jedenfalls sollte er eigentlich für immer aus unserem

Leben verschwunden sein, aber dem war offenbar nicht so.

Bei der Vorstellung, er könnte zurückgekehrt sein, durchbohrt mich ein stechendes Gefühl. Alle möglichen Empfindungen überschwemmen mich. Und keine davon fühlt sich gut an.

Als Clancys Bodyguards hinter mir die Tür zuschlagen und ich allein in der dunklen Gasse stehe, wirbelt mir lediglich ein einziger Gedanke durch den Kopf.

Ich werde meinen Vater umbringen.

19

Jenna

Erstaunlicherweise hatte Grandma es abgelehnt, mit meinen Cousinen und mir beim Karaokesingen einen lustigen Abend zu verbringen. Nicht weil sie sich nicht fit genug fühlte, sondern weil sie mit Freunden aus ihrem Buchclub zum Bingo verabredet war. Ich schwöre, diese alte Frau hat ein ausgefüllteres Sozialleben als ich.

Und so sitze ich hier, eingeklemmt zwischen Callie und Alyssa, an einem klebrigen Tisch in einer Bar, während eine ziemlich betrunkene Becca auf ihren High Heels zur Bühne schwankt und das Mikro in die Hand nimmt.

Ihre Idee ist es übrigens gewesen, dass wir alle vier aufeinander abgestimmte trägerlose Tops tragen, und zwar jede in einer anderen Farbe. Meine Mutter fand das perfekt, weil sie meinte, wir sähen aus wie eine Herde Pfauen. Daraufhin erklärte ich ihr, dass es sich bei farbenprächtigen Pfauen immer um Männchen handele, die bekanntermaßen alle gemein seien und sich unerträglich aufführten, woraufhin sie erwiderte, die Assoziation sei mir wahrscheinlich nicht ganz zufällig gekommen …«

Alyssa entschied sich für ein blaues Oberteil. Becca für ein gelbes. Callie für grün. Und ich für rot. Weil das zu meinem neuesten Schmuckstück passt.

Ich blicke auf den Ring, dessen roter Stein an meiner rechten Hand glänzt, und muss unwillkürlich lächeln.

Jack liebt mich. Keine Frage.

Wieso erkenne ich, dass Jack mich tatsächlich liebt, und kann es trotzdem nicht wirklich glauben? Ist doch irre! Kein Wunder, dass der Typ an mir verzweifelt.

Als die ersten Klänge von *I Will Survive* aus den billigen Lautsprechern in den Ecken des verrauchten Raumes ertönen, jubeln alle. Becca stellt sich auf der Bühne in Pose und schickt sich mit dramatischer Geste an, sich die Seele aus dem Leib zu singen – und unsere Ohren zu strapazieren.

Wenn ich betrunken wäre, würde ich mich wahrscheinlich besser amüsieren, aber den ganzen Abend über hatte ich schon Probleme mit meinem nervösen Magen, und inzwischen fühle ich mich vor lauter Sorge um Jack derart mies, dass ich nicht mal einen Schluck Alkohol hinunterbekomme.

Egal, meine Cousinen trinken für mich mit, amüsieren sich für mich mit, während ich nichts lieber möchte, als endlich zu wissen, was mit Jack ist, und ob er etwas von diesem Clancy erfahren hat.

Ich entschuldige mich, entfliehe Beccas unerträglichem Auftritt, den sie den Gästen der Bar zumutet, und schlüpfe hinaus auf die Bourbon Street, um Jack anzurufen.

Er geht sofort ran. »Ist alles in Ordnung?«

»Was? Ja. Ich rufe an, weil ich hören wollte, wie es bei dir gelaufen ist.«

Eine Pferdekutsche, in der ein betrunkenes Pärchen mit einem Megafon sitzt, fährt vorbei. *Hallo, Bourbon Street* grölen sie und richten sich schwankend auf, um sich sogleich wieder lachend zurück auf die Bank fallen zu lassen.

Normalerweise hätte ich dem verrückten Paar kaum Aufmerksamkeit geschenkt. Verblüffenderweise jedoch höre ich ihre Stimmen nicht bloß live, sondern ebenfalls durchs Telefon. Jack muss also ganz in der Nähe sein!

»Wo bist du?«, frage ich und suche mit den Blicken die Straße ab.

»Ich bin für die Nacht bei einem Freund untergekommen.«

Während ich immer noch umherschaue, fällt mein Blick durch die große Frontscheibe des Hotels gegenüber, und in dem Moment entdecke ich Jack in der Lobby.

»Ach, ja? Du checkst nicht zufällig gerade in einem Hotel ein, oder?«, erwidere ich spöttisch und eile über die Straße in die Hotelhalle, wo Jack soeben in den Fahrstuhl steigt.

»Nein. Das wäre doch albern.«

»Erwischt«, sage ich, nachdem ich mich schnell noch in den Aufzug gezwängt habe, bevor sich die Türen schließen.

Er sieht mich perplex an. »Was machst *du* denn hier?«

»Nun ja, ich habe von der anderen Straßenseite aus gesehen, dass du mich anschwindelst, und da dachte ich, ich komme schnell rüber und schaue nach dem Rechten.« Ich mustere ihn eindringlich. »Warum übernachtest du in einem Hotel und nicht bei meiner Familie?«

Seufzend streicht er sich mit der Hand durch die zerzausten Haare, einzelne Strähnen fallen ihm ins Gesicht.

»Weil du eine Auszeit von meinem Chaos brauchst, Jenn.«

»Nein, brauche ich nicht«, widerspreche ich. »Darum habe ich dich ja angerufen.«

Der Fahrstuhl hält mit einem Pling, und die Türen öffnen sich. Hinter Jack verlasse ich die enge Kabine und gehe neben ihm den Hotelflur hinunter, vorbei an diversen roten Zimmertüren.

»Das meinst du vielleicht, aber glaub mir, »du brauchst Abstand von mir«, sagt er, während er die Tür mit der Nummer 2323 öffnet.

Er sieht mich nicht an, und die Zurückweisung versetzt meinem Herzen einen Stich.

»Dann erzähl mir wenigstens, ob du etwas wegen Drew herausgefunden hast. Ich habe mir nämlich total Sorgen gemacht.«

»Geh nach Hause, Jenna – du solltest dir nicht den Kopf über solche Dinge zerbrechen«, sagt er und betritt das Zimmer.

Obwohl er mich nicht hereinbittet, folge ich ihm. Es kränkt mich irgendwie, nicht willkommen zu sein. Verdammt, wir haben die letzten Tage jede Menge Zeit miteinander verbracht, und vielleicht braucht Jack jetzt etwas Abstand, ich hingegen will das nicht.

Und Teufel, das ist neu für mich.

Ich wollte immer Abstand. Freiheit. Ich wollte immer *weg*.

Zumindest bis jetzt.

»Nein«, sage ich. »Ich möchte wissen, was du herausgefunden hast.«

Mit einem lauten Klacken fällt die Tür hinter uns ins Schloss, und ich schaue ihn mit flehendem Blick an. Die Vorstellung, dass Jack genug von mir haben könnte, ist, nun ja, verletzend. Mit einem Mal wünsche ich mir, dass er meine Nähe wünscht. Dass er mich an sich heranlässt. Dass er mich will – mir *vertraut*.

»Bitte«, sage ich.

Er taxiert mich einen Augenblick, dann reibt er sich seufzend das Kinn.

»Ich habe herausgefunden, dass mein Vater hinter alldem steckt.«

Einige Sekunden bin ich sprachlos. »O mein Gott. Das tut mir jetzt echt leid, Jack.«

Er lacht bitter. »Mir auch, das kannst du mir glauben. Die ganze Zeit dachte ich, ich hätte meine Brüder vor meinem Vater und seinen kriminellen Geschäften in Sicherheit gebracht – stattdessen muss ich jetzt erneut hinter ihm aufräumen.«

Ich lege ihm eine Hand auf die Schulter und drücke sie stumm. Wenn ich mir vorstelle, was er wahrscheinlich in diesem Moment empfindet, wird mir schwer ums Herz. Seine grauen Augen spiegeln seine Qual wider.

»Es tut mir leid, dass ich dich mit dem ganzen Scheiß behelligt habe – und gleichzeitig bin ich froh, mit dir darüber geredet zu haben, weißt du?«

Ich nicke, seine Worte geben mir neue Kraft. Er will mich, er vertraut mir. Und warum gebe ich ihm dann nicht dasselbe? Stoße stattdessen ihn und seine Liebe immerfort weg. Wie verrückt bin ich eigentlich?

Okay, ich glaube gute Gründe zu haben, aber stimmt das wirklich? Diesen Lebensplan mit allen erdenklichen Waffen zu verteidigen, könnte damit enden, dass ich mir selbst ins Knie schieße. Jedenfalls ist es ein schmaler Grat, auf dem ich da wandere. Und manchmal habe ich das Gefühl, dass ich versuche, vor mir selbst davonzulaufen. Als würde ich gegen mein eigenes Herz ankämpfen. Nicht gegen meine Träume. Nicht gegen meine Ängste. Gegen mein *Herz.*

Irgendwie drehe ich mich im Kreis – fliehe vor einem

Sturm, den ich selbst entfache, während Jack geduldig darauf wartet, mich aufzufangen, wenn ich vor Erschöpfung zusammenbreche.

Ich blicke ihn an und beiße mir auf die Lippe.

»Jack, ich …«

Was, wenn ich nachgebe? Wenn ich mich von dem Sturm mitreißen lasse, von der Urgewalt der Elemente, die ich jedes Mal spüre, wenn Jack und ich zusammen sind?

»Ich …«, setze ich erneut an.

Er spürt die Veränderung, die in mir vorgeht, beugt sich vor und küsst mich auf die Stirn. Ein unschuldiger Kuss, aber ich schließe die Augen und merke, dass ich nichts lieber möchte, als meine Gefühle zuzulassen.

Ich will in unbekannten Gewässern ertrinken. Unter unberechenbaren Winden segeln.

Ich will mich dem Sturm hingeben, bis ich ein Teil von ihm bin.

Ich will …

Ich will …

Ich will … einfach nur loslassen.

Spontan stelle ich mich auf die Zehenspitzen und presse meine Lippen auf seine. Jack weicht erst zurück, blickt mich dann voller Verlangen an und erwidert schließlich meinen Kuss. Leidenschaftlich und heftig, während ich mich an ihm festklammere. Unser Kuss ist wild und gierig, und ich stöhne, weil es mir schon zu lang vorkam, nur ein paar Stunden von ihm getrennt zu sein.

Keine Frage, dass ich ihn will.

Ich will ihn, und er nimmt mich. Es ist anders als letzte Nacht, ich bin anders. Trotzdem löst er sich von mir und gibt mir die Chance, meine Meinung zu ändern, doch ich rühre mich nicht. Betrachte seinen Mund, seine Lippen, aus denen heißer Atem mich anweht. Seine breite Brust hebt und senkt sich, unter seinem Hemd zeichnet sich das Spiel seiner kräftigen Muskeln ab.

Mein Blick gleitet nach oben zu seinen überwältigenden Augen, die je nach Beleuchtung mal metallen grau, mal silbrig grau schimmern und mich immer wieder aufs Neue gefangen nehmen.

Als ich mich, ohne nachzudenken, noch dichter an ihn lehne, als wäre er ein Magnet, werden meine Brustwarzen hart durch die Berührung unserer Oberkörper, und tief in meinem Inneren werden Flammen der Lust entfacht. Meine Lider flattern, während ich das Kinn hebe und ihm voller Begehren meine Lippen anbiete. Zum ersten Mal gebe ich ganz bewusst jeden Kontrollversuch auf und lasse mich von meinem Verlangen überwältigen, das ich viel zu lang zurückgehalten habe.

Ich will mit seinem Mund spielen und über seine Haut streichen. Will Lust aus seinem Körper gewinnen und ihn beobachten, wenn die Ekstase uns beide erfasst. Will ihn erobern, bis ich erschöpft und befriedigt bin.

Aber ich weiß es besser.

Das hier ist Jack, und der lässt sich weder erobern noch besitzen oder nehmen. Er will der Beherrscher, der Sieger und der König sein. Mit ihm bin ich nicht länger der Hurrikan – er ist es, der mit elementarer Wucht über mich hereinbricht und mich mitreißt.

Seine Kraft wird mich vernichten, er wird mich mit seiner heftigen Leidenschaft und mit seiner Liebe packen. Und das ist es: Liebe. Nicht zu leugnende, unwiderrufliche Liebe. Leidenschaftliche Liebe, die ich von allem am meisten fürchte. Aber der Sturm wird kommen, mich ganz und gar überrollen, und ich werde nie wieder dieselbe sein.

Eigentlich hat er mich, wie ich jetzt erkenne, bereits im letzten Winter erfasst. Ich habe mir bloß die ganze Zeit über etwas vorgemacht. Obwohl ich ihm hilflos ausgeliefert war, habe ich mir eingeredet, gegen Sturm und Regen angekämpfen zu können. Dabei wusste ich die ganze Zeit, dass ich längst verloren war. Jack hat mir vor einem Jahr den Boden unter den Füßen weggezogen. Das Einzige, was ich jetzt noch tun kann, ist, mich in den Sturm zu werfen und mich von ihm mitreißen zu lassen.

Seine kräftigen Hände gleiten zu meinen Beinen, umfassen meine Oberschenkel, während mein Mund sanft an seinem liegt. Ich küsse ihn nicht, rühre mich nicht, warte nur. Er streicht über meine Hüften, meine Taille, umarmt mich, zieht mich zu sich heran und drückt mich auf eine besitzergreifende Weise an sich, die keinen Zweifel daran lässt, wer hier das Sagen hat.

Wenn ich mich jetzt nicht aus seiner Umarmung befreie, gibt es endgültig kein Zurück mehr. Aber befinde ich mich nicht bereits mitten im Sturm und bin zum Spiel der Wellen geworden?

Zärtlich berühre ich seine Unterlippe und nehme sie vorsichtig mit den Zähnen in meinen Mund. Für den Bruchteil einer Sekunde gräbt er die Finger in meine Taille, und ein fast animalisches Knurren dringt aus seiner Kehle, dann reißt er mich mit sich fort.

Mit einer Hand fasst er meinen Rücken, um mich fest an seinen Körper zu pressen, mit der anderen zieht er mein Gesicht zu sich heran, küsst mich voll wilder Leidenschaft, drängt seine Lippen an meine, teilt sie mit seiner fordernden Zunge, als würde ihm mein Mund gehören, nur ihm allein, als dürfe nur er ihn berühren und ihn liebkosen.

Ich begegne ihm mit derselben Lust und Leidenschaft, und unsere Münder vereinen sich in verzweifelter Gier. Meine Hände packen seine Oberarme, meine Nägel graben sich in seine Haut, woraufhin er grob meine Hüften packt und mich in die Lippe beißt.

»Wenn du mich wie eine Katze kratzt«, raunt er atemlos und drängt mich gegen die Wand, »muss ich dich wie ein Tiger zerfleischen.«

»Ich kratze dich, wo es mir gefällt«, sage ich und öffne seine Jeans, schiebe meine Hand hinein und streiche langsam an seinem Schmuckstück hinauf.

Er antwortet erneut mit einem tiefen Knurren und beginnt meine Brüste durch den dünnen Stoff meines Shirts zu liebkosen, saugt dabei an meinem Ohrläppchen und kitzelt es mit seiner Zunge. Ich lasse den Kopf in den Nacken sinken, verdrehe die Augen vor Lust und biete ihm meinen Hals dar, den er mit seinen Küssen erobert.

Dann zieht er mein trägerloses Top nach unten, um meine Brüste zu entblößen. Betrachtet sie gierig und umfasst sie mit seinen Händen, streicht mit den Daumen über die erregten Knospen. Ich ringe nach Luft und dränge meine Hüften noch fester gegen seinen Körper.

Ich will mich ganz von meinem Shirt befreien, doch Jack hält meine Hände fest und drückt sie zur Seite. Eine Erinnerung daran, dass er der Hurrikan ist. Ergeben lasse ich die Hände sinken und fühle mich seltsam wohl in meiner Machtlosigkeit.

Federleicht streicht Jack über meinen Oberkörper, dann verstärkt sich sein Griff. Er massiert meine Brüste. Erst leicht, dann fester, bis ich vor Lust keuche. Nimmt schließlich die linke Spitze in seinen warmen Mund, dann die rechte.

Meine Mitte zieht sich unwillkürlich zusammen, ich bin heiß und feucht, und erregt reibe ich mich an ihm, grabe erneut die Nägel in seine Haut. Er lehnt sich zurück, die kühle Luft streicht über meine Brustspitzen und treibt ein Schaudern durch meinen Körper, während Jack mich an den Gürtelschlaufen meiner Jeans von der Wand weg und hin zum Bett zieht.

Dort setzt er sich auf die Kante, öffnet meine Jeans und sieht mit dunklen Augen zu mir auf. Sein Blick verharrt auf meinen nackten Brüsten, die sich über meinem heruntergezogenen Shirt wölben, dann auf meinem Hals, meinem Mund, meinen Augen.

Als ich so vor ihm stehe, mein Kopf über seinem, fühle ich mich einen Augenblick wie die Königin, die ich normalerweise im Schlafzimmer bin – sicher und selbstbewusst. Kurz ringe ich mit mir, ihn zurückzustoßen und mich rittlings auf seinen kräftigen Körper zu setzen und ihn zu reiten, bis ich befriedigt und lässig von ihm heruntersteigen kann. Doch das Gefühl der Macht ist nur von kurzer Dauer.

Als ich versuche, ihn zurückzustoßen, packt Jack meine Handgelenke und drückt sie an meine Seiten, hält sie dort fest und sieht mich an, bis ich die Schultern entspanne. Dann lässt er mich los und streift meine Jeans ein Stück nach unten, sodass mein roter Tanga zu sehen ist. Obwohl ich damit ja keineswegs völlig unbekleidet bin, fühle ich mich nackter als je zuvor in meinem Leben. Es ist nicht unangenehm, das nicht – aber irgendwie beängstigend. Vermutlich fühle ich mich verletzlich, weil ich nicht mehr die Kontrolle habe.

Jack beugt sich vor und küsst den Bund meines Slips. Ich will seinen Mund tiefer spüren, doch er bewegt die Lippen nicht, während er meine Jeans bis zu den Knien hinunterzieht und an der Rückseite meiner Schenkel mit den Händen wieder nach oben gleitet.

Ein Beben durchläuft meinen Körper, und ich presse die Beine zusammen, um mir etwas Erleichterung zu verschaffen, doch die stellt sich nicht ein, da Jacks Hände überall zu sein scheinen und mich noch mehr erregen.

Seine Finger ziehen jetzt meinen Tanga ein Stück herunter, und ich erstarre.

»Das ist neu«, sagt er leise, während er das Tattoo mustert, das ich mir habe stechen lassen, nachdem er und ich das erste Mal miteinander geschlafen haben. Ein Mond direkt über meinem Beckenknochen, davor die Silhouette eines fliegenden Vogels.

Ein Mitternachtsvogel, identisch mit jenem über seinem Herzen.

Damals, in unserer ersten Nacht, erzählte er mir, dass der Vogel für ihn Hoffnung symbolisiere. Hoffnung auf ein besseres Leben. Und ich habe wohl letztes Jahr in jener Nacht mit Jack auf etwas gehofft, von dem ich nicht einmal wusste, dass ich es je wollen würde. Und obwohl ich lange noch nicht bereit war, mir diese Sehnsucht einzugestehen, wusste meine Seele bereits darum.

Jedenfalls hat die Nacht mich verändert, und deshalb ließ ich mir einen Mitternachtsvogel an einer äußerst intimen Stelle tätowieren, weil das, was wir in jener Nacht geteilt haben, intim war.

Jack streicht mit den Fingern über das Tattoo, beugt sich vor und küsst den Vogel sanft. Als fühlte er sich geehrt. Als wäre er dankbar. Er blickt derart gefühlvoll zu mir auf, dass ich einfach dahinschmelze. Was ich für diesen Mann empfinde – nicht nur wegen seines tollen Körpers, sondern genauso wegen seiner ebenso fürsorglichen wie leidenschaftlichen Art, lässt sich mit Worten nicht beschreiben. Ich würde mir seinen Namen auf jede freie Stelle an meinem Körper tätowieren lassen, nur damit er mich mit diesem Blick wie eben jetzt ansieht.

Was ich fühle, ist größer als ich. Stärker. Mächtiger und hat mich völlig überwältigt.

Mit anderen Worten: Ich habe mich Hals über Kopf hoffnungslos in Jack Oliver verliebt.

Erneut betrachtet er das Tattoo, streicht mit dem Daumen darüber und blickt unter seinen langen, dunklen Wimpern zu mir hoch.

»Jenna.«

O Gott. Mein Name. Diese Stimme.

»Du liebst mich.«

Als ich es nicht leugne, überzieht ein teuflisches Grinsen sein Gesicht, und nach einem letzten Kuss auf den Mitternachtsvogel wendet er sich mit neuer Leidenschaft wieder meinen unteren Regionen zu.

Er fährt mit dem Finger unter dem Bund meines Slips nach hinten, streicht mit der flachen Hand über meine Pobacken und schiebt sie schließlich unter das rote Dreieck meines Tangas und berührt mich sanft zwischen den Beinen. Leise ringe ich nach Luft und kralle mich in seinen Haaren fest.

»Mistkerl«, hauche ich und wünsche zugleich, er würde mich nicht so auf die Folter spannen.

Sein Lächeln wird breiter.

»Soll ich aufhören?«, fragt er leise und macht, ohne eine Antwort abzuwarten, immer weiter, bis er sich schließlich zu meiner empfindlichsten Stelle vorgetastet hat.

Bei der Berührung zucke ich zusammen und umfasse seine Schultern wie den Haltebügel einer Achterbahn, um nicht davongetragen zu werden.

»Soll ich?«, fragt er und nimmt den roten Stoff des Tangas zwischen die Zähne und zieht ihn nach unten, wobei sein heißer Atem meine erotischen Zonen streift und meine Erregung anheizt. Ein Schaudern erfasst mich.

Ich schlucke, meine Beine zittern, nicht mehr lange und …

Mit lustvollem, begehrlichem Blick betrachtet er ausgiebig meine Nacktheit, streicht dann langsam mit seiner Zunge über meine Mitte. Ich stoße einen leisen Schrei aus, als sich das Beben in meinem Körper verstärkt, stöhne vor Lust, ziehe dabei an seinem Haar und fühle mich machtvoll, als ich seinen Kopf zwischen meine Beine lenke.

Doch plötzlich löst er sich von mir.

Ich blinzele verwirrt. »Was machst du?«

Wortlos fasst er meine Hüften und wirft mich aufs Bett, zieht mir endlich die Jeans vollständig aus, reißt mir das Shirt herunter und rollt sich mit dunkel glühenden Augen auf mich, hält dabei meine Arme mit einer Hand über meinem Kopf fest. Prompt versteife ich mich, biege protestierend den Rücken durch, weil ich nicht weiß, was ich ohne meine Hände tun soll.

»Ich will oben sein«, sage ich heftig atmend.

Er durchbohrt mich mit seinem Blick, schiebt die freie Hand in das einzige Kleidungsstück, das ich noch am Leib trage – meinen Slip –, und legt sie auf die Stelle, die er gerade mit dem Mund liebkost hat.

»Aber ich will dich auf *meine* Art«, sagt er und küsst mich sanft. »Und ich möchte, dass du mir vertraust. Tust du das?«

Ich nicke stumm, weil ich vor lauter Erregung kein Wort herausbringe.

Mit geschlossenen Augen liege ich da, spüre, wie sein Mund eine meiner Brustspitzen umfasst und daran zu saugen beginnt, während seine Finger noch tiefer in mich eintauchen. Ich habe das Gefühl, ihm ausgeliefert, von seiner Gnade abhängig zu sein. Ihm meinen Körper ganz und gar anzuvertrauen. Und das ist unglaublich erregend.

Ich empfinde unglaubliche Lust, während er mich streichelt, sündhaft und süß. Stöhnend winde ich mich unter seinen Fingern. Er löst die Hand von mir, hebt meine Hüften, befreit mich von meinem durchfeuchteten roten Slip und wirft ihn auf den Boden. Dann spreizt er meine Schenkel und senkt seine Lippen zu meiner intimsten Stelle …

Es ist das erste Mal, dass ich dabei unten liege und mich dem anderen überlasse. Jack tut mit mir, was immer er will. Er küsst und leckt mich gnadenlos, lässt seine heiße Zunge unablässig über die empfindlichen Nerven in meiner Mitte kreisen. Als sich seine Bewegungen verstärken, glaube ich zu explodieren, und ein unbeschreiblicher Orgasmus überkommt mich, der mich in den Himmel zu katapultieren scheint. Mein ganzer Körper bebt, in meinem Unterleib zieht sich die Muskulatur zusammen.

Ich höre, wie Jack hastig ein Kondom nimmt, und öffne die Augen, als er es sich gerade überstreift und hart in mich eindringt, um ebenfalls sein brennendes Verlangen zu befriedigen.

Wieder und wieder stößt er in mich hinein, bewegt sich mit mir, füllt mich komplett aus. Mein Körper ist wie eine Hülle, die ihn tief in sich zu halten versucht, ohne ihn jedoch daran hindern zu können, immer wieder rhythmisch hinein- und hinauszugleiten.

Ich biege mein Rückgrat so weit durch, wie ich kann, dränge mich ihm entgegen, lasse den Kopf in den Nacken sinken und schließe die Augen, während ich das wundervolle Gefühl genieße, das er mir beschert. Die Hände noch immer über dem Kopf gefangen, habe ich keinerlei Kontrolle. Ich bin ihm ausgeliefert. Er kann mit mir tun, was er will – ein Gedanke, der meine Lust noch verstärkt.

Erneut streicheln seine Hände meinen liebesbedürftigen Körper. Ich lasse alles geschehen, gebe mich ganz hin. Als seine Bewegungen heftiger, ungeduldiger werden, gibt er meine Hände frei. Ich umfasse seine Schultern, streiche über seinen schweißnassen Körper und erforsche ihn. Dann mit einem Mal spüre ich, wie er sich anspannt, wie er in mir zuckt, wie meine innere Muskulatur sich fest um seine Erektion schließt und wie wir beide von einer Woge der Lust davongetragen werden.

Ich weiß nicht, was genau da passiert ist, aber ich weiß eines: dass ich das noch mal erleben will.

20

Jack

Ich streiche mit einem Finger über Jennas Rückgrat und beobachte, wie das Morgenlicht auf ihr Gesicht fällt, während sie in meinen Armen langsam die Augen öffnet. Sie braucht einen Moment, um sich daran zu erinnern, wo sie ist, und was gestern Nacht passiert ist, und als es ihr einfällt, irrt ihr Blick durch das Hotelzimmer und landet schließlich bei der Tür.

»Du willst flüchten, stimmt's?«, frage ich leise.

Ihr Blick wandert langsam zu mir zurück. »Nein.«

»Aber ja, das willst du sehr wohl«, erwidere ich lächelnd.

Sie stößt einen resignierten Seufzer aus.

»Ich will nicht flüchten – es ist bloß so, dass ich noch nie mit einem Mann geschlafen habe und am nächsten Morgen in seinem Bett aufgewacht bin.« Sie malt kleine Kreise auf meinen Bauch. »Das fühlt sich seltsam an.«

Zärtlich schiebe ich ihr eine dunkle Haarsträhne hinter das Ohr und wünsche, sie würde wieder zu mir hochsehen.

»Was ist so seltsam daran?«

Den Blick gesenkt, zuckt sie mit den Schultern.

»Ich weiß nicht, vielleicht finde ich es zu brav.«

Erneut lasse ich den Finger über ihren Rücken gleiten.

»Und Jenna will nicht gezähmt werden.«

»Das habe ich nicht gesagt«, protestiert sie und sieht mich an.

»Doch, das hast du.« Als meine Finger ihre Taille erreichen, lege ich die Arme um sie und ziehe sie ganz auf mich. »Aber du hättest in der Nacht jederzeit gehen können. Du musstest nicht neben mir schlafen.«

»Ich weiß.«

»Warum bist du dann geblieben?«

Ihr Blick zuckt zu den Tattoos an meinem Schlüsselbein.

»Weil ich gern in deinen Armen liege. Und weil es mir gefallen hat, wie warm du dich angefühlt hast. Und weil ich das beruhigende Geräusch von deinem Herzschlag mochte, als ich auf deiner Brust gelegen habe.« Fast entsetzt richtet sie den Blick auf mich. »O Gott, hör dir das an. Ich klinge wie eins von diesen romantischen Mädchen, die Sex mit Liebe verwechseln und glauben, Glück würde bis in alle Ewigkeit dauern …«

»Nein, tust du nicht«, erwidere ich brüsk. Langsam strapazieren ihre ständigen Versuche, mich trotz allem zurückzuweisen, meine Geduld. »Du klingst wie eine Frau, die den Typen mag, neben dem sie aufgewacht ist.«

Irritiert beißt sie sich auf die Lippe, dann wälzt sie sich auf die Seite, um mich anzusehen.

»Jack …«

»Sei still«, sage ich und küsse sie zärtlich.

Es ist egal, was sie sagt. Ich habe das Tattoo gesehen. Zwar wusste ich es schon lange, aber der Mitternachtsvogel hat mir endgültig bewiesen, wie viel ich ihr bedeute. Und die Tatsache, dass sie auf ihrer Haut eine ständige Erinnerung an mich herumträgt, spricht Bände und verrät mir, dass sie es ebenfalls die ganze Zeit gewusst hat, es jedoch nicht zugeben konnte.

Ich löse mich von ihren Lippen, lasse die Hand über ihre Schulter gleiten, ihren Ellbogen, über ihre Taille und die Wölbung ihrer Hüfte. Gott, sie ist atemberaubend.

Sanft drehe ich sie auf den Rücken und fahre mit den Fingern über ihren Bauch.

»Du willst nicht gefangen sein, nicht abhängig. So viel ist mir klar geworden, Jenna. Doch was uns verbindet, wird sich nicht so ohne Weiteres in Luft auflösen«, sage ich und ziehe die Linien des verräterischen Tattoos nach. »Ich weiß, dass du etwas für mich empfindest. Und was mich betrifft, ich bin verrückt nach dir.«

»Mitternachtsvogel der Hoffnung«, flüstert sie. »So nenne ich ihn.«

Ich blicke hinunter auf das Pendant auf meiner Brust und wiederhole: »Mitternachtsvogel der Hoffnung. Worauf hast du denn gehofft?«

Sie zögert, und unsere Blicke treffen sich.

»Ich glaube, auf dich.«

Dieses Mädchen. Ich liebe sie mehr als mein Leben, und mein Herz beginnt heftig zu schlagen bei diesem Gedanken.

»Ich glaube, wir sollten uns eine Chance geben.«

Aus ihren Augen sprechen widersprüchliche Gefühle, aber bevor sie antworten kann, klingelt das Telefon.

»Mist«, sagt sie und greift nach ihrem Handy. »Ich wette, das ist meine Mom, die sich Sorgen macht, weil ich letzte Nacht nicht nach Hause gekommen bin.« Sie klettert über mich hinweg und meldet sich mit einem hastigen »Hallo? Oh, du bist es, Becca … Ich weiß nicht, ob ich das schaffe … Okay, vielleicht nächstes Mal … Bye, bis dann.« Sie legt auf und lässt sich zurück aufs Bett fallen. »Ich habe vergessen, dass meine Tante heute Morgen alle zum Frühstück zu sich eingeladen hat. Allerdings ist das nur ein Trick, damit wir alle bei den Vorbereitungen für das abendliche Familiengrillfest helfen.« Sie seufzt. »Familie und kein Ende.«

Ich lächele. »Mein Onkel Brent hat früher ständig gegrillt. Wir Jungs sind gerne bei ihm gewesen, weil er so einen coolen Dachboden hatte. Drew wollte immer Verstecken spielen …«

Ich halte inne, denn mir ist gerade etwas eingefallen.

»Was ist?«, erkundigt sich Jenna, die mein Zögern bemerkt hat.

»Drew hat das Haus von unserem Onkel immer geliebt«, sage ich abwesend und überlege kurz. »Vielleicht versteckt er sich ja dort. Nein«, korrigiere ich mich, und mein Adrenalinspiegel steigt. »Ich gehe sogar jede Wette ein, dass er sich dort versteckt. Ganz bestimmt.«

»Meinst du wirklich?«

Ich nicke heftig und merke, wie auf einmal meine Zuversicht wächst.

»Okay.« Sie lächelt. »Dann lass uns aufbrechen.«

»Wirklich?«

»Klar doch, sehen wir nach.«

Eilig springen wir aus dem Bett und machen uns startbereit. Alle paar Minuten blicke ich zu Jenna und versuche herauszufinden, was in ihr vorgeht. Toll, dass sie mich begleitet, aber dass sie nicht auf meine Bitte geantwortet hat, uns eine Chance zu geben, ist ein Wermutstropfen. Eine bittere Enttäuschung.

Heißt das, sie will nach wie vor keine Beziehung mit mir?

Wie soll ich sie je davon überzeugen, dass es kein Fehler ist, mich zu mögen – mich gar zu lieben. Vor allem nachdem sie alles über meine verrückte Familie weiß, würde ich mir das wünschen. Oder habe ich mich getäuscht, und das beschissene Drama um meine Familie ist der Grund für ihr Zögern? Alles möglich. Und wenn, könnte ich es ihr nicht einmal verübeln. Jedenfalls wäre es nachvollziehbarer als dieser ganze »Ich-habe-Angst-mich-zu-verlieben«-Mist. Das ist nun wirklich totaler Quatsch.

Zehn Minuten später sind wir auf dem Weg zum Haus meines Onkels. Natürlich könnte ich mit meiner Vermutung, dass Drew sich dort versteckt, schiefliegen, aber mein Instinkt sagt mir etwas anderes. Allerdings dürfte es kaum damit getan sein, dass wir ihn finden. Eher steht zu vermuten, dass es dann erst richtig losgeht.

21

Jenna

Letzte Nacht ist vollkommen außer Kontrolle geraten – und trotzdem hat es mir gefallen. Sehr sogar.

Doch es war nicht bloß dieser überirdisch gute Sex – nein, darüber hinaus habe ich mich die ganze Zeit mit Jack verbunden gefühlt. Er war nicht nur einfach ein warmer Körper, der mir Lust bereitet hat. Er war Jack. Und irgendwie hat das jede Berührung, jeden Kuss, jedes heftige Atmen und jeden Herzschlag noch viel erotischer gemacht.

Allein der Gedanke daran lässt mein Herz wie eine Trommel schlagen und entfacht unbekannte Gefühle und Sehnsüchte, während wir durch die Straßen von New Orleans zum Haus seines Onkels fahren.

Hat Jack mich gebeten, seine Freundin zu sein? Hat er das heute Morgen gemeint, als wir noch im Bett lagen? Nach wie vor sträube ich mich trotz aller Aufweichungstendenzen dagegen. Ich wollte mich schließlich nie auf eine feste Kiste einlassen. Ich habe Sex, keine Beziehungen. Und ja, ich weiß, dass ich mich anhöre wie so ein beschissener Verbindungsstudent, aber egal. Beziehungen sind nun mal nicht mein Ding. Und auch wenn sich das blöd anhört, bestimmt nicht mit Jack. Wenn ich mit dem zusammen wäre, kämen wir aus dem Bett nicht mehr raus, und wenn ich ständig Sex mit ihm hätte, würde ich mich hoffnungslos in ihn verlieben – und dann wäre ich geliefert.

Und das kann ich mir nicht erlauben.

Was soll dann aus meinen schönen Zukunftsplänen werden? Nein, ich werde das College beenden und einen tollen Job bekommen, gutes Geld verdienen und nie von jemandem abhängig sein. Mit einem eigenen Auto und einem eigenen Haus. Überhaupt mit allem. Und niemand wird mich schwängern und mir das Herz brechen und mich dann sitzenlassen. Kein Mann auf der Welt!

Ich schaue verstohlen zu Jack hinüber und versuche mir vorzustellen, wie es wäre, wenn er mich verlassen würde. Welchen Schmerz ich empfände. Welchen Kummer oder auch welche Bitterkeit.

Aber keines dieser Gefühle lässt sich abrufen. Und zwar deshalb, weil ich nichts als Loyalität und Liebe und Zuverlässigkeit bei ihm sehe. Jack wird niemanden verlassen, den er liebt. Niemals. Eine Erkenntnis, die mir einen schmerzhaften Stich versetzt.

Da ist dieser großartige Typ, der alles für die Menschen tut, die er liebt – der dafür sogar mit Drogen handelt und sich auf riskante Deals mit Gangstern einlässt. Und alles, was er von mir will, ist das Eingeständnis, dass er mir etwas bedeutet, und das Versprechen, ihm beziehungsweise uns eine Chance zu geben.

Was also stimmt nicht mit mir?

Wir halten vor einem kleinen Haus in einer ruhigen Gegend und steigen aus. Jacks Schultern sind angespannt, als ich ihm schweigend zur Haustür folge. Er klopft dreimal. Keine Antwort. Er klopft erneut. Noch immer nichts.

Meine Hoffnung schwindet, während wir auf der Veranda stehen und warten, nicht so Jacks. Und er behält recht, denn als ich mich bereits zum Gehen wenden will, wird die Tür quietschend einen Spaltbreit geöffnet, und ein Auge späht misstrauisch nach draußen.

»Jack?«, hören wir eine ängstliche Stimme.

»Drew!« Jack seufzt erleichtert auf. »Gott sei Dank, wir haben dich überall gesucht!«

Der Junge öffnet die Tür, blickt erst zu mir, dann wieder zu Jack und zerrt ihn ins Haus.

»Kommt schnell rein, bevor euch jemand sieht«, drängt er und schließt schnell die Tür hinter uns.

Lillys Jüngster ist ein ganz anderer Typ als die beiden Ältesten. Während Jack und Samson groß und breit gebaut sind und schwer zu bändigende Haare haben, ist Drew kleiner und schmächtiger und wirkt wie ein braver Junge, was nicht zuletzt an seiner ordentlichen Frisur liegt. Wie seine Brüder hat er dunkle Haare, die Augen hingegen sind hellblau, seine Haut ist sonnengebräunt.

»Bin ich froh, dich zu sehen«, sagt er, ehe er die Arme um seinen Bruder wirft, weicht jedoch sogleich panisch zurück. »Ich stecke in der Scheiße, Jack, und weiß nicht, was ich tun soll.«

»Schon okay«, beruhigt Jack ihn. »Wir werden für alles eine Lösung finden.«

Drew nickt und geht uns ins Wohnzimmer voran, wo sich allerdings keiner von uns setzt.

»Gott, Jack. Es tut mir so leid.« Drew rauft sich die Haare und läuft unruhig auf und ab. »Das ist so eine Scheiße!«

Jack nickt. »Fang einfach ganz von vorne an und erzähl mir, was passiert ist.«

Drew schluckt ein paarmal und ringt verlegen die Hände.

»Okay, vor ein paar Monaten hat Dad mich auf einmal völlig überraschend angerufen. Ich dachte, er sei tot. Dachten wir ja alle, oder nicht? Nach allem, was passiert ist und weil er wie vom Erdboden verschwunden war, war ich mir sicher, dass ihn irgendeiner seiner alten Kumpel umgebracht hat oder so. Als er dann anrief, war ich total überrascht. Und auch, als er sagte, er wolle bei mir was gutmachen. Eine Menge Fehler, die er gemacht hat und so. Er finde es schrecklich genug, dich und Mom und Sam verloren zu haben, meinte er, und das Gleiche wolle er mit mir nicht erleben. Dad hat sich nie um mich gekümmert, weißt du. Selbst wenn er da war, hatte er keine Zeit für mich. Du warst sein Liebling, sein Erstgeborener. Jack, der Schlaue. Jack, der Starke. Jack, auf den Dad stolz war. Und Samson war eine Miniausgabe von dir. Aber ich … Ich war anders. Schwächer. Der Sohn, für den Dad sich nicht interessiert hat. Als er also anrief und sagte, er möchte etwas wiedergutmachen …« Drew schüttelt den Kopf. »Ich hab einfach nachgegeben. Ich wollte ihm so gern glauben, dass es mir egal war, wie hoch der Preis sein würde.« Er seufzt. »Daraufhin haben wir uns hin und wieder getroffen. Du, Sam und Mom solltet es nicht erfahren, das wollte er nicht, und ehrlich gesagt hat es mir gefallen, Dad für mich zu haben.« Er stößt die Luft aus. »Gott, war ich ein Idiot.«

Jack verschränkt die Arme. »Was ist dann passiert?«

»Dad hat mich gebeten, ihn wieder ins Geschäft zu bringen. Dadurch, dass du ihn damals hingehängt hast, verlor er all seine Verbindungen und, vielleicht noch schwerwiegender, seinen Ruf, loyal zu sein. Und er wollte wieder zurück zu seinen Kumpeln. Zuerst weigerte ich mich. Ich hab ja gesehen, was du durchgemacht hast, um uns da rauszubekommen, und ich wollte Mom und dich nicht hintergehen. Doch Dad hat mich eingewickelt, fing an, mir lauter tolle Dinge zu versprechen. Geld. Macht. Er sagte, er und ich würden unser eigenes Syndikat gründen, nur wir zwei, und ich sollte die Leitung übernehmen.« Er sieht seinen Bruder jetzt an wie ein verzweifelter kleiner Junge. »Ich hab noch nie was zu sagen gehabt, Jack. War immer das Baby, der Kleine, um den sich alle kümmerten. Nie zuvor hat mir jemand etwas zugetraut. Ich hätte Nein sagen müssen, aber ich konnte nicht.«

»Und womit hat Dad dich beauftragt?«

Drew blickt mit panisch geweiteten Augen zu Jack auf. »Er hat mich einen Deal zwischen den Royals und den Northmen abwickeln lassen. Du weißt ja, die Royals wollen seit Jahren Ware von den Northmen kaufen, doch nachdem du Dad hast auffliegen lassen, haben sich die Northmen geweigert, weiterhin mit den Royals zu arbeiten.« Er schüttelt erneut den Kopf. »Ich glaube, Dad hatte bei den Northmen schon wieder ein paar Kontakte, sodass er in der Lage war, das Ganze einzufädeln. Er wusste, dass die Royals sich mit den Northmen nie persönlich treffen würden, weil sie Angst haben, womöglich hochgenommen zu werden. Darum war ich sein Mittelsmann oder sein Laufbursche. Ich sollte die Drogen bei den Northmen abholen, sie bei den Royals abliefern, das Geld von den Royals kassieren und es den Northmen bringen. Alle hätten, was sie wollen, und niemand würde sein Leben aufs Spiel setzen …«

»Bis auf dich«, stellt Jack lakonisch fest und zieht finster die Brauen zusammen.

Drew nickt bedächtig. »Ja, bis auf mich. Ich war der Einzige, der in Gefahr war. Das Risiko für alle anderen war gering. Dad dachte, es sei das Beste, eine Waffenruhe zu vereinbaren – und die Royals und die Northmen waren einverstanden.«

»Natürlich waren sie das«, murmelt Jack. »Und was ist schiefgelaufen?«

Drew blinzelt ein paarmal. »Nichts, zuerst zumindest. Ich hab die Drogen abgeholt und sie in den Kofferraum meines Wagens gepackt, bin dann ins *Crowns* gefahren, um zu kassieren. Als ich dort ankam, wartete Dad mit Clancy auf mich, um die Ware zu überprüfen. Sie waren beide richtig gut drauf. Clancy hat sogar gelacht und sich gefreut, wie viel Gewinn sie mit diesem hochwertigem Koks machen würden. Er hat Dad die Drogen übergeben, damit er sie in den Safe schließt, und mir das Geld, damit ich es den Northmen bringe. Auf halbem Weg kam dann ein Anruf von Dad. Er klang beunruhigt, richtig panisch, erzählte mir, dass die Northmen mir möglicherweise eine Falle stellen und mich umbringen würden. Ich war völlig verwirrt. Warum sollten die Northmen das tun? Für mich ergab das keinen Sinn. Aber Dad ist total ausgerastet und hat ständig wiederholt, er wolle mich nicht verlieren, und wenn mir etwas passiere, könne er nicht mehr weiterleben. Schließlich hat er mir befohlen, an diesem heruntergekommenen Parkplatz – du weißt, welchen ich meine – anzuhalten und auf ihn warten. Ein paar Minuten später tauchte er auf, noch immer ziemlich aufgeregt, und erklärte, dass er das Geld selbst abliefern werde. Ihm würden die Northmen schon nichts tun. Also hab ich ihm meinen Schlüssel gegeben, und wir haben die Autos getauscht.« Drew blickt aufgelöst zu Jack. »Er hat die ganze Zeit davon geredet, dass ich in Sicherheit gebracht werden müsse …«

Jack sieht ihn mitleidig an. »Und dann hat er das Geld genommen und sich aus dem Staub gemacht.«

Ich stehe stumm in der Ecke und traue meinen Ohren nicht.

»Ja«, bestätigt Drew. »Er ist in meinem Auto mit dem ganzen Geld von den Royals abgehauen.«

»Dieser Scheißkerl«, presst Jack zwischen den Zähnen hervor. »Ich kann es nicht fassen, dass er dir das angetan hat. Lässt dich einfach mit den Schulden bei den Northmen zurück.«

»Und das ist noch nicht alles«, fügt Drew betreten hinzu. »Er hat sich auch die Drogen unter den Nagel gerissen! Als Clancy sie ihm gegeben hat, damit er sie in den Safe schließt, muss er sie irgendwo versteckt haben.«

Jetzt zeichnet sich auch in Jacks Gesicht Fassungslosigkeit ab.

»Dad ist mit dem Koks *und* dem Geld abgehauen?«

»Ja, und deshalb bekriegen sich die Royals und die Northmen und …«

»Sie denken, dass du sie gelinkt hast, und wollen dich beide tot sehen«, unterbricht Jack ihn. »Sie haben eine Prämie auf deinen Kopf ausgesetzt. Man reißt sich darum, sie zu kassieren.«

Schweigen senkt sich über den Raum. Ich schlucke, und das Geräusch hallt zusammen mit dem Klopfen meines Herzens in meinen Ohren wider.

»Darum bin ich ja abgehauen und hab euch nicht angerufen. Die sollten nicht denken, dass ihr mich versteckt. Nicht dass sie am Ende noch euch bedrohen, um an mich heranzukommen«, sagt Drew mit zittriger Stimme. »Inzwischen ist es sowieso bloß eine Frage der Zeit, bis sie mich finden und umbringen. Ich werde sterben, Jack.«

»Nein, das wirst du nicht«, versichert Jack und ballt die Hände zu Fäusten.

»Doch, werde ich«, schreit Drew panisch. »Ich hätte Dad nie vertrauen dürfen. Und deshalb werde ich sterben – ich werde sterben!«

Jack packt ihn und schüttelt ihn.

»Du wirst nicht sterben, hör auf damit«, brüllt er so wild, dass Drew erschrocken zurückweicht. Sofort geht Jack zu ihm hin. »Ich würde alles auf der Welt tun, um dich zu beschützen. Hast du das verstanden?«

Drew nickt langsam.

»Ich weiß, dass Dad dich behandelt hat, als wärst du nicht wichtig«, fährt Jack fort. »Aber du bist wichtig. Für Mom. Für Samson. Und für mich.« Seine Stimme ist fest, doch seine silbrigen Augen verschatten sich immer mehr und kündigen ein Unwetter an. »Und ich werde nicht zulassen, dass dir irgendjemand etwas antut. Niemals.«

Sie stehen sich ein paar Sekunden lang gegenüber, Auge in Auge in angespanntem Schweigen, dann nickt Drew.

Jack entspannt sich. »Wir brauchen einen Plan.«

»Seitdem ich abgehauen bin, denke ich ständig über einen Plan nach«, sagt Drew resigniert. »Bloß fällt mir nichts ein. Absolut nichts. Es gibt keinen Ausweg.«

»Es gibt immer einen Ausweg«, beharrt Jack, und der Sturm in seinen Augen lässt nach. Nachdenklich beginnt er, im Zimmer auf und ab zu gehen. »Dad hat nicht nur das Geld genommen, sondern auch die Drogen. Was bedeutet, dass er sie zu verkaufen plant. Das ist gut.«

Drew runzelt die Stirn. »Was soll daran gut sein?«

»Denk nach: Er braucht Käufer.«

Gespannt beobachte ich ihn, und meine Nerven liegen blank. Das ist der neue Jack, den ich noch nicht lange kenne. Oder auch der alte, den ich zuvor nie kennengelernt habe. Der harte Typ, der vor nichts zurückschreckt. Und dieser Jack flößt mir eine Heidenangst ein.

Ich will nicht, dass er unnötige Risiken eingeht. Ich will nicht, dass er sich noch mehr in Gefahr begibt, als er es ohnehin schon getan hat.

Sein Blick gleitet von einer Seite zur anderen, die Rädchen in seinem Kopf arbeiten auf Hochtouren, und ich weiß, er hat bereits einen Plan, von dem ich ihn nicht mehr abbringen kann.

Schon bleibt er stehen. »Soviel ich weiß, gibt es lediglich zwei Käufer hier in der Gegend, die gierig genug sind, eine heiße Lieferung von einem Typen zu kaufen, der über keine Verbindungen mehr verfügt. Einer ist Raymond Lotts, doch der sitzt gerade im Gefängnis. Kommt also kaum infrage, oder wäre zumindest zu kompliziert für Dad.«

Jack blickt nachdenklich auf den Boden.

»Und wer ist der zweite?«, fragt Drew.

Jack blickt auf, und ein Schatten legt sich auf sein Gesicht. »Alec.«

22

Jack

So ein mieser Typ! Mein Vater ist das größte Arschloch auf der ganzen Welt. Ich kann es nicht fassen, dass er Drew das angetan hat. Wie kann er es wagen, in das Leben seines Sohnes zurückzukehren und ihn derart zu manipulieren, zu benutzen, zu betrügen, sich sein Vertrauen zu erschleichen und ihn zu enttäuschen? Scheißkerl.

»Alec? Auf keinen Fall«, sagt Drew jetzt und schüttelt den Kopf. »Dad hat den Vipers Geld gestohlen. Alec würde nie mit ihm Geschäfte machen.«

»Doch, wenn es ihm viel Geld einbringt, wird er es tun«, widerspreche ich. »Und ich wette, der Gewinn bei diesem erstklassigen Schnee ist nicht zu verachten – die Northmen sind sehr wählerisch und handeln ausschließlich mit reinem Koks. Und das weiß Alec«, sage ich und hole mein Telefon heraus.

»Wen rufst du an?«, fragt Drew.

»Na, wen schon? Alec«, antworte ich, obwohl das nicht ganz stimmt.

Beim zweiten Klingeln hebt Jonesy ab.

»Hi Jonesy«, melde ich mich und versuche, entschlossen und selbstbewusst zu klingen.

»Jack?«

Es überrascht mich immer wieder, dass Jonesy schon nach einem Wort erkennt, wer am Apparat ist.

»Was ist los?«, fragt er in einem Ton, den er normalerweise nach einem gescheiterten Drogendeal gegenüber dem anschlägt, der es vermasselt hat.

Er ahnt etwas.

»Nichts ist los«, tue ich arglos und mache eine kleine Pause. »Nicht wirklich. Ich muss etwas mit Alec besprechen – sofern er gerade in der entsprechenden Laune ist.«

»Du bist gut.« Jonesy flucht leise vor sich hin. »Er ist noch immer sauer, weil Samson neulich hier blöd herumgequatscht hat. Schätzungsweise wird er eher nicht mit dir reden wollen.«

»Denke ich mir«, erwidere ich ungerührt. »Trotzdem: Es geht um ein Geschäft.«

»Das ist ja noch schlimmer.«

»Würde ich nicht so sehen – vorausgesetzt, Alec ist in der richtigen Stimmung, wenn ich mit ihm spreche.«

»Lass mich raten«, höre ich Jonesy nach einer Weile sagen. »Du willst, dass ich ihn aufstachele?«

»Genau.«

Ich meine ihn förmlich zu sehen, wie er nickt, und weiß, dass ich gewonnen habe.

»In Ordnung«, erklärt er. »Auf wen soll Alec sauer sein?«

Unwillkürlich balle ich eine Faust und öffne sie wieder. »Auf meinen Vater.«

Einen Augenblick herrscht Schweigen. »Scheiße, Jack. Was zum Teufel ist los?«

Plötzlich fühle ich mich wie ein Rächer der Gerechten. »Rache«, sage ich.

»Okay«, murmelt Jonesy und holt tief Luft.

Nach Einzelheiten fragt er nicht, bevor er abzieht, um mit Alec zu reden. Ich kann mir genau vorstellen, wie ihre Unterhaltung läuft. Jonesy ist ein anständiger Kerl. Ein guter Ganove, wenn man so will. Und abgesehen davon, dass er ein super Barkeeper ist, liegt seine Stärke darin, Unruhe zu stiften – und jemanden aufzuhetzen, wenn nötig.

Einige Minuten vergehen, dann höre ich ein Rascheln am anderen Ende der Leitung, anschließend ein schweres Seufzen.

»Was?«

»Hi Alec«, sage ich.

Statt einer Begrüßung, auf die ich ohnehin pfeife, stößt Alec wütend die Luft aus.

»Wenn du nach deinem betrunkenen Bruder suchst, der ist gerade nicht hier.«

»Ich suche eigentlich nach meinem Vater.«

»Tommy?«, gibt er verächtlich zurück. »Den hab ich seit Jahren nicht gesehen.«

»Lass den Scheiß, Alec. Ich weiß, dass du Ware von ihm kaufst.«

Schweigen, dann: »Was willst du, Jack?«

Auf Los geht's los – jetzt muss ich mit der Sprache rausrücken.

»Ich dachte, du machst vielleicht lieber einen Deal mit mir anstatt mit meinem Alten.«

»Und wie kommst du auf eine solche Idee? Dass ich einen Deal mit einem Aussteiger mache?«

»Weil ich, anders als mein Vater, zuverlässig bin«, kontere ich. »Und weil ich weiß, dass du meinen Vater hasst. Immerhin hat er dich übel gelinkt, und du würdest ihn lieber untergehen sehen, als zu wissen, dass er mit deinem Koks Geld macht.«

»Okay«, erwidert Alec nach kurzem Nachdenken. »Ich höre. Was schlägst du vor?«

Schnell lege ich Alec meinen Plan dar, und nachdem wir ein paar Einzelheiten geklärt haben, sind wir uns einig.

»Wäre besser für dich, wenn das auch funktioniert, Jack«, erklärt Alec abschließend in dem verdammt neutralen Ton, den er häufig draufhat.

»Das wird es«, entgegne ich, beende das Gespräch und blicke zu Drew und Jenna. »Okay, als Allererstes müssen wir so schnell wie möglich von hier verschwinden.« Ich wende mich an meinen kleinen Bruder. »Hast du ein Auto?«

Er schüttelt den Kopf.

»Okay. Pack so schnell wie möglich deine Sachen zusammen. Jenna, darf Drew dein Telefon benutzen?« Sie nickt und gibt es ihm gleich. »Perfekt. Drew, ruf Samson an und sag ihm, er soll so schnell wie möglich nach New Orleans kommen. Wir brauchen in drei Stunden ein Auto. Die Einzelheiten erkläre ich ihm später.«

Drew wählt Samsons Nummer und verlässt den Raum. Ich höre ihn sagen: »Ja, ja, mir geht's gut. Tut mir leid, Bruder. Ich wollte dich nicht erschrecken. Nein, echt. Mir geht's gut. Aber hey, hör zu. Jack braucht deine Hilfe …«

Ich blicke in Jennas ungläubig geweitete Augen, und zum wiederholten Male frage ich mich, wie ich sie in all das hineinziehen konnte?

»Drew und ich begleiten dich jetzt erst mal nach Hause und warten dann auf Samson.«

»Kommt nicht infrage!« Sie stemmt eine Hand auf die

Hüfte. »Du bringst mich nicht nach Hause, um dann heimlich undurchsichtige Drogengeschäfte anzuleiern.«

»Warum musst du immer mit mir diskutieren?«, frage ich in einer Mischung aus Frustration und Resignation.

»Weil du immer versuchst, mich aus allem rauszuhalten.«

»Zu deiner Sicherheit, nur deshalb«, stoße ich aufgebracht hervor. »Du kannst nicht mitkommen, das ist viel zu gefährlich.«

Sie zuckt die Schultern. »Wenn es zu gefährlich für mich ist, dann ist es auch zu gefährlich für dich.«

Ich starre sie an. »Das ist total unlogisch.«

»Ist es nicht …«

»Doch, ist es, Jenna! Wir spielen hier nicht Räuber und Gendarm. Das sind *richtige* Verbrecher. Professionelle Kriminelle und Drogenbarone. Ich lasse dich nicht mitmachen, bloß weil dein Stolz dir verbietet, zu Hause zu bleiben.«

»Äh, Jack?« Drew kommt zurück ins Zimmer und hält nachdenklich das Telefon hoch. »Wahrscheinlich muss sie das aber.«

»Wie bitte? Warum denn das?«

Drew beißt sich auf die Lippe. »Weil Samson wahrscheinlich nicht so schnell hier sein kann. Muss wohl erst mit seinem Chef reden. Er sagt, er will sich beeilen – versprechen kann er leider nichts …«

Ich unterdrücke einen Schwall Flüche und balle die Hände zu Fäusten.

»Dann muss ich wohl doch mitmachen«, bemerkt Jenna spöttisch, während mein Herz sich bei diesem Gedanken schmerzhaft zusammenzieht.

Es tut richtiggehend weh, dieses überwältigende Gefühl, das mich jedes Mal überkommt, wenn ich sie ansehe und mich daran erinnert, dass ich sie keiner Gefahr aussetzen darf. Jetzt allerdings bleibt mir keine andere Wahl, denn ich kann mir die Chance, Drew aus der Sache herauszuhauen, nicht entgehen lassen.

»Gut«, willige ich gottergeben ein. »Aber du musst genau tun, was ich dir sage.«

Als sie aufmüpfig die Brauen hebt und mich spöttisch ansieht, hätte ich sie am liebsten geschüttelt. Weiß sie denn nicht, dass ich sie lediglich beschützen will? Versteht sie nicht, dass ich nie darüber hinwegkäme, wenn ihr etwas zustoßen sollte?

»Ich versuche damit keineswegs, dich zu kontrollieren«, sage ich. »Falls du das denken solltest.«

Sie wirkt gereizt. »Schon klar.«

»Jenna«, flüstere ich leise und merke, wie sich ihre Haltung komplett verändert. »Ich mache mir Sorgen um dich und könnte es nicht ertragen, wenn dir etwas passiert.«

Sie sieht mir in die Augen und scheint zu verstehen, wie wichtig mir das ist.

»Ich weiß«, flüstert sie und schluckt. »Ehrlich.«

Am liebsten würde ich sie an mich ziehen, doch dafür ist nicht der richtige Zeitpunkt.

Stattdessen wende ich mich an Drew: »Ich brauche die Nummer von deinem Kontaktmann bei den Northmen.«

Seine Augen weiten sich. »Von Garrett? Auf keinen Fall.« Er schüttelt den Kopf. »Der Typ versteht keinen Spaß. Und wenn er herausfindet, wo ich bin …«

»Das wird er nicht.«

»Der bringt mich um.«

»Nein, ganz sicher nicht«, sage ich mit Nachdruck. »Du musst mir vertrauen, Drew. Ich weiß, was ich tue.«

Er sieht mich an, als wäre ich verrückt, und vielleicht bin ich das ja auch, aber er gibt mir Garretts Nummer.

Dann geht alles Schlag auf Schlag.

Ich rufe Garrett an und erkläre ihm, dass nicht Drew, sondern mein Vater der wahre Mistkerl ist, und bitte ihn, die auf Drews Kopf ausgesetzte Prämie zurückzuziehen. Natürlich ist Garrett skeptisch, doch nachdem ich ihn in meinen Plan mit Alec eingeweiht habe und ihn daran erinnere, dass die Northmen nichts zu verlieren haben, wenn sie mir vertrauen, stimmt er schließlich zu und verspricht, seine Gang dahingehend zu beeinflussen, dass keiner sich mehr an Drew vergreift.

Als Nächstes rufe ich Clancy von den Royals an und führe mit ihm ein ähnliches Gespräch. Er willigt ebenfalls ein, die Prämie auf Drews Kopf zurückzuziehen und seine Jungs entsprechend zu instruieren – sofern mein Plan funktioniert.

Es ist kompliziert, mit Verbrechern zu verhandeln, aber ich habe das Talent dazu.

Sobald ich meine Anrufe erledigt habe, wende ich mich wieder an Drew und Jenna – meine Hände sind feucht, mein Herz schlägt heftig.

»Okay, der Plan läuft«, verkünde ich und weiß dennoch genau, wie riskant das Ganze ist.

Für einen Augenblick rutscht mir das Herz in die Hose angesichts meines Vorhabens, doch welche Wahl habe ich? Keine. Es geht für meinen Bruder um Leben und Tod. Und für mich auch um Liebe.

Ich blicke zuerst zu Jenna, dann zu Drew und hole tief Luft. »Wird schon schiefgehen.«

23

Jenna

»Tu das nicht«, sage ich und beobachte, wie Jack die Sachen des Jungen zusammenpackt.

Drew ist draußen und telefoniert mit seiner Mutter, sodass wir zum ersten Mal allein sind, seit Jack einen auf Mafiaboss macht, zwielichtige Telefonate führt und sich auf Geschäfte mit dem Teufel einlässt.

»Was?«, fragt er, ohne mich anzusehen.

Ich beiße mir auf die Lippe. »Spiel nicht den Lockvogel. Lass es …«

Hätte ich geahnt, wie sein Plan konkret aussieht, würde ich sicher nicht so darauf gedrängt haben zu bleiben. Jetzt, da ich es weiß, rast mein Puls. Nicht weil ich lieber kneifen möchte – nein, mir wäre es lieber, Jack würde sich überhaupt nicht mit den Drogenbossen treffen.

Er mustert mich eine Weile schweigend. »Warum soll ich es nicht durchziehen?«

»Weil es gefährlich ist.«

»Und?«

»Außerdem gibt es keine Garantie, dass es klappt.«

Ich weiß, dass das nicht die Antwort ist, die er hören will, aber sie entspricht den Tatsachen.

»Und?«, fragt er erneut und hebt eine Braue.

»Der Schuss könnte nach hinten losgehen, und Drew würde dann vielleicht sterben.«

Verzweifelt suche ich nach Antworten, die nicht verraten, dass ich mich in Wahrheit um ihn sorge – weil ich ihn *liebe.* Er verdient es, die Wahrheit zu erfahren, doch ich bin ein Feigling. Auf der ganzen Linie.

Während ich schweige, tritt er zu mir, streicht über meine Schultern und meinen Rücken, über meine Taille, neigt den Kopf und wärmt meinen Hals mit seinem heißen Atem, haucht einen einzigen flüchtigen Kuss darauf. Dann schiebt er mich eine Armlänge von sich und sieht mir fest in die Augen.

»Was du jetzt empfindest: diese Angst, dieses dringende Bedürfnis, mich zu beschützen, das ist Liebe, Jenna.« Ich senke den Blick, und er hebt mein Kinn, um mir erneut in die Augen zu sehen. »Weißt du, woher ich das weiß? Weil mir das genauso mit Drew geht, weil ich Angst um ihn habe und ihn einfach beschützen *muss.*« Ein kleines Lächeln umspielt seine Lippen, und er küsst mich auf die Nasenspitze. »Ich werde diese gefährliche Sache aus Liebe zu meinem kleinen Bruder durchziehen. Dass du das verstehst oder gutheißt, erwarte ich nicht von dir. Teufel, ich bin froh, dass du es nicht tust. Aber ich erwarte eines von dir: Du musst dir endlich eingestehen, dass das, was du gerade hier drinnen fühlst«, er tippt mit dem Finger gegen meine Brust, »sehr, sehr real ist.«

Sagt er und küsst mich so sanft und zärtlich, dass ich nicht sicher bin, ob ich es mir bloß einbilde. Wie ein Hauch streichen seine Lippen über meine, bevor er sich von mir löst. Um sich in Gefahr zu begeben. Um womöglich zu sterben.

Aus Liebe.

24

Jack

Kurz, nachdem die Sonne untergegangen ist, sitze ich mit Jenna und Drew in dem roten Charger vor einer verlassenen Fabrik. Übergaben laufen zwar nicht immer so ab, wie man es aus Filmen kennt, aber sie finden immer an dunklen Orten wie diesem statt.

Die umstehenden Gebäude sind alt und heruntergekommen. Überall Risse in den Mauern, bröckelnder Putz und blätternde Farbe an Fenstern und Türen, ein Haufen Müll auf dem ganzen Gelände.

Zu dritt sitzen wir in unbehaglichem Schweigen im Wagen und harren der Dinge, die da kommen werden.

Drew blickt ständig über seine Schulter nach hinten, während Jenna auf ihrer Lippe herumkaut. Trotz meiner beruhigenden Versicherungen, dass alles gut wird, ist sie extrem unruhig. Und Drew ist besorgt, weil er Angst hat, dass ihn jemand findet und ihn ungeachtet vager Versprechungen von beiden Seiten entweder den Royals oder den Northmen ausliefert.

Alle entscheidenden Spieler befinden sich jetzt auf ihrem Platz, und alle, die für den Ablauf des Abends von Bedeutung sind, sind eingeweiht. Wenn es nach Plan läuft, werden sich meine optimistischen Prognosen als richtig erweisen.

Ein dunkler Wagen hält vor einer verlassenen Lagerhalle, und die Scheinwerfer erlöschen. Eine einsame Gestalt steigt auf der Fahrerseite aus und trägt eine Reisetasche bei sich, die höchstwahrscheinlich mit Kokain gefüllt ist.

Mein Vater.

Tommy Oliver trägt Anzug und Krawatte wie ein seriöser Geschäftsmann, und ich muss mich zusammenreißen, bei seinem Anblick nicht verächtlich zu stöhnen. Von dort, wo er jetzt steht, kann er unser Auto nicht sehen, darum wartet er neben seinem.

Seine Haltung wirkt souverän, seine Miene selbstsicher. Als ich ihn so locker dort stehen sehe, wird mir übel. Obwohl er praktisch Drews Todesurteil unterschrieben hat, scheint er davon völlig unbeeindruckt. Ihn interessiert allein sein Vorteil, sein Geschäft. Das will er durchziehen ohne Rücksicht auf Verluste und ohne den leisesten Anflug von Reue.

Ich schäme mich, mit ihm verwandt zu sein. Und ich sehe bei seinem Anblick, was aus mir geworden wäre, hätte ich nicht gerade noch rechtzeitig den Absprung geschafft. Weg von diesem selbstgefälligen Milieu der Drogenbarone, weg von den dunklen Geschäften mit ihrer rattenhaften Umtriebigkeit. Weg aus dieser ganzen Szene, in der sich mein Vater zu Hause fühlt. Fast wäre ich genauso geworden wie er.

Dafür verabscheue ich ihn.

Mein Magen verkrampft sich bei den Gedanken, wie es auch für mich hätte enden können, und ich fahre mir mit der Hand durchs Gesicht. Dann gebe ich mir einen Ruck und wende mich an Drew.

»Merk dir, ruf an, wenn ich dir das Zeichen gebe.« Und

an Jenna gerichtet, füge ich hinzu: »Mach dir keine Sorgen. Alles wird gut.«

»Jack, bitte …«

Ich beuge mich vor, lege die Hände an ihre Wangen und küsse sie. Sie seufzt leise und zieht mich dichter zu sich heran, als könnte sie nicht genug von mir bekommen. Ich löse mich aus dem Kuss, halte jedoch weiter ihr Gesicht in meinen Händen. Sie hat sich in den letzten Tagen als mein Fels in der Brandung erwiesen. Fest und zuverlässig. Verrückt, dass ich erst quer durchs Land reisen musste, um das zu erkennen.

»Ich liebe dich, Jenna«, gestehe ich ihr und suche ihren Blick.

Es ist mir egal, dass Drew neben mir sitzt und dass ich zu einer Drogenübergabe muss, aber ich kann nicht gehen, ohne ihr das gesagt zu haben. Sie öffnet schockiert den Mund, doch ich steige schnell aus, bevor sie etwas erwidern kann. Ich weiß schließlich, dass sie noch nicht bereit ist, es ebenfalls auszusprechen.

Lässig nähere ich mich meinem Vater, der neben dem dunklen Auto auf mich wartet. Seine kurz geschnittenen dunklen Haare werden an den Schläfen allmählich grau, sind jedoch nach wie vor sehr dicht. Seine grauen Augen, die meine Mutter immer als faszinierend bezeichnet hat, schauen mir unruhig entgegen – ich fand sie eigentlich eher kalt und abweisend. Dabei habe ich die Augen von ihm geerbt.

Überhaupt sehen wir uns ziemlich ähnlich, wenngleich er etwas kleiner ist als ich und deutlich schmaler. Alles andere jedoch, vor allem seine Mimik und Gestik, weisen mich unleugbar als seinen Sohn aus. Früher war ich richtig stolz darauf. Jetzt nicht mehr.

Als er mich sieht, bildet sich eine tiefe Falte zwischen seinen Brauen.

»Jack?«, sagt er gleichermaßen erschrocken, beunruhigt und verärgert. »Was machst du hier? Alec hat angerufen und gesagt, *er* werde herkommen.«

»Um von dir Koks zu kaufen, ich weiß«, erkläre ich nickend. »Nun, er hat mich geschickt. Ich arbeite wieder für ihn«, sage ich und tue mein Bestes, bei ihm keinen Argwohn zu erregen.

Er taxiert mich. »Das hat Alec nicht erwähnt.«

»Was denkst du denn?«, sage ich mit einem geringschätzigen Auflachen. »Natürlich nicht. Die Jungs hassen dich, schon vergessen? Aber das spielt keine Rolle, weil ich sowieso keine Lust mehr habe, für ihn zu arbeiten.« Ich zögere, lasse meine Worte wirken und füge dann hinzu: »Ich will dir einen Deal vorschlagen.«

Mit unverhohlenem Misstrauen sieht er mich an. »Was für einen Deal?«

»Einen, mit dem wir Alec übers Ohr hauen und anschließend wieder zusammenarbeiten können«, bluffe ich.

Ich weiß genau, dass mein Vater sich nichts sehnlicher gewünscht hat, als dass er und ich Hand in Hand zusammenarbeiten. Sogar, nachdem ich ihn verraten hatte, hat er mich angefleht, mit ihm zu fliehen und ein neues Geschäft aufzubauen. Er verstünde, warum ich das getan habe, sagte er und wollte mir vergeben, wenn ich ihm in ein neues Verbrecherleben folgte.

Jetzt legt er den Kopf schief und grinst mich an. »Hört sich gut an.«

Ich lächele verschwörerisch. »Drew hat mir erzählt, dass du zurück im Spiel bist und was passiert ist …«

»Ach, das war ein Missverständnis«, wirft er schnell ein und hebt die Hand. »Ich habe nur versucht, deinen Bruder zu beschützen.«

»Geschenkt. Mich interessiert allein das Geld.«

Fragend ziehe ich die Brauen hoch. »Bist du wirklich damit abgehauen? Ich schmeiße nicht den Job bei Alec hin, solange ich nicht sicher weiß, dass du ein neues Geschäft auch finanzieren kannst.«

»Natürlich.« Er stößt verächtlich die Luft aus und deutet mit dem Kopf auf seinen Wagen. »Es liegt im Kofferraum. Ich bin nämlich auf dem Weg, diesen Bundesstaat zu verlassen.« Er mustert mich. »Bist du endlich bereit wegzugehen?«

Ich nicke. »Unbedingt«, versichere ich und deute auf einen großen Truck, der sich soeben nähert. »Zunächst möchte ich dir allerdings ein paar Kollegen vorstellen.«

Der Truck hält, und Garrett, Drews Kontaktmann bei den Northmen, steigt mit fünf bewaffneten Schlägertypen aus. Ich bin ihm nur ein einziges Mal zuvor begegnet, und obwohl die damaligen Umstände ungleich angenehmer waren, fand ich ihn selbst da extrem Furcht einflößend.

Er ist groß und glatzköpfig, hat für seine schmale Gestalt überdimensionale Muskeln und derart dunkle Augen, dass sie wie schwarze Löcher wirken. Er ist bekannt dafür, seine Feinde zu foltern, indem er ihnen die Fingernägel herausreißt – ein Schicksal, das ich niemandem wünsche, nicht einmal meinem Dad.

Hoffentlich läuft die heutige Transaktion nicht darauf hinaus.

Mein Vater verzieht erschrocken das Gesicht, als er die Normen-Gangster sieht.

»Jack. Was soll das?«

»Das hier«, sage ich und mache Garett und seinen Männern Platz, »dient dazu, Drews Schuldlosigkeit zu beweisen und sein Leben zu retten, denn dir ist es zu danken, dass ein Kopfgeld auf ihn ausgesetzt wurde.«

»Hallo, Tommy«, sagt Garrett mit einem boshaften Grinsen. »Sieht aus, als hättest du etwas, das mir gehört.«

Mein Vater weicht einen Schritt zurück und beginnt sichtlich zu zittern.

»Ich, was? Nein. Nein … Das ist alles ein Missverständnis.«

Als die Northmen meinen Vater packen, gebe ich Drew das Zeichen, die Polizei zu rufen.

Garrett hält meinem Vater eine Waffe unters Kinn und greift nach der Reisetasche.

»Das nehme ich wieder an mich.«

Dann wirft er die Tasche einem seiner Schlägertypen zu, der schnell den Inhalt prüft. Lauter Kokainpäckchen. Garrett nickt zufrieden.

Ich gehe zum Wagen meines Vaters und öffne den Kofferraum. Genau wie er gesagt hat, liegt dort das Geld. Ich nehme es und nicke Garrett zu, der gerade mit seiner Bande meinen Vater an einen Laternenpfahl fesselt.

»Du weißt ja, Tommy«, sagt er und drückt seine Waffe erneut gegen das Kinn meines Vaters. »Ich würde dich nur zu gern umbringen. Ganz langsam. Und dir dabei unendliche Qualen zufügen.« Er senkt die Stimme. »Das hättest du mehr als verdient.«

»B…b…bitte, nicht«, stammelt er flehend.

Garrett senkt die Waffe. »Okay, ich werde es nicht tun. Aber bloß, weil dein Sohn mich gebeten hat, dein wertloses Leben zu verschonen. Sieht aus, als hätte er andere Pläne mit dir.«

»Zeit zu gehen, Garrett«, sage ich.

»War angenehm, Geschäfte mit dir zu machen, Jack. Viel Glück mit dem da.«

Er deutet auf meinen Vater, dann schiebt er seine Leute zurück in den Truck.

»Du bist ja so erbärmlich«, sage ich angewidert.

»Jack, tu das nicht – was immer du mit mir vorhast«, fleht er. »Ich kann alles wiedergutmachen.«

»Du hättest Drew fast umgebracht.« Ich schüttele den Kopf. »Da gibt es nichts wiedergutzumachen.«

Mit diesen Worten wende ich mich ab, laufe zu Jennas Wagen und springe hinein, starte den Motor und fahre zu einer dunklen Stelle, wo uns niemand sieht. Garrett und die Northmen sind mit ihren Drogen bereits verschwunden.

»Ist alles okay?«, fragt Drew nervös. »Ist es gut gelaufen?«

»Bislang schon.« Ich starre durch die Windschutzscheibe zu meinem an den Laternenpfahl gefesselten Vater hin. »Hast du den Cops Bescheid gegeben?«, wende ich mich an Drew.

»Ja. Ich habe ihnen gesagt, dass ein einschlägig bekannter Dealer unbewaffnet an dieser Adresse auf sie wartet, und zwar …«, er blickt auf seine Armbanduhr, »genau jetzt.«

Und wie aufs Stichwort fahren Streifenwagen auf das Gelände, Beamte springen heraus und umstellen meinen Vater. Da diverse Haftbefehle auf seinen Namen laufen, nehmen sie ihn fest, schieben ihn auf die Rückbank eines Streifenwagens und verlassen mit heulenden Sirenen die Szenerie.

»Und was jetzt?«, fragt Drew.

Ich atme tief durch. »Alec war einverstanden, dass ich die Sache mit Dad erledige – unter der Bedingung, dass er festgenommen wird. Somit sind wir mit den Vipers im Reinen. Bleibt noch Clancy.« Ich starte den Wagen erneut. »Eine letzte Station, dann sind wir fertig.«

Im French Quarter parke ich direkt vor dem *Crowns*. Während Jenny und Drew im Auto warten, betrete ich mit dem Aktenkoffer voll Geld aus dem Kofferraum meines Vaters die Bar und gehe zu Clancy, werfe ihm die Tasche vor die Füße.

»Da ist es. Bis auf den letzten Penny.«

Lachend zählt er das Geld und schüttelt den Kopf. »Du weißt, wie man Geschäfte macht, Jack. Das muss ich dir lassen.«

»Ist damit die Sache aus der Welt geschafft?«, frage ich und verschränke die Arme.

Clancy nickt grinsend. »Klar doch, alles paletti. Bestens.«

»Na dann«, sage ich und eile nach draußen, um meinem Bruder die gute Nachricht zu überbringen. Sobald ich die Fahrertür geschlossen habe, drehe ich mich zu Drew um und grinse ihn an.

»Du bist frei und in Sicherheit, Kleiner.«

»Wirklich?« Drews Augen leuchten auf.

»Ja, wirklich und wahrhaftig. Die Northmen haben ihre Drogen zurück und Clancy sein Geld, und es ist keine Prämie mehr auf deinen Kopf ausgesetzt.« Ich senke die Stimme. »Aber versprich mir, versprich mir hoch und heilig, dass du dich nie wieder auf einen solchen Scheiß einlässt.«

Er schluckt mehrmals und nickt. »Versprochen.«

»Gut«, erkläre ich zufrieden. »Aber hey, das heute Abend hast du echt gut gemacht, Drew. Ohne deine Hilfe wäre uns das nicht gelungen.«

Er presst die Lippen zusammen, scheint sich jedoch über das Lob zu freuen.

»Soll ich Samson anrufen?«, erkundigt er sich. »Wahrscheinlich ist er noch unterwegs, aber ich kann ihm sagen, dass er uns im French Quarter treffen soll – wenn du willst.«

»Ja«, stimme ich zu. »Gute Idee.«

Während Drew draußen telefoniert, starre ich durch die Windschutzscheibe auf den Parkplatz des *Crowns,* denke daran, was heute Abend alles passiert ist, sehe vor allem das Bild meines Vaters vor mir, wie er von der Polizei abgeführt wurde, und eine schwere Last fällt von meinen Schultern. Jenna scheint das zu spüren, denn sie drückt meine Hand.

»Du warst großartig, hast das auch gut gemacht, Jack«, sagt sie.

Traurig lächelnd, wende ich mich zu ihr um.

»Ich habe gerade einen Drogendeal abgeschlossen und meinen Vater festnehmen lassen. Gut ist relativ.«

Sie nimmt meine Hand in ihre.

»Du hast deinem Bruder das Leben gerettet«, sagt sie und küsst meine Handfläche. »Das hast du gut gemacht.«

In dem dunklen Wagen sehen wir einander tief in die Augen, doch als Drew zurückkommt, lässt Jenna meine Hand los.

»Sam ist gerade angekommen«, sagt Drew aufgeregt, und wir fahren durch das French Quarter zu der Straße, wo Samson auf uns wartet. Dort angekommen, steigen zwei Gestalten aus dem Wagen: meine Mom und mein Bruder. Sie laufen auf uns zu, und meine Mutter schlingt die Arme um Drew.

»Mein Baby! Ich hatte solche Angst«, flüstert sie. »Ich bin ja so froh, dass ich dich heil wiederhabe.«

»Es tut mir so leid, Mom«, seufzt Drew. »Ich hab totalen Mist gebaut …«

»Genug«, unterbricht sie ihn. »Das interessiert mich nicht. Hauptsache, du bist in Sicherheit. Das ist alles, was zählt.«

Sie umarmt ihn erneut, und eine Träne läuft über ihre Wange.

Dann ist Samson an der Reihe.

»Du hast mich zu Tode erschreckt, Mann«, sagt er und schlägt Drew auf die Schulter. »Mach so was bloß nie wieder. Sonst bringe ich dich eigenhändig um.«

Drew grinst. »Schön, dich zu sehen, Arschloch.«

Samson wendet sich lächelnd an Jack. »Danke, Bruder.«

»Ja«, schließt sich Drew an. »Danke auch von mir.«

Ich sehe sie irritiert an. »Wofür?«

»Für alles«, erwidert Drew.

Ich schüttele den Kopf. »Nein, dankt mir nicht. Wenn ich nicht komplett aus eurem Leben verschwunden wäre, wäre das alles vermutlich nicht passiert.

»Unsinn, Kumpel. Du musstest hier weg, zu deinem eigenen Besten«, widerspricht Samson.

»Aber ich hätte mich nicht völlig ausklinken dürfen.« Ich sehe sie der Reihe nach an. »Von jetzt an mache ich es besser, komme öfter nach Hause und werde wieder ein Teil eures Lebens, wie es sich für eine Familie gehört.«

Mom küsst mich auf die Wange. »Keine Streitereien.« Sie bedenkt jeden von uns mit einem tadelnden Blick.

»Sind wir uns einig, dass sich keiner von euch je wieder auf einen solchen Unsinn einlässt?«

Wir nicken.

»Was?« Sie hält erwartungsvoll eine Hand an ihr Ohr.

»Ja, Ma'am«, sagen wir wie aus einem Mund.

Anschließend wendet sie sich noch einmal an mich.

»Ist es jetzt endgültig vorbei?«

»Ganz bestimmt«, versichere ich ihr. »Es ist vorbei.«

Dann bleibt uns nichts mehr, als uns voneinander zu verabschieden. Drew fährt mit Mom und Samson zurück nach Little Vail, und ich bleibe bei Jenna in New Orleans zurück.

»Lass uns nach Hause fahren«, sage ich.

25

Jenna

»Und ich habe meine besten schwarzen Klamotten eingepackt, weil ich dachte, ich würde an einer Voodoo-Beerdigung teilnehmen«, sage ich mit gespielter Empörung, betrachte meinen vollgestopften violetten Koffer und schnalze unwillig mit der Zunge.

Grandma schaut mir von ihrem Schaukelstuhl aus zu und amüsiert sich köstlich.

»Es tut mir leid, dass ich dich enttäuschen musste, Liebes. Das nächste Mal werde ich mir mit dem Sterben mehr Mühe geben.«

»Das glaube ich erst, wenn ich es sehe«, entgegne ich sarkastisch.

Ich sitze auf meinem Koffer und versuche, den Reißverschluss zu schließen. Vergeblich. Ich habe ihn in der Hoffnung ins Wohnzimmer geschleppt, dass ich dort mehr Platz hätte und das verdammte Ding besser zubekäme.

Warum lassen sich Koffer am Ende einer Reise immer schwieriger schließen als am Anfang?

Schließlich habe ich nicht einen Haufen Mist gekauft, der auch noch hineingequetscht werden muss. Es sind genauso viele Klamotten in dem Koffer wie bei meiner Abreise aus Arizona.

Also, warum zum Teufel kriege ich ihn nicht zu?

»Wo steckt eigentlich dein Verehrer?«, erkundigt sich Grandma mit vor unverhohlener Neugier leuchtenden Augen. Zurückhaltung und Respektierung meiner Privatsphäre ist nicht gerade ihre Sache.

»*Verehrer!* Was für ein Vokabular. Das ist ja noch schlimmer als *Reisegefährte.* Siehst du mit Mom ständig uralte Schwarz-Weiß-Filme? Ich glaube, wir müssen euch sprachtechnisch mal ein bisschen auf Vordermann bringen.«

Ihre Augen blitzen vor Sensationsgier.

»Interessant, wie schnell du das Thema wechselst, wenn ich dich auf deinen Liebhaber anspreche.«

»Auch nicht gerade ein zeitgemäßer Ausdruck«, weise ich sie zurecht. »Aber egal. Jack wechselt bei Moms Auto das Öl. Und im Übrigen ist er nicht mein *Liebhaber,* sondern … nun ja, ein Freund.«

Ich lasse mich erneut auf den violetten Koffer fallen, bei dem der Reißverschluss nach wie vor nicht zugehen will.

Missbilligend schnalzt sie mit der Zunge und schüttelt den Kopf.

»Und du behauptest, *ich* sei eine Lügnerin.«

»Was soll das denn nun wieder heißen?«, frage ich empört.

»Du bist ganz offensichtlich in den Jungen verliebt«, stellt Grandma lakonisch fest. »Und trotzdem streitest du ab, dass du etwas für ihn empfindest.«

Ich verdrehe die Augen. »Bitte fang nicht damit an …«

»Liebe ist das Wichtigste im Leben«, fährt sie unbeirrt fort und nickt zur Bekräftigung. »Warum leugnest du sie?«

»Äh, weil wir im einundzwanzigsten Jahrhundert leben und Frauen keine Männer mehr brauchen, die sich um sie kümmern. Und außerdem habe ich mir ziemlich große Ziele gesetzt, die ich erreichen will, bevor ich sterbe. Ich will nicht, dass meinen Träumen etwas in die Quere kommt.«

»Deinen Träumen soll nichts in die Quere kommen? Jenna. Du solltest dich mal reden hören.«

Ich atme tief durch und versuche, meine widerstreitenden Gefühle zu verbergen.

»Versteh mich nicht falsch, Granny, aber ich will mehr erreichen als du und Mom. Und dafür habe ich einen Plan. Liebe ist ein netter Gedanke.« Ich denke daran, wie Jack mich umarmt – daran, wie er mit meinen Schwestern Tee getrunken hat und wie er sich für seine Familie aufopfert. »Ein sehr netter Gedanke.« Meine Stimme droht zu brechen, und ich räuspere mich. »Aber sie ist völlig unberechenbar und leichtsinnig. Liebe lässt sich nicht kontrollieren. Und ich habe mir vor langer Zeit geschworen, alles, was meine Zukunft angeht, unter Kontrolle zu behalten.« Ich zucke die Schultern und schlucke, erhebe mich von meinem Koffer. »Und darum ist Liebe für mich einfach nicht vorgesehen.«

Sie mustert mich mit wissendem Blick. »Aha, aber deine Sterne haben sie für dich vorgesehen.«

»Grandma …«

»Ich habe es gesehen, Jenna. Eine große Liebe. Eine wahre Liebe. Ein Mann, der dich genauso braucht wie du ihn.« Sie steht auf, tritt zu mir und sieht mich aus ihren dunklen Augen mahnend an. »Du wirst nicht zur Ruhe kommen, ehe du nicht eines verstanden hast, mein kleiner Stern.« Sie legt eine bedeutungsvolle Pause ein, betrachtet mich aufmerksam. »Liebe heißt, auf Kontrolle zu verzichten und einem anderen Menschen zu vertrauen.

Und solange du dich ihr nicht hingibst, wirst du nie richtig glücklich sein.«

Bei diesen Worten kriecht eine unheimliche Kälte durch meinen Körper. Niemand in der Familie würde je die Weisheit und das intuitive Wissen meiner Großmutter anzweifeln – niemand ihre Ratschläge und Warnungen in den Wind schlagen. Sie verzieht den Mund zu einem schiefen Lächeln, zuckt die Schultern und schlägt jetzt einen weicheren Ton an.

»Außerdem kann ich nicht sterben, solange du nicht glücklich bist.«

»Nun, dann sollte ich lieber nie richtig glücklich werden«, erwidere ich spöttisch. »Schließlich will ich ja nicht, dass du stirbst.«

Sie grinst. »Aber wäre es nicht eine Schande, wenn ich trotzdem sterbe und dich nie glücklich gesehen hätte?«

»Touché«, räume ich ein und kneife die Augen zusammen. »Gut pariert, Granny. Echt gut.«

Sie zuckt erneut die Schultern und beginnt wieder zu schaukeln. »Ich gebe mir Mühe.«

Es fällt mir schwerer als je zuvor, mich von meiner Mutter und von meinen Schwestern zu verabschieden. Ich weiß nicht genau, warum. Vielleicht, weil diese Reise so lebensentscheidend für Jacks Familie war. Oder vielleicht, weil ich zum ersten Mal seit Jahren wirklich zu schätzen weiß, eine Familie zu haben, in der ich so viel Liebe bekommen habe.

Ich werde sie alle schrecklich vermissen. Erst küsse ich meine Schwestern, herze und drücke sie, umarme dann meine Mutter ganz fest und flüstere ihr zu, wie toll sie mich großgezogen hat. Obwohl wir nicht viel Geld hatten und, klar, ich mir ein ganz anderes Leben wünsche, hat sie mir alles gegeben, was sie eben konnte, und für dieses Opfer werde ich ihr mein Leben lang dankbar sein.

Als Letzte kommt meine Großmutter an die Reihe, und jetzt muss ich mich sehr beherrschen, um nicht zu weinen.

»Ich habe dich so lieb«, sage ich, während ich die Arme um ihre schmale Gestalt schlinge. »Ehrlich. Und ich werde dich mehr vermissen, als du es dir vorstellen kannst.

Sie kichert leise. »Wetten, dass ich *dich* mehr vermisse?«

»Warum musst du mich immer übertrumpfen?«

Lächelnd löst sie sich von mir, um mir in die Augen zu blicken.

»Sei mutig, mein kleiner Stern«, sagt sie und nimmt mein Gesicht in ihre Hände. »Es lohnt sich. Versprochen.«

Ich blinzele, bin nicht ganz sicher, was sie meint, nicke jedoch trotzdem.

»Das werde ich.«

Nachdem auch Jack diverse Umarmungen und Küsse von allen Weibern meiner Familie, den jungen wie den alten, hat über sich ergehen lassen, sind wir, ehe ich mich versehe, auf der Straße und auf dem Rückweg nach Arizona.

Jack fährt, und ich habe nicht widersprochen. Als wir auf den Freeway einbiegen, schaltet er das Radio ein und reicht mir ein Taschentuch. Erst da merke ich, dass ich weine.

»Da ich mich künftig mehr um meine Brüder kümmern will, werde ich sie im Winter besuchen«, sagt er. »Ich habe gedacht, vielleicht möchtest du ja auch noch mal nach Louisiana. Wir könnten dann wieder gemeinsam fahren und beide unsere Familien besuchen. Was meinst du?«

Auf der Stelle verfliegt meine wehmütige Stimmung.

»Im Ernst?«

Er nickt. »Ja, auf diese Weise sparen wir beide ein bisschen Geld. Meine Mutter freut sich bestimmt, dich bei dieser Gelegenheit wiederzusehen, von deiner Familie ganz zu schweigen. Und bei deiner Grandma steht wahrscheinlich ohnehin die nächste Nahtoddrohung an …«

Ich strecke die Arme über die Mittelkonsole nach ihm aus, umarme ihn und drücke ihn so fest, dass er den Atem anhält.

»Ja«, murmele ich in sein Hemd.

Er lacht leise. »Okay.«

Schnell lasse ich ihn los, rücke von ihm ab – mein Gefühlsausbruch ist mir irgendwie peinlich. Aber wow. Allein die Vorstellung, bald wieder bei meiner Familie zu sein, macht mich richtig glücklich. Und Jack wusste das, zur Hölle mit ihm – er wusste einfach, dass ich jetzt diesen Trost brauchte.

Gott. Diese letzten paar Tage waren der reinste Wahnsinn – mit der letzten Nacht als absolutem Höhepunkt. Das Verrückteste jedoch war Jacks Geständnis, dass er mich liebt.

Wir haben seither nicht darüber gesprochen, und ich merke, dass eine leichte Spannung in der Luft liegt, die sich mit jeder Meile zu verstärken scheint.

Auf halber Strecke, wir sind mitten in Texas, durchbricht Jack schließlich die Stille, die bereits viel zu lange andauert.

»Alles okay bei dir?«

»Ja. Und bei dir?«

»So weit, so gut. Du bist nur irgendwie ein bisschen … komisch, das ist alles.«

»Es ist mir schwergefallen, von zu Hause wegzufahren.« Plötzlich habe ich das Gefühl, mich verteidigen zu müssen, und sage: »Du bist allerdings ebenfalls ein bisschen komisch.«

Er hebt eine Braue. »Ach ja?«

»Yep. Willst du mir möglicherweise etwas sagen, Jack?«

»Na ja, weißt du.« Er spannt den Kiefer an und mustert mich. »Ich frage mich, ob es einen Grund gibt, warum du gar nichts zu meinem Geständnis gesagt hast, dass ich dich liebe?«

Verlegen räuspere ich mich, habe nicht damit gerechnet, dass er das so direkt anspricht. »Äh …, ich weiß nicht. Vielleicht ist es besser, wenn wir nicht darüber reden. Ich meine, ich eigne mich nicht für so was, Jack«, sage ich und beginne, einige meiner negativen Eigenschaften aufzuzählen. »Ich höre nie meine Mailbox ab. Ich lasse in der Küche die Schränke offen. Ich bin unordentlich, unausstehlich unordentlich. Und ich hasse Motorräder. Ich *hasse* sie.« Dramatisch hebe ich die Schultern. »Ich weiß gar nicht, warum zum Teufel du überhaupt mit mir zusammen sein willst.«

Sofort komme ich mir gemein vor. Warum bügele ich ihn immer runter? Warum mache ich die Dinge ständig so kompliziert?

Er stößt ein kurzes, bitteres Lachen aus und schweigt einen Moment. Sein Blick wirkt abweisend, während er meine Worte sacken lässt, doch plötzlich wird seine Miene weicher.

»Ich will mit dir zusammen sein«, sagt er. »Weil ich leide, wenn du leidest. Und ich glücklich bin, wenn du es bist – und nicht weil du die Kontrolle über mich hast, sondern weil ich dich liebe. Und ich liebe dich gerne.«

Zitternd hole ich tief Luft, bin den Tränen nahe. »Aber

du willst eine richtige Beziehung – willst, dass ich deine feste Freundin bin oder so.«

»Ja und?«

»Und was, wenn das ein Fehler ist?«

»Warum sollten wir als Paar ein Fehler sein?«, entgegnet er verletzt. »Weil ich nicht in deinen Plan passe?«

»Darum geht es nicht …«

»Doch, genau darum geht es. Du und dein blöder Plan, das ist alles, worum es hier geht«, sagt er. »Und das tut weh, Jenn! Meinst du ehrlich, dass ich dich je von deinen Träumen abhalten würde? Natürlich nicht! Ich würde dich immer unterstützen. Dir überallhin folgen und deinen Zielen niemals im Weg stehen. Eher würde ich meine Träume überdenken, damit deine wahr werden können.«

»Aber das ist genau das Problem«, bricht es aus mir heraus. »Ich will nicht, dass du deine Träume für mich aufgibst! Ich will, dass wir beide genau das bekommen, was wir wollen.«

»Ich habe auch nicht gesagt, dass ich sie aufgebe, sondern lediglich von überdenken gesprochen.«

»Als ob das ein Unterschied wäre«, erwidere ich gereizt.

»Das ist sogar ein Riesenunterschied«, behauptet er. »Und meine Träume bedeuten mir außerdem nichts, wenn ich dich nicht haben kann.«

Ich kriege die Krise bei diesem Geständnis und habe null Plan, wie ich damit umgehen soll.

»Ja«, bekräftigt er mit Nachdruck. »So ernst ist es mir mit uns – so wichtig ist mir *das* hier.« Er zeigt von mir zu sich. »Kapier es endlich.«

In meinem Kopf dreht sich alles. Richtige und falsche Antworten, Gefühle, die sich widersprechen. Ich schlucke, bin verwirrt, ängstlich und verzweifelt, und mir fällt keine gescheite Antwort ein.

»Tja, entschuldige, dass ich mir Gedanken über die Zukunft mache …«, murmele ich schließlich.

»Die Zukunft.« Er stößt einen verächtlichen Laut aus. »Toll. Wie wäre es, wenn du dir mal Gedanken über das Jetzt machst? Oder ist dir völlig egal, was zwischen dir und mir abgeht?«

»Du und ich sind einfach nicht der richtige Plan«, gebe ich brüsk zur Antwort, um ihn zum Schweigen zu bringen, und versuche, mir die heftigen Gefühle, die mich zu überwältigen drohen, nicht anmerken zu lassen.

Er stößt ein bitteres Lachen aus.

»Dann erzähl mir doch mal ganz konkret von deinem Plan. Wie du dir genau die Zukunft vorstellst und dein perfektes Leben, wenn du dich von mir fernhältst. Für mich hört sich das nämlich ziemlich lächerlich an«, gibt er in einem scharfen Ton zurück.

Ich beiße die Zähne zusammen. »Zu Ende studieren. Einen guten Job finden. Allein in einem rockstarmäßigen Apartment wohnen und meine eigene Galerie eröffnen. Und vielleicht ein Hausschwein halten. *Das* ist der richtige Plan«, schreie ich heraus. »Du und dein großes Herz und deine Fürsorge … das ist der *falsche* Plan. *Du* bist der falsche Plan!«

Die Verletzung in seinen Augen ist unübersehbar, und auf einmal bedaure ich meine gemeinen Worte. Aber es ist zu spät. Er wendet seine schönen grauen Augen, die ich so sehr liebe, von mir ab und starrt verbissen aus dem Fenster.

»Gut zu wissen«, murmelt er niedergeschlagen. »Gut zu wissen.«

Ich muss meine ganze Willenskraft zusammennehmen, um nicht einzuknicken – um nicht zu weinen, nicht um Verzeihung zu betteln und alles, alles zurückzunehmen. Gott, dieser Mann macht mich total fertig! Deshalb kann ich mich nicht auf ihn einlassen. Wenn er jetzt schon solche Macht über mich hat, obwohl wir nicht einmal zusammen sind – wie soll es da erst werden in einer richtigen Beziehung? Das mag ich mir nicht vorstellen.

Wir halten an einem Motel in San Antonio, um dort zu übernachten. In getrennten Räumen. Stumm holen wir unser Gepäck aus dem Kofferraum, stumm gehen wir zu unseren Einzelzimmern und schließen uns stumm jeder für sich ein.

Dann aber überkommt es mich.

Fluchend werfe ich meinen Koffer in die Ecke und lasse mich aufs Bett fallen. Mein Herz rast. Ich bin so was von blöd und inkompetent, wenn es um Liebe geht. Warum kann ich nicht einfach normal sein?

Nein. Das ist nicht *meine* Schuld.

Jack ist schließlich derjenige, der mich ständig bedrängt und in die Defensive zwingt.

Ja, das ist alles Jacks Schuld.

Ich versuche lediglich das zu tun, was das Beste für mich ist – und für uns.

Verwirrt und verzweifelt starre ich die Wand an, hinter der auf der anderen Seite Jacks Zimmer liegt, und stoße einen langen, traurigen Seufzer aus. Ich wünschte, es gäbe wieder eine kaputte Verbindungstür, die nicht schließt und quietschend in den Angeln hängt. Dann könnte ich wenigstens zu ihm hinübersehen und mich davon überzeugen, dass es ihm gut geht.

Himmel, bin ich ein hoffnungsloser Fall.

Deprimiert wälze ich mich auf die Seite, kehre der Wand den Rücken zu und ringe mit meinem verräterischen Herzen.

Am nächsten Tag sprechen wir auf der Fahrt nicht mehr als nötig. Während des Mittagessens wechseln wir gerade mal ein paar Worte über das Wetter und überlegen, in welchem Hotel wir übernachten könnten, doch unsere Freundschaft hat ganz offensichtlich einen schweren Knacks davongetragen. Ehrlich gesagt, kommt es mir vor, als hätten wir Schluss gemacht. Mir zerreißt es schier das Herz, und Jacks ständig angespannter Kiefer verrät, dass es ihm nicht besser geht. Nichts zwischen uns fühlt sich richtig an.

Als wir die Grenze zwischen Texas und New Mexico überqueren, gebe ich mein Bestes, die düstere Stimmung zu ignorieren und mir einzureden, dass ich im Recht bin. Heißer Sex ist okay. Aber eine Beziehung? Nein. Das will ich nicht.

Oder?

Wenngleich die Stimmung zwischen uns gerade auf einem Tiefpunkt ist, macht Jack mich glücklich. Richtig glücklich. Auf eine Weise, wie mich noch kein anderer glücklich gemacht hat. Würde ich mich genauso glücklich fühlen, wenn ich akzeptiere, dass ich ihn liebe, und es ihm sage? Unwillkürlich muss ich an die Worte denken, die meine Großmutter mir zum Abschied mit auf den Weg gegeben hat.

Wäre es nicht eine Schande, wenn ich trotzdem sterbe und dich nie glücklich gesehen hätte?

Ein klassischer Lacombe-Vorwurf, eigentlich eine Frechheit, und dennoch zieht sich mein Herz schmerzhaft zusammen. Ich habe ihr versprochen, mutig zu sein. Und aus irgendeinem Grund beschleicht mich bei jeder Meile, die Jack und ich nicht miteinander sprechen, das Gefühl, als würde ich sie enttäuschen, sie hintergehen.

Ich blicke zu ihm hinüber und überlege, wie schwer es für ihn sein ganzes Leben über gewesen sein muss, seine Familie zu beschützen und sie aus Schwierigkeiten rauszuhalten. Vielleicht hat er ja, als er mich bat, ihm eine Chance zu geben, gar nichts Unmögliches von mir verlangen wollen – etwa einen Teil von mir aufzugeben –, sondern sich bloß gewünscht, dass ich ihn als den akzeptiere, der er ist. Vielleicht geht es hier gar nicht um mich und um meine Ängste.

Aber Ängste sind irgendwie komisch. Sie entwickeln ihre eigene Dynamik, lauern in einem und machen sich gegen jegliche Logik mehr und mehr breit. Und ich kann nicht anders – ich fürchte ständig, dass sich meine gesamte Zukunft ändert, wenn ich Jack zu nahe an mich heranlasse. Und das ist eine Angst, der ich mich nicht stellen will.

Oder?

26

Jack

»Würdest du bitte anhalten?«, fordere ich Jenna mit zusammengepressten Lippen auf und blicke in dem dunklen Wagen zu ihr hinüber.

Entschlossen, so schnell wie möglich nach Hause zu kommen, will sie plötzlich in einem Rutsch durchfahren, ohne, wie geplant, in Las Cruces zum Übernachten anzuhalten. Inzwischen sind wir beide völlig groggy, es ist fast Mitternacht, und vor uns liegen immer noch zweihundert Meilen.

»Ich glaube, wir können es schaffen«, sagt sie und gähnt.

»Auf keinen Fall. Du schläfst ja schon halb und bringst uns am Ende noch um. Halt bitte so bald wie möglich an.«

»Warum? Damit du fahren kannst?« Sie runzelt die Stirn. »Du hast noch weniger geschlafen als ich.«

Sie hat recht. Ich habe letzte Nacht nicht gut geschlafen und untertags im Auto gar nicht, während Jenna zwischendurch zwei kleine Nickerchen gemacht hat.

»Mag ja sein, aber zumindest sehe ich nachts gescheit.« Ich blicke auf die Straßenschilder und schüttele den Kopf. »So oder so: Wir schaffen das nicht und müssen irgendwo übernachten.«

»Und wo bitte? Das einzige Hotel zwischen hier und Tempe ist …« Sie überlegt eine Sekunde, »das Willow Inn.«

Ich setze mich auf. »Der Laden, in dem Pixie gearbeitet hat?«

Sie nickt. »Genau der. Allerdings wird es Ellen kaum gefallen, wenn wir mitten in der Nacht bei ihr aufschlagen …«

»Doch, das machen wir. Ich wette, es ist Ellen lieber, wenn du sie mitten in der Nacht störst, als dass du im Straßengraben landest.«

Seufzend gibt sie schließlich nach. »Okay.«

Zwanzig Minuten später fahren wir vom Freeway ab und biegen auf den Parkplatz des idyllischen kleinen Hotels ein. Die Lampen auf der Veranda brennen noch.

»Siehst du?«, sage ich und deute mit dem Kopf auf das Licht. »Ellen scheint noch wach zu sein.«

Wir steigen aus dem Wagen, stapfen zur Eingangstür und öffnen sie vorsichtig. Die Lobby ist schwach beleuchtet, und Ellen sitzt mit einer Brille auf der Nase am Empfang und tippt wie wild auf der Tastatur. Als sie die Tür hört, blickt sie auf und hebt fragend eine Braue.

»Jenna?« Auf ihrem Gesicht zeichnet sich Sorge ab. »Ist alles in Ordnung?«

»Ja. Alles gut. Wir sind nur den ganzen Tag über gefahren und total müde, und dieser Typ hier will mich absolut nicht weiterfahren lassen. Darum diese unmögliche Uhrzeit. Tut mir leid. Hast du überhaupt was frei?«

»Ein Zimmer ist auf jeden Fall frei.« Sie lächelt. »Ihr zwei solltet wirklich lieber heute Nacht hierbleiben. Lass mich bloß schnell nachschauen, ab wann das Zimmer wieder gebraucht wird.« Sie hämmert erneut auf der Tastatur herum.

»Es tut uns wirklich leid, dass wir dich so spät noch stören«, sage ich leise.

Ellen winkt ab. »Ihr stört mich überhaupt nicht. Ich mache gerade Inventur und bin froh über eine nette kleine Pause.« Sie sieht blinzelnd auf den Bildschirm. »Okay. Sieht gut aus, das Zimmer ist auch morgen noch frei. Ist es überhaupt okay, wenn ihr euch ein Zimmer teilt?« Sie blickt zwischen uns hin und her.

Ich überlasse Jenna das Antworten und rechne fast damit, dass sie mich ins Auto verbannt, doch sie willigt ein.

»Ja, das ist okay.«

Verwundert blicke ich sie an. Ich weiß zwar nicht, ob es echte Zustimmung oder eher Erschöpfung ist, was sie zu dieser Antwort bewogen hat, aber wie dem auch sei: Es scheint für sie okay zu sein, neben mir zu schlafen, und ich kann nicht anders, als darin einen Sieg zu sehen.

Ellen gibt Jenna den Zimmerschlüssel, und wir gehen nach oben. Jenna voraus, ich mit dem Großteil unseres Gepäcks hinterher. Unwillkürlich beobachte ich, wie sie bei jedem Schritt die Hüften schwingt. Gott, sie ist so sexy. Und so wunderschön. Die langen Wimpern, die vollen Lippen, der schlanke Hals. Aber neben diesen Äußerlichkeiten beeindruckt mich ihr Kampfgeist, ihre Stärke, ihre Toleranz.

Sie ist alles, was ich je gewollt habe.

Doch sie lässt nicht zu, dass ich sie liebe.

Der Schmerz in meiner Brust verstärkt sich, als wir das kleine Zimmer am Ende des Flurs betreten und die Tür hinter uns schließen. In der Mitte des Raumes steht ein breites Doppelbett. Auf einem der Nachttische brennt eine Lampe und taucht das Zimmer in ein weiches Licht.

»Bist du sicher, dass es für dich okay ist, mit mir in einem Bett zu schlafen?«

Sie nickt. »Ja, bin ich. Und was ist mit dir?«

Ich will gerade nicken, als ich merke, dass das gelogen wäre. »Nein, eigentlich nicht«, sage ich. »Ist es nicht.

Ihre Brauen schießen nach oben. »Was?«

»Du hast mir oft genug zu verstehen gegeben, dass du nicht mit mir zusammen sein willst, und das muss ich respektieren. Aber ich kann nicht so tun, als wären wir nur Freunde. Das ist Quatsch. Ich liebe dich, Jenna – ich *liebe* dich«, wiederhole ich. Als sie den Blick abwendet, trete ich auf sie zu und hebe ihr Kinn, sodass sie mich ansehen muss. »Und ich weiß, dass dir das eine Höllenangst bereitet. Doch ich kann es nicht ändern, und ich will es auch gar nicht. Du bist das Beste, was mir je passiert ist. Darum würde ich lieber auf dem Boden im Auto schlafen als in diesem Bett. Das will ich nur, wenn du mich dort wirklich haben willst. Wenn du willst, dass ich dich halte. Und mit dir zusammen bin.«

Ihr Blick sucht meinen, während sie im sanften Licht der Nachttischlampe die Hände auf meine Brust legt und sich auf die Zehenspitzen stellt, um mich zu küssen. Zärtlich zunächst, dann forscher, sobald ich ihren Kuss erwidere. Zuerst freue ich mich, weil ich denke, dass Jenna vielleicht ihre Meinung geändert hat und mich an sich heranlässt.

Als sie mir aber die Kleidung herunterzerrt, in meine Lippen beißt und mit den Nägeln über meinen Rücken kratzt, begreife ich, dass sie den Sex als Ablenkung benutzt. Was ich gerade gesagt habe, macht ihr solche Angst, dass sie mir lieber ihren Körper anbietet, statt zuzugeben, dass sie etwas für mich empfindet.

Die Traurigkeit, die mich bei diesem Gedanken überkommt, fühlt sich dunkel und kalt an und zieht mich nach unten wie ein Stein, der ins Wasser sinkt. Die ganze Zeit über bin ich so geduldig gewesen, so verständnisvoll, und sie kann mir nicht einen einzigen verdammten Satz sagen.

Jenna zieht sich ebenfalls aus, drängt unsere nackten Körper zum Bett und versucht, mich auf die Matratze zu stoßen. Doch ich rühre mich nicht und warte, dass sie zu mir aufblickt. Kurz wirkt sie verwundert, hat offenbar nicht damit gerechnet, mich wütend zu sehen.

Ich umfasse ihr Kinn, zwinge sie, mir ins Gesicht zu sehen und meinen Schmerz zu erkennen. Sie blinzelt mehrmals, als würde sie Tränen zurückhalten, und das ist mehr, als ich aushalten kann. Und so lasse ich die Hände an ihrem Körper nach unten gleiten, packe ihre Hüften und schiebe mich mit ihr zum Bett. Ihr Blick funkelt vor Aufregung – sie scheint dankbar, dass ich ihrem Willen nachgebe, Sex zu machen, und sie nicht zwinge, sich der Wahrheit zu stellen. Einen Moment flammt meine Wut erneut auf, nur um anschließend wieder hilfloser Trauer angesichts ihrer ungestümen Miene zu weichen.

Grob drehe ich sie um, und sie ringt nach Luft. Dann streiche ich mit den Händen über ihren Körper, sie liegt auf dem Bauch, den Kopf zur Seite geneigt, und ihre dunklen Haare breiten sich wie ein Fächer über dem Kopfkissen aus. Ihr Atem geht unregelmäßig, während sie mich unsicher mustert. Ich lasse die Hände nach oben gleiten, streiche über ihre Arme und lege sie über ihren Kopf. Dann drehe ich ihr langes Haar zu einem Knoten, damit ihr Nacken entblößt ist. Stumm lässt sie alles mit sich geschehen, beobachtet mich lediglich weiter irritiert aus dem Augenwinkel.

Mein Blick gleitet über die nackte Rückseite ihres Körpers, ihren gerundeten Po, die Wölbung ihres Rückgrats, die weiche Haut an ihren Schenkeln. Bei ihrem Anblick werde ich hart.

Jenna wollte nichts als Sex. Gefühllosen, unpersönlichen Sex. Und den wird sie bekommen.

Ich bewege mich auf ihrem Körper nach oben, berühre mit meinem Mund ihren Nacken, und mein Atem streicht über die feinen Härchen, die sich dort aufrichten. Sie windet sich unter mir, als ich an ihrem Nacken knabbere und die Haut zwischen die Zähne nehme, weiter zu ihren Ohren, ihrem Kinn gleite. Sie dreht den Kopf und sucht meine Lippen, doch ich verweigere ihr den Kuss. Ein leiser Aufschrei entfährt ihrer Kehle, als ich sie in die Schulter beiße, fest zwar, aber ohne einen Abdruck zu hinterlassen. Sie versucht, sich auf die Arme zu stützen und sich von mir zu befreien, doch ich halte ihre Handgelenke über dem Kopf fest und beiße in ihre andere Schulter, sanfter diesmal.

Sie vergräbt den Kopf im Kissen und stöhnt, als ich die Stellen lecke, wo ich sie gerade gebissen habe. Dann ziehe ich eine Spur Küsse zwischen ihren Schulterblättern, lasse die Hände über ihre Arme gleiten, greife mit einer Hand in ihr Haar und fahre mit der anderen über ihr rundes Hinterteil und zu der Stelle zwischen ihren Schenkeln, wo sie heiß und nass ist.

Sie zuckt zusammen, als meine Finger in ihre feuchte Höhle vordringen und ich gleichzeitig ihren Kopf an den Haaren hochziehe, damit sie mich ansieht.

»Das wolltest du doch, oder?«, flüstere ich, während ich sie weiter errege. »Ich sollte die Kontrolle über deinen Körper übernehmen.«

Sie beginnt, sich erneut unter mir zu winden. »Ja«, keucht sie und hebt mir ihre Hüften entgegen.

Ich schiebe meinen Finger weiter in sie hinein und verteile die Nässe auf ihrer Klitoris, höre nicht auf, die empfindliche Stelle zu reizen, bis sie die Hände ins Laken krallt und mit zuckenden Hüften und einem lauten Schrei kommt.

Ihre Lust befördert meine, lässt mich quälend hart werden, und mein Körper schreit nach Erlösung.

Ich schiebe zwei Finger zurück in ihre Mitte, die noch pulsiert, und entlocke ihren Lippen erneut ein wollüstiges Wimmern.

»Totale Kontrolle?«, flüstere ich und sauge an ihrem Ohrläppchen.

Sie nickt, ein Stöhnen dringt aus ihrem Mund, während ich die Finger aus ihr zurückziehe, mich aufrichte und sie rücklings auf Knie und Ellbogen zwinge, sodass sie mir ihr wunderschönes Hinterteil darbietet. Die Innenseiten ihrer Schenkel glänzen von den Sekreten ihrer Erregung und machen mich verrückt. Schnell hole ich ein Kondom aus meiner Jeans und rolle es herunter.

Währenddessen drückt Jenna den Rücken durch, bietet sich mir noch offensiver dar. Als ich mich hinter ihr in Stellung bringe, blickt sie über die Schulter zu mir zurück. Da es sich, wie sie mir mal gestanden hat, um eine für sie ungewohnte Position handelt, erwarte ich Nervosität oder Zögern in ihren Augen zu lesen, doch stattdessen sehe ich dort nur Lust und Begehren. Ich dränge mich in ihre warme, enge Mitte und stöhne auf, als sich ihre Scheidenmuskulatur wie eine Faust um meine Erektion schließt und ein animalischer Laut sich ihrer Kehle entringt. Ich schaffe es gerade noch, mich zu beherrschen und mich aus ihr zurückzuziehen, stoße jedoch sogleich wieder in sie hinein, weil sie sich mir verlangend entgegenbiegt. Gleichzeitig lasse ich meine rechte Hand zu ihrer Brust gleiten und knete die empfindliche Spitze, bis ich erneut ihre heiße Mitte suche, ihre Klitoris massiere und sie zu einem weiteren Höhepunkt treibe.

So schwer es mir fällt, halte ich mich noch immer zurück, zögere meinen Orgasmus hinaus und drehe sie auf den Rücken. Dann spreize ich ihre Beine, lege mich auf sie und schalte die Lampe auf dem Nachttisch aus.

Jetzt nur noch ins weiche Licht des Mondes getaucht, wirkt das Zimmer irgendwie freundlicher, anheimelnder. Nach wie vor starrt Jenna mich atemlos und mit weit aufgerissen Augen fragend an. Zur Antwort beuge ich mich hinunter und küsse sie auf die Lippen, während ich sanft in sie eindringe und der Tanz unserer Körper beginnt.

Plötzlich spüre ich, dass etwas heiß über meine Hand rinnt.

Kaum merklich rücke ich von ihr ab, sehe, wie sich eine Träne von ihren geschlossenen Lidern löst, und streiche sie mit dem Daumen fort. Diese Frau. Sie ist so voller Leidenschaft und Kampfgeist, kann ihre Liebe zu mir jedoch nicht kontrollieren. Es macht sie fertig, dass sie bei mir die Fassung verliert, und dennoch verrät diese einzelne Träne, wie es wirklich um sie steht.

Sie hat sich für Sex entschieden, aber das andere hat gesiegt. Das, was wahr und echt ist, siegt immer.

»Jenna«, sage ich leise. »Soll ich aufhören?«

Sie öffnet die Augen, und eine weitere Träne läuft über ihre Wange, als sie den Kopf schüttelt.

»Nein. Nicht.«

Langsam bewege ich mich weiter in ihr, küsse ihre Wangen, ihre Stirn und ihr Schlüsselbein.

»Ich liebe dich.«

Sie nickt unter Tränen. »Ich weiß.«

Mehr sagt sie nicht, denn ein weiterer Orgasmus lässt ihren Körper erbeben.

Jetzt endlich erlaube ich mir, ebenfalls zu kommen. Zusammen werden wir von einem Sturm überwältigender Leidenschaft hinweggerissen, und erst als mein Herz nicht mehr ganz so heftig schlägt, rolle ich mich von ihr herunter und ziehe sie in meine Arme.

Schniefend wischt sie sich über die Wange.

»Es tut mir leid, dass ich so schwach bin.«

Bei diesen Worten habe ich das Gefühl, als ob mir die Brust zusammengeschnürt würde.

»Jenna«, sage ich leise, »Liebe ist keine Schwäche. Es ist die stärkste Seite des Herzens. Die Seite, die dir sagt, dass es dich zu einem besseren Menschen macht, mit jemand anderem zusammen zu sein.« Ich streiche über ihre Hüfte. »Und ob es dir gefällt oder nicht, du bist in mich verliebt, und ich weiß es.«

Ich höre, wie ihr der Atem stockt und sie zögert. Zärtlich küsse ich ihre Schulter.

»Du musst es mir nicht sagen – es reicht, wenn ich es fühle.«

Ich hole tief Luft und wünsche, ich könnte ihr Herz mit meinen Händen umschließen, damit sie das sichere Gefühl hat, es mir für immer anvertrauen zu können.

Den Rest der Nacht liegen wir schweigend nebeneinander, doch ich bin mir fast sicher, dass eine weitere Träne über ihre Wange rollt, bevor wir einschlafen.

27

Jenna

Ich wache in Jacks Armen auf und fühle mich glücklicher als je zuvor. Was mich zugleich heftig erschreckt, bedeutet es doch, dass mein Plan zusammenbricht.

Neben mir schläft Jack noch friedlich, und ich denke daran, wie sehr ich ihn letzte Nacht begehrt – wie sehr ich ihn emotional gebraucht und wie verzweifelt ich mich nach ihm gesehnt habe. Wollte mich ihm ganz hingeben, nur mit ihm zusammen sein.

Und das habe ich getan. Vorbehaltlos.

Jack, der mich unmerklich im Laufe des letzten Jahres geöffnet hat, der all die Monate unauffällig bei mir gewesen ist, bis mein Kopf und mein Herz so von ihm erfüllt waren, dass kaum noch Platz für mich und meinen Plan blieb, hat schließlich gewonnen.

Und das Verrückte? Es hat sich befreiend angefühlt, mich ihm hinzugeben, loszulassen und auf Kontrolle zu verzichten. Vollkommen befreiend.

Gestern Nacht hatte ich nicht nur Sex mit einem Typen, den ich mag, sondern habe mich mit einem Mann verbunden, der mich liebt und sich um mich sorgt. Es war eine neue Erfahrung: Wir haben *Liebe gemacht* – und es hat mir *gefallen.* Sehr sogar.

Dabei sollte das alles nicht so laufen. Ich weiß, was als Nächstes passiert. Von dem Moment an, wenn Jack und ich zusammen sind, wird ihm mein Herz für immer ausgeliefert sein.

Aber ist es das nicht schon jetzt?

Wenn die letzte Nacht irgendetwas bewiesen hat, dann das: So sehr ich mich bemüht habe, ihn nicht ganz in mein Leben zu lassen – meine Gefühle für ihn sind dadurch nicht verschwunden. Wurden im Gegenteil noch verstärkt. Vielleicht habe ich ihm nicht meine Liebe gestanden, jedoch ganz sicher nicht mein Herz davon abgehalten, sich mit seinem zu verbinden.

Und jetzt stecke ich in der Klemme.

Ich brauche frische Luft. Oder zumindest ein paar Minuten, um in Ruhe nachzudenken, ohne dass Jack neben mir liegt. Deshalb löse ich mich vorsichtig aus seinen Armen, ziehe mich leise an und schleiche nach unten.

In der Lobby und im Speisesaal herrscht bereits reger Betrieb. Ich entdecke Kayla, die hübsche Blondine, mit der ich mich bei unserem kurzen Stopp auf der Hinfahrt unterhalten habe und die hier als Kellnerin arbeitet. Lachend nimmt sie gerade Bestellungen fürs Frühstück auf. Sie wirkt hundertmal fröhlicher als vor ein paar Tagen. Richtiggehend glücklich.

Als sich unsere Blicke durch die Türen des Speisesaals treffen, lächelt sie breit. Ich winke ihr zu, woraufhin sie gleich zu mir in die Lobby eilt.

»Hi, wie geht's«, ruft sie mir entgegen und strahlt mich an.

Es ist schwer, sie nicht anzustarren. Sie ist einfach bildhübsch. Ihre blonden Haare sind perfekt. Ihre sonnengebräunte Haut ist makellos und ihr wohlproportionierter Körper mehr als sexy.

Neben ihr komme ich mir blass vor. Obwohl ich ein dunkler Typ bin. Mädchen wie sie würde ich am liebsten wegen ihrer engelsgleichen Schönheit hassen, aber Kayla ist einfach zu nett, wirklich süß.

Reicht es nicht, umwerfend auszusehen?

Muss ein solches Mädchen auch noch süß *und* nett sein, statt blöd und zickig? Das nervt echt, weil sie es dem Rest von uns, der diesem klischeehaften Schönheitsideal nicht entspricht, schwer macht.

»Jenna?«, sagt sie und neigt fragend den Kopf. »Ist alles okay?«

»Was?« Erschrocken fahre ich zusammen und höre auf, ihre goldenen Haare anzugaffen und blinzele ein paarmal. »O ja. Klar, alles okay.«

Ich war lediglich so von deiner barbiehaften Schönheit gefangen, dass ich zu sprechen vergessen habe. Wie ein missgünstiger Stalker.

In diesem Augenblick legen sich gebräunte muskulöse Unterarme um Kaylas Taille, und Daren Ackwood streicht mit der Nase über ihren Nacken.

Ernstlich: In der Hotellobby schnüffelt er an ihrem Nacken herum. Ziemlich schräg. Als würde er sie lieben oder so.

Was nicht zu dem Eindruck passt, den ich von Daren hatte.

Bei unserer ersten Begegnung dachte ich nämlich, er sei ein Riesenidiot. Ein attraktiver Idiot allerdings, denn er sieht – das muss der Neid ihm lassen – genauso gut aus wie Kayla. Doch Pixie behauptet, dass er eigentlich ein netter Kerl ist, bloß merke man das nicht unbedingt auf Anhieb. Und Kayla scheint der gleichen Meinung zu sein. Schließlich lässt sie den Typen in aller Öffentlichkeit mit ihren Haaren spielen, an ihrem Nacken schnüffeln und was weiß ich tun.

»Daren, nicht. Ach komm, Daren …« Kayla kichert, während er versucht, ihren Hals zu küssen. »Ich will Jenna begrüßen und ein bisschen mit ihr schwätzen.«

Ihr Benehmen und ihr Kichern erinnern mich an Pixie und ihren Lover. Benimmt man sich immer so albern, wenn man glücklich ist?

Als Daren schnallt, dass ich sie beobachte, hört er sofort auf, Kaylas Hals abzuknutschen.

»O sorry«, sagt er, schenkt mir ein schüchternes Lächeln und nickt. »Hi Jenna.«

Spöttisch hebe ich eine Braue. »Hallo, du Wüstencasanova.«

Es ist noch gar nicht so lange her, da hat Daren Pixie gegen ihren Willen geküsst, nur um Levi eifersüchtig zu machen. Eine ziemlich dreiste Aktion, obwohl sie am Ende sogar ihr Gutes hatte. Sie war der Kick, der Levi dazu brachte, nach langem Zögern und Zaudern auf Pixie zuzugehen. Aber ich habe noch immer das Gefühl, es ihm als Pixies Freundin vorwerfen zu müssen.

Kayla sieht Daren fragend an. »Geht es um diese Sache mit Pixie und dem Kuss, oder um was sonst?«

Daren errötet glatt und nickt fast schuldbewusst. »Ja, war wohl wirklich ein bisschen daneben.«

Wow, denke ich. Er scheint Kayla tatsächlich von dem Pixie-Kuss erzählt zu haben. Da muss er ja wirklich total kitschig in sie verliebt sein und sich schwer geändert haben. Ist er etwa kein Vollidiot mehr?

Verdammt, dann sollte ich wohl ebenfalls meine Meinung revidieren.

»Weißt du, ich habe mich bei Pixie entschuldigt«, wendet er sich jetzt zu allem Überfluss an mich. »Ich schwöre. Wir haben uns wieder vertragen. Und du musst keine Angst mehr haben, dass so was noch mal passiert. Weil ich nämlich total verrückt nach Kayla bin.« Er deutet lächelnd auf seine jetzt ebenfalls errötende Flamme. »Ich will gar keine andere mehr küssen. Nie mehr.«

Kayla öffnet den Mund, stößt ein verlegenes »Oh« hervor und himmelt Daren an.

Bei diesem Anblick überkommen mich plötzlich Eifersucht und Schmerz.

Was geschieht mit mir, um Himmels willen?

»Ich wollte dir vor der Arbeit nur schnell einen Guten-Morgen-Kuss geben«, sagt Daren und küsst Kayla auf die Schläfe.

Ich mustere ihn genauer und bemerke, dass er eine Willow Inn-Kochjacke trägt. »Du arbeitest hier?«

»Ja, Ellen hat mich als Ersatz für Pixie angestellt«, erklärt er sichtlich stolz.

»Herzlichen Glückwunsch.«

»Danke.« Er lächelt Kayla zu. »Ich muss los.« Mir winkt er kurz zu. »War nett, dich zu sehen, Jenna«, sagt er, bevor er im Speisesaal verschwindet.

Kayla wendet sich lächelnd wieder zu mir um, ihr Gesicht glüht. »Tut mir leid.«

»Entschuldige dich nie dafür, dass du glücklich bist«, sage ich und meine es aufrichtig, obwohl ich nach wie vor leicht neidisch auf ihr scheinbar erfülltes Liebesleben bin.

Sie blickt sich um, wahrscheinlich sucht sie nach meinem Gepäck.

»Wie lange bleibst du?«

»Nun, Jack und ich haben hier letzte Nacht auf dem Rückweg von Louisiana Halt gemacht – heute fahren wir heim.«

»Ach, stimmt! Ihr seid ja unterwegs gewesen. Wie war es?«

Sie wackelt bedeutungsvoll mit den Brauen, und ich unterdrücke einen Seufzer. Offenbar denkt sie, wir hätten einen romantischen Ausflug gemacht, die Gute.

Die Gute?

Wie komme ich dazu, so einen Mist zu sagen. *Die Gute.* Das klingt gleichermaßen altmodisch wie geringschätzig. Und das hat Kayla nun wirklich nicht verdient. Ich komme mir irgendwie schäbig vor.

»Prima, alles okay. Es war nett«, erkläre ich schließlich lahm und ohne große Begeisterung.

Sie mustert mein Gesicht und sieht mich nachdenklich mit ihren großen blauen Augen an.

»Verstehe«, sagt sie, aber ich bin nicht sicher, ob sie das wirklich tut, denn schnell wechselt sie das Thema. »Die Sache mit Daren läuft jetzt ziemlich gut. Er ist eindeutig der interessanteste Typ, der mir je begegnet ist.«

Sie zwinkert mir zu, und ich lächele schwach.

Vor ein paar Tagen habe ich Kayla erzählt, dass ich Jack ertrage, weil er so interessant sei. Und sie ermutigt, sich aus demselben Grund versuchsweise mal auf Daren einzulassen. Was sie ja augenscheinlich getan hat.

»Sag mal, Jenna«, sie senkt die Stimme, als wüsste sie, dass das ein heikles Thema ist. »Findest du Jack noch immer interessant?«

O Gott, ja. Mehr als je zuvor.

Doch weil meine Stimme versagt, nicke ich nur. Meine Augen brennen bereits, und wenn ich ihr jetzt noch gestehe, was ich für Jack empfinde und dass ich diese Liebe womöglich wegzuwerfen bereit bin, fange ich bestimmt an zu heulen.

Kayla entgeht meine trübe Stimmung nicht. Sie erkennt wohl, dass das Glänzen in meinen Augen nicht an der Morgensonne liegt, und nimmt mich stumm in den Arm.

Ich erwidere ihre Umarmung auf eine fast verzweifelte Weise und klammere mich an dieses Mädchen, das nichts über mich weiß und sich trotzdem um mich kümmert. Nach einer Weile rücke ich von ihr ab, räuspere mich und zwinge mich zu einem Lächeln.

»Gott, warum bist du nur so nett?«

Sie zuckt die Schultern. »Das ist wohl mein Schicksal.« Als im Speisessaal Geschirr klirrend zu Boden fällt, sieht sie sich um. »Mist. Ich muss wieder an die Arbeit. Wir sehen uns später noch.«

Bei diesen Worten macht sie auf dem Absatz kehrt und winkt mir noch einmal zu, bevor sie meinen Blicken entschwindet.

Nachdem sie weg ist, gehe ich hinaus ins Freie zu einem duftenden Lavendelfeld, das sich hinter dem Hotel erstreckt. Ich atme tief ein und spüre, wie die frische Luft die beklemmende Enge in meiner Brust etwas löst. Erneut atme ich ein. Viel besser.

»Guten Morgen«, höre ich unvermutet Ellens Stimme.

Erschrocken zucke ich zusammen. Sie steht an der Hauswand und müht sich mit einem beschädigten Fensterladen ab, der ihre ganze Aufmerksamkeit in Anspruch nimmt.

»Morgen«, erwidere ich mit einem schwachen Lächeln.

»Wie hast du geschlafen?«, erkundigt sie sich beiläufig.

Was soll ich ihr antworten?

Ich habe gut geschlafen, danke. Hatte ziemlich heißen Sex mit Jack und viele Orgasmen. Und, ach ja: Ich bin mir ziemlich sicher, dass ich mich letzte Nacht noch mehr in ihn verliebt habe, als ich es ohnehin schon war. Was mir schreckliche Angst macht. Trotzdem habe ich fantastisch geschlafen.

»Gut«, sage ich lapidar.

»Fein, dann passt es ja.«

Ich mag Ellen. Sie ist vierzig und Single und führt ihr eigenes Hotel. Kein schlechter Lebensentwurf und in gewisser Weise ein Vorbild für mich. Ellen hat die richtige Einstellung. Eine unabhängige Frau, die es zu was gebracht hat. Ohne Mann. Nur sie und ihr Erfolg zählen. Bei ihr jedenfalls hat es super funktioniert.

Warum also nicht auch bei mir?

Mein Problem ist, dass meine Gefühle für Jack mich schwach machen. Dabei brauche ich keinen Mann, werde nie einen brauchen. Nicht einmal einen, der so toll ist wie Jack.

Doch ist Liebe wirklich gefährlich?

Ich denke an all die Menschen in meinem Leben, die ich liebe. An meine Grandma, meine Mutter, meine Schwestern, an Pixie und meine Cousinen. Meine Liebe für sie ist rein und macht mich überhaupt nicht schwach. Und Jacks Liebe zu Drew macht ihn ebenfalls nicht schwach. Vielmehr hat ihm die Liebe zu seiner Familie die Kraft gegeben, sie zu beschützen.

»Hey, kann ich dich etwas fragen?«, sage ich und trete näher zu Ellen.

»Natürlich.«

Sie wischt sich den Staub von den Händen und schenkt mir jetzt ihre ganze Aufmerksamkeit.

»Glaubst du, dass wir Liebe kontrollieren können?«

»Nein, auf keinen Fall«, antwortet sie wie aus der Pistole geschossen.

Ich sehe sie skeptisch an und muss erst einmal nachdenken.

»Und meinst du, dass man sich ausreden kann, jemanden zu lieben?«

»Nein.« Ellen holt tief Luft. »Liebe ist nicht wie ein braves Lämmchen. Sie ist eine unbändige Kraft. Wild und elementar. Und sie gehorcht niemandem.«

Ich stampfe mit dem Fuß auf den Boden.

»Aber wie kann ich je eine unabhängige Frau sein, wenn die Liebe mich derart beherrscht?«

Besorgt zieht Ellen die Brauen zusammen, dann schaut sie nach oben, wo Jack wahrscheinlich noch schläft.

»Geht es um diesen attraktiven Jungen in eurem Zimmer?«

»Vielleicht«, antworte ich vage.

»Sich dafür zu entscheiden, einen Mann zu lieben und sich von diesem Mann lieben zu lassen, ist das Beste, was eine Frau für ihre Unabhängigkeit tun kann«, belehrt sie mich. »Kein Mensch ist nämlich wirklich ganz allein erfolgreich.«

»Und was ist mit dir? Du bist doch erfolgreich, und zwar ohne verheiratet zu sein oder so.«

Sie lächelt traurig. »Stimmt, momentan bin ich allein. Aber ich war es nicht, als ich meine Träume zu verwirklichen begann.« Sie deutet auf das Hotel. »Ich hatte einen tollen Mann, der mich sehr geliebt und mich zu der gemacht hat, die ich bin.«

Das überrascht mich. Ich hatte keine Ahnung, dass es in Ellens Vergangenheit eine große Liebe gab.

»Was ist passiert?«

Fast unbeteiligt zuckt sie mit den Schultern und widmet sich wieder dem Fensterladen.

»Ich war *zu* unabhängig. Ja, Jenna, man kann zu unabhängig sein.« Sie schluckt. »Jahrelang habe ich versucht, ihn innerlich auf Abstand zu halten, weil ich immer Angst hatte, er könnte mir das Herz brechen. Und dann, eines Tages, hat er mich wirklich gehen lassen. Seither bin ich frei und unabhängig, wie man so schön sagt.« Sie stößt einen tiefen Seufzer aus und sieht mich an. »Und zugleich war ich schrecklich einsam. Es ist komisch. Ich wollte unbedingt allein sein, und jetzt, wo ich es bin, bin ich abhängiger als je zuvor. Die ganze Last ruht auf meinen Schultern. Und da ist niemand, der mich ermutigen und küssen kann. Den es interessiert, ob ich verletzt bin oder weine.« Sie schüttelt den Kopf. »Ich habe mich in ein Hotel verliebt und darüber meine Liebe verloren.«

Es schnürt mir die Kehle zu, als ich den traurigen Ton in ihrer Stimme höre.

Ist das mein Ziel? Jack für eine großartige Karriere einzutauschen? Für eine Galerie, die mich womöglich sehr erfolgreich macht, mich aber niemals im Arm halten kann, sich nie mit mir über Radiosender streitet?

»Alles okay bei dir, Jenna?«, erkundigt Ellen sich.

»Ich muss gehen«, sage ich bloß, drehe mich um und renne zurück in die Lobby, stürme die Treppe hoch und reiße die Tür zu unserem Zimmer auf. Ellen hat recht. Die Liebe ist eine unbändige Kraft, und sie hat mich längst überwältigt.

Nur habe ich bislang nicht den Mut gefunden, es endlich auch laut auszusprechen.

Mit klopfendem Herzen hole ich tief Luft, will das Versäumte nachholen, doch Jack ist nicht da. Nirgends zu sehen. Die Bettlaken sind zerwühlt, mein Gepäck steht noch in der Ecke. Alles so wie vorher, bloß dass Jack fehlt.

Tränen steigen mir in die Augen, mein schlimmster Albtraum scheint sich zu bewahrheiten. Hat er mich verlassen? Hat er die Nase voll und keine Lust mehr, darauf zu warten, dass ich zur Vernunft komme? Hat er sich ein Taxi gerufen, um nach Hause zu fahren?

O Gott.

Habe ich ihn schon verloren?

Ich stehe kurz vor einem hysterischen Nervenzusammenbruch und will gerade zurück nach unten eilen, als ich höre, wie die Dusche in unserem kleinen Bad angestellt wird. Unendliche, mit Worten nicht auszudrückende Erleichterung ergreift von mir Besitz. Jack mich nicht verlassen hat – und vielleicht heißt das ja, dass er mich auch noch nicht aufgegeben hat. Ohne nachzudenken, stürze ich ins Bad und stelle mich in voller Montur zu ihm unter die Dusche.

»Heiliger Strohsack«, ruft Jack und springt erschrocken zur Seite.

»Lass mich nicht weggehen«, flehe ich, während das Wasser über mein Gesicht und meine Kleider läuft. »Ich weiß, ich bin eine Katastrophe und habe dir höllisch viel zugemutet, aber ich weiß jetzt, was ich will. Dich. Nicht irgendeinen Mann, sondern nur den einen – und das bist du.« Ich schlucke meine Ängste hinunter und bringe es endlich über die Lippen. »Ich bin hoffnungslos in dich verliebt, Jack. *Ich bin in dich verliebt.* Bitte gib mich nicht auf. Lass nicht zu, dass ich dich wegstoße. Ich will das ebenfalls …, das zwischen uns. Will uns zumindest eine Chance geben. Auch auf die Gefahr hin, dass ich so eine rührselige Tusse werde, die nicht genug kriegt von romantischen Komödien und jedes Mal weint, wenn sie Sex mit ihrem Mann hat. Das ist mir egal.« Ich schüttele den Kopf, und das Wasser spritzt aus meinen Haaren. »Ich liebe dich, Jack.«

Meine Blicke umfangen seinen nackten, nassen Körper, auf dem die Tattoos glitzern, und gleiten dann zu seinem Gesicht, und wieder einmal durchdringt er mich mit dem Blick aus seinen Silberaugen, die mich voller Liebe anschauen, voller Hoffnung und voller Verheißung, und ich nehme das als ein Versprechen für die Zukunft.

Ein spitzbübisches Grinsen überzieht sein attraktives Gesicht, als er sich vorbeugt und mich mit einer Leidenschaft küsst, bei der mir Hören und Sehen vergeht. Durchnässt wie ich bin, schlinge ich die Arme um ihn und erwidere seinen Kuss, während mir die letzten Tränen über die Wangen rollen.

Nach einer Weile löst Jack sich und sieht mich mit fröhlich funkelnden Augen an.

»Hab ich es dir nicht immer gesagt?«, ruft er triumphierend. Und während das Wasser uns wie ein brausender Gewitterregen umspült, flüstert er mir ins Ohr: »Sag es noch einmal.«

Ich blicke ihm tief in die Augen. »Jack Oliver, ich liebe dich von ganzem Herzen.«

Daraufhin zieht er mich erneut in die Arme, und als ich sein Lächeln sehe, kommt er mir vor wie der glücklichste Mann auf der Welt – und ich bin dann natürlich das glücklichste Mädchen.

Grandma hatte wieder mal recht. Zum Glück habe ich ihren Rat befolgt und war mutig genug, Jack meine Gefühle zu gestehen. Und das hat sich voll und ganz gelohnt.

Epilog

»Ich meine ja nur«, sagt Ethan, während er eine rote Lederhose in einen Karton stopft, »dass wir drei eine Menge Spaß zusammen haben könnten. So als WG.«

»Das steht nicht zur Diskussion«, erwidert Jack. »Du ziehst aus, Jenna zieht ein. Fertig.«

Beim Anblick von Ethans enttäuschter Miene unterdrücke ich ein Lächeln.

»Ach, komm schon, Mann. Was hat sie, was ich nicht habe?«, sagt er und spielt den Beleidigten.

Jack zögert nicht, diverse Dinge aufzuzählen.

»Manieren. Anmut. Sie ist reinlich …«

»Brüste«, füge ich hinzu.

»Das auch«, bestätigt Jack und nickt nachdrücklich.

»Anders als deine Schuhsammlung vermuten lässt, fehlen dir eben doch die wirklich weiblichen Attribute«, spotte ich und grinse zu Ethan herüber. »Darum bist du raus, und ich bin drin.«

Inzwischen haben wir Oktober, und gerade setzt das wunderschöne Herbstwetter ein, für das der Wüstenstaat Arizona berühmt ist. Und mit dem Wechsel der Jahreszeiten kommt auch auf Jack und mich eine große Veränderung zu. Vor zwei Wochen hat er mich gefragt, ob ich bei ihm einziehen möchte, und obwohl ich mich ursprünglich so schwergetan habe, mich zu ihm zu bekennen und meine Gefühle laut auszusprechen, habe ich sofort Ja gesagt.

Schwer zu glauben, dass unsere Fahrt nach Louisiana

erst ein paar Monate zurückliegt. Es fühlt sich an, als wären seither Jahre vergangen.

Gute Jahre. Glückliche Jahre.

Verächtlich trägt Ethan den Karton aus der Wohnung.

»Das ist der letzte, den ich heute packe. Den Rest hole ich morgen ab, wenn ich besser gelaunt bin und nicht immer daran denken muss, warum Jenna mich ausgestochen hat.«

»Okay, also bis morgen dann«, verabschiede ich ihn und schiebe ihn zur Tür hinaus.

Kaum sind wir zwei allein in unserem jetzt gemeinsamen Heim, erscheint ein breites Lächeln auf Jacks Gesicht.

»Ich liebe dich.«

Das sagt er ständig. Als ob er mich daran erinnern zu müssen glaubt oder so.

Spielerisch zupfe ich an seinem Hemdkragen und öffne ihn ein Stück, um die Linien eines Tattoos nachzuzeichnen.

»Ich liebe dich auch.«

Er zieht den Bund meiner Yogahose ein Stück nach unten und streicht mit dem Daumen über den Mitternachtsvogel, den wir beide haben und der davonfliegt, um etwas Besseres zu suchen und zu finden. Bei Jack steht dieser kleine Hoffnungsträger dafür, dass er aus dem Dealerleben entfliehen konnte – bei mir ist er ein Symbol, dass ich meine Angst vor der Liebe überwunden habe. Ein echtes Glückstattoo also.

»Weißt du, woran ich denke?«, fragt er mit seiner heiseren, tiefen Stimme.

»An meine weiblichen Attribute?«

»Du kennst mich einfach zu gut.«

Ich kichere – ja, ich kichere wirklich, genau wie Kayla, Pixie und meine Cousinen –, und er hebt mich hoch und trägt mich durch den Flur in sein Schlafzimmer. Verzeihung: in *unser* Schlafzimmer.

Gott, ich liebe es, das zu sagen.

Unser Zuhause. Unser Bett.

Unsere wahre Liebe.

Vielleicht glaube ich tatsächlich an das ewige Glück.

Später an diesem Abend beobachte ich, wie Marvin, die Ziege, erneut versucht, meinen Schuh anzuknabbern, und fluche leise vor mich hin.

»Im Ernst, Pixie. Die Ziege muss weg.«

Meine Freundin lächelt zu mir herüber. »Aber sie mag dich.«

Gemeinsam mit Levis Eltern und Ellen sitzen wir auf der Tribüne, um einem Footballspiel zuzusehen, bei dem Levi mitspielt. Und aus irgendeinem Grund soll ich auf die Ziege aufpassen, die Levis Freund und Teamkollegen Zack gehört. Der Bursche kann froh sein, dass er sich unerreichbar für mich auf dem Spielfeld befindet, sonst würde er jetzt von mir etwas über diese Ziege zu hören bekommen, die ständig versucht, meine Schuhe anzufressen.

»Komm, ich nehme die blöde Ziege«, sagt Jack, der mir eine Brezel besorgt hat.

Er schlängelt sich an allen anderen vorbei, um sich neben mich zu setzen, gibt mir die Brezel und nimmt die Ziege.

Nachdem er Marvin weit genug von meinen Füßen deponiert hat, beugt er sich zu mir und küsst mich.

»Hey Baby.«

»Hey«, erwidere ich leise und küsse ihn leidenschaftlich zurück.

Jack ist mein ganzes Leben, und wenngleich es nach wie vor manchmal ungewohnt ist, haut mich die Erfahrung unserer Liebe noch immer um. Jeder Tag scheint besser zu sein als der vorherige, und ich fühle mich noch immer uneingeschränkt unabhängig.

Ellen hatte recht – mich dafür zu entscheiden, Jack zu lieben, war das Beste, was ich tun konnte.

»Okay, Leute, macht mal halblang«, stichelt Pixie. »Bestimmt sind Kinder in der Nähe.« Sie blickt sich um. »Okay, keine Kinder, bloß eine Ziege. Trotzdem: Nehmt euch ein Zimmer.«

»Machen wir«, sage ich und zwinkere ihr zu. »Später.«

Sie tut, als würde sie würgen, doch in ihren Augen blitzt der Schalk.

In diesem Augenblick kommen Kayla und Daren die Tribüne hoch.

»Tut mir leid, dass wir auf den letzten Drücker kommen«, entschuldigt Kayla sich und blickt lächelnd in die Runde. »Ein gewisser *Jemand* hat ein Rezept ausprobiert und war nicht bereit, die Küche zu verlassen, ehe es nicht perfekt gelungen war.«

Sie verdreht spielerisch die Augen und setzt sich mit Daren schnell neben die anderen.

»Es war nicht meine Schuld«, widerspricht Daren und deutet mit einer Kopfbewegung zu Kayla hinüber. »Es lag daran, dass *jemand* darauf bestanden hat, kurzfristig noch eine Kartoffelsuppe auf die Mittagskarte zu setzen.«

»Hey, du solltest mir dankbar sein«, kontert Kayla, »Kartoffelsuppe ist ein Klassiker, der geht immer, du wirst sehen.«

»Ja. Allerdings nur, weil ich gerade die perfekte Kartoffelsuppe gezaubert habe«, gibt er zurück.

»Turteltauben«, spottet Pixie und seufzt dramatisch. »Sind sie nicht hinreißend?«

Ich beobachte, wie Daren Kayla auf die Nase küsst, und verziehe das Gesicht.

»Sie sind ganz okay.«

»Als ob ihr besser wärt«, spottet meine Freundin.

»Vorsicht, Miss Pixie. Du sei mal ganz still. Wenn ich bloß an deine Telefonorgien mit Levi denke. Oder an dieses *Leg du zuerst auf … - Nein, leg* du *zuerst auf.* Du und Levi, ihr seid so ziemlich der Abschuss.«

Jack lenkt mich von weiteren Disputen ab, greift nach meiner Hand und deutet verwundert auf meinen Ringfinger.

»Was ist das?«

Auf meinem Ringfinger steckt nicht mehr Grandmas Gris-Gris-Ring. Ich habe ihn abgenommen und ihn durch den wunderschönen Ring mit dem roten Stein ersetzt, den Jack mir geschenkt hat. Er sieht dort nicht bloß perfekt aus, sondern erinnert mich zudem immer an unsere Fahrt – und an all die Momente, die zu diesem äußerst glücklichen Punkt in meinem Leben geführt haben.

»Was ist?«, frage ich. »Erschreckt es dich etwa, dass ich einen Ring, den du mir geschenkt hast, am Ringfinger trage?«

Er mustert mich einen Moment.

»Überhaupt nicht«, sagt er so ernst, dass es mich zutiefst berührt und mich mit einer solchen Freude erfüllt, dass ich sie am liebsten in alle Welt herausschreien möchte.

Gott, ich liebe ihn so.

Ich unterdrücke ein Lächeln und zucke die Schultern.

»Gut. Ich fand nämlich, dass es an der Zeit sei, Grandmas Ring abzunehmen, weil ich das Gefühl habe, total angekommen zu sein. Und damit hat er ja seinen Zweck erfüllt.«

»Ach ja?«, hakt Jack mit einem kleinen ironischen Grinsen nach.

Ich nicke. »Ja.«

Verschwörerisch beugt er sich vor und senkt die Stimme. »Und hat das irgendwas mit mir zu tun?«

»Nein«, erwidere ich lächelnd, beuge mich vor und flüstere ihm ins Ohr: »Es hat *ausschließlich* mit dir zu tun.«

Jack mag ja völlig falsch für mich und meine Pläne gewesen sein, aber es war genau die Art von Falsch, die ich gebraucht habe. Die richtige Art von Falsch.

Dank

Es hat mir viel Spaß gemacht, über Jenna und ihre Freunde zu schreiben, doch ohne die großartige Unterstützung meiner Leser wäre mir das nicht möglich gewesen. Ich danke euch von ganzem Herzen! Mit jeder Seite, die ihr gelesen habt und weiterhin lest, macht ihr mir ein unvorstellbares Geschenk.

Und ich danke Brett, meinem Ehemann, dafür, dass er bei diesem Abenteuer, das wir Leben nennen, meine Seele, mein Geist und mein Verstand ist. Ich habe dich gar nicht verdient – du bist das Beste, was mir jemals passiert ist. Danke, dass du mich liebst.

Ich danke meinen süßen Babys, die mit zwanzig natürlich keine Babys mehr sind. Ihr seid das Licht meines Lebens, für euch lebe ich meine Träume. Danke, dass ihr an mich glaubt. Danke, dass ihr stolz auf mich seid. Danke für alles, was ihr mir gegeben habt und für das es keine Worte gibt.

Außerdem danke meiner wunderbaren Mutter. Du hast mir bei den vielen Träumen, denen ich hinterher gejagt bin, zur Seite gestanden und nie daran gezweifelt, dass sich eines Tages einer von ihnen erfüllen wird. Und sieh mich jetzt an! Überall um mich herum werden meine Träume wahr. Ich danke dir, dass du immer daran geglaubt hast, dass dieser Tag kommen wird.

Mein Dank gilt darüber hinaus Kristen, meiner »Jenna«. Du bist in allen Lebensphasen als Freundin für mich da und bringst mich immer zum Lachen. Noch nie habe ich eine so tolle Freundschaft wie mit dir erlebt, und ich bin dir unsagbar dankbar.

Ich danke ebenfalls meiner Freundin und Autorin Shelly Crane, die mit mir meine Hoffnung teilt, Suzie, meiner Superagentin, für ihre brillanten Gedanken und ihre Geduld und meiner Lektorin Megha dafür, dass sie meine Figuren genauso sehr liebt wie ich. Danke, dass du an diese Geschichte glaubst und an alle davor geglaubt hast. Du bist einfach großartig.